Nicole Jolicoeur
Montréal
15 septembre 84

LYSIANE GAGNON

VIVRE AVEC LES HOMMES

un nouveau partage

ÉDITION DU CLUB QUÉBEC LOISIRS INC.
© Avec l'autorisation des Éditions Québec/Amérique
ISBN 2-89037-176-X

À la mémoire de mon père et à ma mère.
Et à S.

La véritable libération de la femme ne pourra pas se faire sans celle de l'homme. Au fond, le mouvement de la libération des femmes n'est pas uniquement féministe d'inspiration, il est aussi humaniste. Que les hommes et les femmes se regardent honnêtement et qu'ils essaient ensemble de revaloriser la société. Le défi auquel nous, femmes et hommes, avons à faire face, est celui de vivre pour une révolution pacifique et non pas de mourir pour une révolution cruelle et, en définitive, illusoire.

Thérèse CASGRAIN, 1971.

INTRODUCTION

Un salon de coiffure. Une cliente très « femme d'affaires », la cinquantaine blonde et assurée, bavarde avec le coiffeur.

« L'autre jour, un type me dit : "C'est l'homme qui est le chef naturel." Je ne me suis pas privée de lui dire ma façon de penser ! Je ne suis pas féministe, mais... »

Le coiffeur, 22 ans, gentil, un petit côté punk : « Pour notre génération, ces problèmes-là sont réglés. Les gars lavent la vaisselle, on partage tout. »

Oui, c'est vrai, il y a des choses qui ont changé.

L'autre jour, dans la salle de rédaction où je travaille, un de mes confrères s'approche de moi avec des airs de mystère et un grand sourire. Il a 34 ans, beaucoup de talent et, comme on dit, un bel avenir devant lui : « Es-tu au courant de la nouvelle ? »

— La nouvelle ? Ah oui, il me semble avoir entendu dire à travers les branches qu'on t'avait pressenti pour un poste de direction... C'est vrai ?

Il est interloqué. De toute évidence, je n'ai pas deviné juste.

« Fausse rumeur, dit-il, et d'ailleurs, une promotion, ça ne me dit rien pour l'instant. Il y a, à mon sujet, une rumeur bien plus intéressante... »

Le sourire lui est revenu, c'est un sourire radieux. Et, sur le ton de la confidence : « Ma blonde et moi on va avoir un bébé. »

Lui qui était plutôt taciturne ces derniers temps, il est métamorphosé. Il parle, il parle... « Je viens d'entrer dans le club des jeunes pères de famille ! On passe des heures à parler de couches et de pédagogie, de ce qu'il faut acheter pour la chambre du bébé... »

Sa femme est enseignante. Elle va prendre un congé de maternité et plus tard retourner au travail.

« Nous autres les gars, on a l'œil sur l'ancien bureau de X. Ça nous ferait une bonne garderie ! Il va falloir qu'on y voie pour la prochaine convention ! »

Il rit. Il est heureux. Il y a 20 ans, ou même seulement 10 ans, un autre homme, à sa place, n'aurait-il pas pensé un peu plus à une promotion et un peu moins à son enfant ?

Oui, des choses ont changé mais pas tout ni partout.

L'une de mes amies vient d'être nommée à un poste de responsabilité dans l'entreprise où elle travaille d'arrache-pied depuis 15 ans. C'est la seule femme parmi 20 « cadres ». Je viens de me rendre compte que mes homologues, dans les services auxquels j'ai affaire, vérifiaient dans mon dos auprès de mes propres collègues si j'avais le pouvoir de décider ceci ou cela, si je parlais vraiment au nom du service... Ils n'étaient pas sûrs que j'avais l'autorité nécessaire ni que mon opinion était digne de foi. C'est te dire : non seulement on n'aime pas voir une femme en situation d'autorité, mais on ne la croit pas, même si elle en a le titre ! »

Une autre, 41 ans, fonctionnaire, indiscutablement compétente, vient d'être écartée d'un poste de direction au profit d'un homme moins qualifié : « C'est une fonction où il faut diriger du personnel. "Ils" trouvent que je ne suis pas assez ferme, pas assez autoritaire, que je n'ai pas le style "boss". Évidemment, pour avoir le style "boss", il faudrait que je me change en homme ! C'est vrai que je ne suis pas du genre à parler fort ni à donner des coups de poing sur la table et que j'agis par la persuasion. Mais je suis efficace, je l'ai prouvé. En outre, j'ai élevé deux enfants toute seule dans des conditions difficiles... Comment ne serais-je pas capable de venir à bout d'une dizaine d'employés adultes qui font un métier que je connais sur le bout de mes doigts ? »

Chez les jeunes, c'est différent ? Pas nécessairement. Catherine, 24 ans, étudiante en psychologie, vit avec un garçon qui voudrait l'épouser : « Il n'en est pas question, dit-elle. Déjà, je sens qu'il souhaite que je reste à la maison après avoir terminé mes études. Comme si j'étudiais seulement pour le plaisir de la chose ! Il est possessif, jaloux, et voudrait que je sois aussi dépendante de lui qu'il l'est de moi. Qu'est-ce que ce serait si on était mariés ? »

Est-elle féministe ? Elle l'ignore. Elle a l'impression que les féministes ont gagné sur toute la ligne : « Tu vois, je fais ma psycho, je vais gagner ma vie, où est le problème ?

Oui, mais est-il normal que son ami réagisse de la sorte ?

— Bien sûr que non. »

Alors, n'est-ce pas le signe que rien n'est vraiment acquis et qu'il reste beaucoup à faire pour changer les esprits ?

Bien des hommes par ailleurs se trouvent dans un certain désarroi, incertains non seulement quant à l'avenir mais quant à leur rôle, quant à leur propre identité en rapport avec la poussée du mouvement féministe qui a ébranlé, ces dernières années, toutes les certitudes.

Jacques, 26 ans, diplômé en droit, intelligent, cultivé : « Je ne sais pas quoi faire ni où me diriger. Je n'ai pas d'ambition particulière. Je ne sais plus où j'en suis, sur quelque plan que ce soit... Les filles que je connais sont beaucoup plus déterminées, plus heureuses dans la vie. Elles ont un but. Moi, je flotte... »

Robert, 33 ans, professeur de cégep, ancien militant de gauche : « Je pense honnêtement avoir vécu avec les femmes des relations égalitaires. J'ai toujours été sympathique au mouvement féministe.

Mais maintenant, je ne sais plus. Je ne peux plus supporter ce discours radical axé sur l'équation entre violence et phallus. C'est comme si l'on m'associait, du simple fait que je suis un homme, aux violeurs et aux batteurs de femmes. C'est comme s'il fallait maintenant que j'aie honte de mon propre corps, que je renonce à ma propre sexualité. »

Claude, 40 ans, écrivain : « J'ai beaucoup changé mais ça s'est fait peu à peu. J'avais été élevé comme tous les gars, avec des images bien spécifiques de la femme... C'est ma femme qui m'a amené à changer, mais doucement et sans éclat. Si elle m'avait agressé, si je m'étais senti agressé, j'aurais sans doute résisté. De fait, après 15 ans de mariage, on s'entend mieux que jamais. Nos rapports sont plus faciles, je pense mieux la connaître, mieux la comprendre et l'inverse aussi est vrai... Mais beaucoup d'hommes se sont sentis agressés, à tort ou à raison. Tu devrais entendre ce qu'ils disent quand nous nous retrouvons entre hommes seulement, et cela, même dans des milieux supposément progressistes ! »

Juste avant de commencer à travailler à ce livre, j'assistais au congrès du NPD à Régina, dans le cadre de mon travail régulier de chroniqueur politique à *La Presse*. Un soir je me retrouve au restaurant avec trois collègues. Tous des hommes — détail qui illustre bien le fait que certains métiers, et surtout ceux qui sont d'une façon ou d'une autre reliés au pouvoir, restent largement l'apanage des hommes. Mais tout est sujet à nuances. Ces hommes ont changé. Ils ont tous, chacun à sa façon, évolué sous la poussée de la réflexion féministe.

Hugh a 43 ans. Divorcé, remarié avec une journaliste. Je lui demande quels sont ses projets pour l'an prochain : « Tout dépendra de Susan. Elle m'a suivi, l'an dernier, là où le journal m'avait envoyé. Théoriquement, à ce stade-ci de ma carrière, je pourrais obtenir un poste de correspondant à l'étranger. Mais, cette fois, c'est à elle de décider : où elle trouvera un travail intéressant, c'est là que nous irons. »

Jean a 46 ans. Il est marié depuis 20 ans. Sa femme et lui sont très proches l'un de l'autre. Je le taquine souvent en lui disant qu'il est « gâté pourri ». Mais même lui, qui se qualifie lui-même en riant de « vieux sexiste », a changé ces dernières années. Il a lu toute la littérature féministe qui lui est tombée sous la main et il en discute avec sa femme. Il serait bien le dernier homme à se dire féministe mais en réalité, dans son comportement, il est plus ouvert, plus égalitaire, moins sexiste en somme que bien des hommes qui se prétendent sympathiques au mouvement féministe. C'est une chose que les femmes se disent souvent entre elles, d'ailleurs, à propos des hommes d'aujourd'hui : le discours et la pratique sont loin de toujours coïncider.

Le troisième, Vincent, est plus jeune : 26 ans, impétueux, l'esprit caustique. Il vit avec une jeune femme qui est décoratrice. On ne lui demande pas ce qu'il pense du féminisme, il est pour, c'est une chose qui à ses yeux va de soi.

Les voilà donc, ces trois collègues — trois entre cent, cinq cents, mille autres — attablés dans un restaurant de Régina. Le congrès néo-démocrate vient d'adopter en deux temps trois mouvements le convoi habituel de résolutions contre le sexisme et la porno, sans que personne s'interroge sur les implications que certains contrôles pourraient avoir sur la liberté d'expression, la liberté des créateurs, les droits individuels.

— La porno, dis-je, encore le même fichu débat sur la porno...

C'est cette remarque qui ouvre les vannes. Tous trois commencent alors, presque timidement, à me dire à quel point ils sont mal à l'aise devant un certain discours féministe qu'ils trouvent sectaire et d'où, systématiquement, l'homme est toujours absent. « On se sent carrément de trop », dit Jean. « On nous colle une étiquette qui n'a rien à voir avec ce que nous sommes », dit Hugh. Vincent est plus véhément : « Sais-tu qu'il y a même des groupes de féministes, au Canada anglais, qui veulent changer l'orthographe du mot "woman" parce qu'il y a le mot "homme" (man) dedans ? Dorénavant, il faudrait dire "womyn"... On en a marre à la fin ! »

Je suis assez d'accord avec eux mais en même temps je pense à toutes ces femmes qui ont été brimées dans leurs aspirations les plus légitimes et qui ont subi tant d'injustices à de multiples niveaux, et je comprends, par toutes les fibres de mon être, leur colère, de même que leur agressivité, qui peut fort bien du reste n'être que temporaire, épisodique. Les hommes ont leurs problèmes, c'est vrai, mais les femmes en ont de pires, dont celui de se trouver, dans d'innombrables cas, privées d'un revenu décent. Je ne compte plus les confidences reçues de femmes, de femmes au foyer et de femmes au travail (ces dernières étant également pour la plupart des femmes au foyer aux prises avec le fardeau de la double tâche), confidences de femmes meurtries par la confrontation, tant au foyer qu'au travail, avec des hommes qui les avaient exploitées ou rejetées, utilisées ou dominées; qui les avaient exclues de leur sphère de pouvoir ou asservies à leurs propres besoins.

C'est de cette somme confuse et dense de témoignages et d'observations, tout autant que de ma propre expérience, qu'est né ce livre. C'est un livre en mouvement, non concluant et sans conclusion, directement tiré de la réalité, d'une réalité complexe et mouvante qui est tantôt rose, car il est vrai que la situation des femmes s'est améliorée, et tantôt grise, car il est tout aussi vrai que nous portons tous le poids des anciens conditionnements. Un livre féministe mais qui s'écarte du dogmatisme parce que le dogmatisme est trop loin de la vie, un livre en somme qui s'inscrit dans une perspective réformiste plutôt que révolutionnaire. C'est un livre sur les femmes mais qui parle aussi des hommes. Comment, en effet, parler des femmes sans parler également des hommes? L'immense majorité des femmes vivent avec des hommes, à la maison et au travail. Elles ont des maris, des amis, des amants, des fils, des pères, des patrons, des collègues, des camarades, et (dans un fort petit nombre de cas) des subordonnés. L'homme est présent dans la vie quotidienne de presque toutes les femmes. Et toute démarche féministe doit en tenir compte, de même qu'elle doit tenir compte du rapport amoureux qui lie l'homme et la femme. D'où le titre de ce livre. « Vivre avec les hommes », c'est pour toute femme, une réalité fondamentale. On peut vouloir changer la vie mais c'est avec les hommes qu'il faudra la changer.

Pourquoi une femme doit-elle encore être deux fois plus compétente, bénéficier d'atouts exceptionnels ou travailler deux fois plus fort qu'un homme pour se hisser au même niveau? Pourquoi une femme doit-elle avoir la responsabilité première sinon exclusive de l'éducation des enfants et des tâches domestiques, même quand elle a un emploi? Pourquoi serait-ce exclusivement à l'homme de pourvoir aux besoins matériels de la famille? Pourquoi les deux, l'homme et la femme, ne pourraient-ils partager les tâches tant à l'extérieur qu'à l'intérieur du foyer, ce qui donnerait et à l'un et à l'autre une emprise sur toutes les facettes du monde, et la possibilité de devenir un être humain plus complet? D'où vient cette division des tâches et des rôles dont chacun d'entre nous fait quotidiennement les frais? Pourquoi sacrifier une partie de sa propre personnalité à des stéréotypes qui ne correspondent jamais à ce que sont les individus en chair et en os?

Comment se situer par rapport au mouvement féministe? Pourquoi tant de femmes disent-elles, comme cette dame citée plus haut: «Je ne suis pas féministe, mais...»? Elles refusent de se définir comme féministes et pourtant ce qu'elles disent de leur condition reprend mot pour mot le discours féministe modéré.

Pourquoi prétend-on que le féminisme est mort, alors qu'en réalité les plus gros événements des dernières années, au Québec, se situaient précisément dans la foulée du mouvement féministe? À l'heure où les assemblées politiques sont désertées, ce sont les conférences portant sur les rapports interpersonnels dans une optique féministe qui font salle comble. À l'heure où les discussions sur l'information s'étiolent, c'est un colloque sur les femmes et l'information qui regarnit la caisse de la Fédération professionnelle des journalistes. Dans un Musée d'Art contemporain généralement ignoré, c'est une exposition féministe, le *Dinner Party* de Judy Chicago, qui constitue l'événement artistique de l'année. À l'heure où les périodiques tombent l'un après l'autre, faute de lecteurs et d'annonceurs, c'est un magazine féministe, *La Vie en rose*, qui tient le haut du pavé de la presse «alternative». On parle de crise dans les arts ou la production littéraire, et ce qui surnage, ce qui émerge, ce sont des œuvres de femmes. C'est de toute évidence parce qu'il y a un besoin à combler et que cela correspond à des préoccupations et à des intérêts répandus dans le grand public.

Il y a par ailleurs des femmes qui disent le contraire de ma voisine du salon de coiffure: «Je suis féministe, mais...». Cela m'arrive à moi aussi parfois.

Que penser de l'insistance que mettent tant de militantes féministes à réclamer le retour de la censure au cinéma et ailleurs? Le mouvement féministe, pourtant né d'un profond désir de liberté, aurait-il perdu le sens de la tolérance? Que penser, aussi, de cette insistance sur des thèmes axés sur le corps et la violence, sur la «politique sexuelle» en somme, au détriment, dirait-on parfois, des thèmes reliés à l'obtention de l'autonomie financière — droit au travail, à la formation professionnelle, aux garderies, etc.?

Il me semble au contraire, et c'est un des points sur lesquels plusieurs féministes seront en désaccord avec moi, que la démarche vers l'obtention de l'autonomie financière doit rester prioritaire parce que c'est la condition première, pour toutes les femmes, de la liberté et de la dignité ; que la lutte au sexisme doit se faire par l'éducation et non par la censure, les procès d'intention ou le sectarisme ; et enfin que toute action féministe s'inscrivant dans une dialectique qui exclut l'homme est vouée à la marginalisation et va à l'encontre de ses propres objectifs.

Autant de questions que nous aborderons dans ce livre qui a trouvé son point de départ dans deux longues séries d'articles que j'ai publiées entre mai 1978 et mars 1980 dans la revue *Madame au Foyer*. J'ai gardé, grosso modo, les têtes de chapitres suggérés par la rédactrice en chef, Pierrette Laberge-Ferth, mais j'ai considérablement remanié le tout et ajouté nombre d'éléments, de telle sorte qu'il s'agit d'une matière inédite. Seuls le plan général et quelques paragraphes ici et là ont été conservés tels quels.

Lysiane Gagnon
29 septembre 1983

I

DE LA NOUVELLE-FRANCE
À LA
RÉVOLUTION
TRANQUILLE

Quand j'ai terminé mes études collégiales en 1960, les femmes québécoises avaient déjà acquis deux droits fondamentaux : le droit de vote et l'accès à l'instruction supérieure. Et pourtant, ces victoires-là avaient si peu transformé les mentalités qu'à la veille de la Révolution tranquille les filles de mon âge en étaient encore à craindre d'être trop instruites et s'efforçaient de cultiver cette image de faiblesse, d'ignorance et de dépendance indispensable à qui voulait être aimée.

Leurs pères le leur disaient : « Les hommes détestent les bas-bleus, une femme trop instruite ne trouve pas de mari. » Les mères, plus subtiles, leur apprenaient l'art de la séduction, la seule arme laissée aux femmes depuis des millénaires : « Tu es intelligente, mais ne le montre pas trop. Quand tu sors avec un garçon, interroge-le, laisse-le parler, écoute-le comme s'il t'apprenait des tas de choses... C'est encore la meilleure façon de plaire aux hommes. Ne parle pas de politique. Les hommes n'aiment pas que les femmes se mêlent de ça. Rien ne t'empêche d'avoir tes opinions, dans ton for intérieur. »

L'idéal proposé aux adolescentes était littéralement inaccessible. Pour être une « vraie femme », une « femme complète », le dosage d'attitudes et de comportements qu'il allait falloir réaliser constituait une entreprise épuisante, risquée, toujours vouée à l'échec... Nous faisions ainsi l'apprentissage de la corde raide.

Il fallait être jolie mais pas trop, « une femme trop belle fait peur aux hommes », attirante sans être provocante, savoir exactement quand mettre un terme aux effusions amoureuses de ses jeunes prétendants, de manière à passer ni pour une fille « facile » ni pour une fille « froide ». Même ces tout premiers rapports, qui auraient dû être vécus dans l'émoi, empruntaient le mode de la duplicité ; il fallait que le garçon continue de vous désirer, mais toujours en vain, car l'amour risquait de vous être retiré, ô punition suprême, dès l'instant où vous auriez cédé... la fille étant investie de la mission éternelle de réprimer les ardeurs — nécessairement animales, disait-on, et irrépressibles — du garçon. Schéma stéréotypé, sans rapport avec la réalité vécue par les adolescents et également répressif pour ces jeunes garçons vulnérables, gauches et timides, incapables de se reconnaître dans l'image de ce Don Juan impétueux et sauvage qui leur était imposée.

Il fallait qu'une « femme complète » cultive son esprit — comme on cultive une fleur ornementale —, qu'elle soit intelligente mais pas trop et, si possible, qu'elle fasse preuve d'une intelligence de type intuitif plutôt que rationnel, qu'elle soit suffisamment instruite pour que les hommes la trouvent intéressante... mais sans exagérer cependant, car il convenait qu'un mari en sache plus long que sa femme.

Il fallait s'initier aux sports, mais non en abuser : une femme trop sportive risquait de passer pour un garçon manqué. Il était bien vu qu'une jeune fille soit versée dans les lettres et les arts, mais préférable qu'elle ne soit pas trop douée pour les matières scientifiques, domaine moins « féminin ».

Il fallait bien entendu se préparer à être une parfaite ménagère, mais sans se laisser accaparer par les soucis domestiques (cela nous aurait rendu « ennuyantes » aux yeux de nos maris), admettre qu'il était normal d'élever seule ses enfants, mais sans oublier par ailleurs de redevenir à cinq heures une épouse coquette, aimante et gaie : « Ton mari revient fatigué du travail, alors, à cinq heures, tu ôtes ton tablier, tu te refais une beauté, le souper est là qui l'attend... »

Il fallait enfin se préparer à exercer une profession, sérieusement bien sûr — autrement on aurait passé pour une tête folle — mais sans excès, car il ne fallait pas non plus risquer d'être vue comme une future femme de carrière. La profession n'était jamais un but en soi. C'était ou une façon de rencontrer son futur mari, ou une précaution « au cas où »... si jamais tu ne te mariais pas, si jamais tu devenais veuve... ». Pour la femme, l'instruction n'était pas tant une valeur en soi, susceptible de lui permettre de s'épanouir en tant que personne, qu'un moyen de « faire honneur » à son mari tout en étant une mère plus accomplie, capable de voir avec plus de compétence à l'éducation de ses enfants... de ses fils surtout. Il fallait donc s'instruire, mais sans qu'il n'y paraisse trop ! Il fallait se réjouir d'avoir le droit de vote... mais ne pas trop parler de politique !

Double standard, double jeu, ruses infinies, dosages plus que subtils, équilibres précaires... Cet impossible idéal était, notons-le, celui qu'on proposait aux filles les plus privilégiées de cette époque, celles qui avaient la chance de poursuivre des études postsecondaires.

Même aujourd'hui, à l'heure de la scolarisation massive, ce modèle de la « femme complète » — ou, comme le dit Mona-Josée Gagnon [1], de la « femme symbiose » — persiste encore dans une assez large mesure. Ce modèle se situe, pourrait-on dire, à mi-chemin entre le modèle traditionnel qui a eu cours pendant des siècles et le modèle féministe qui repose sur l'abolition de la division des rôles, le partage des tâches domestiques et de l'éducation des enfants et le libre accès des femmes à toutes les sphères de l'activité collective.

Mais par rapport au passé, l'idéologie de la femme symbiose, aussi mutilante fût-elle pour les femmes qui ont tenté de s'y conformer, représentait quand même un certain progrès. Pour en arriver là, le chemin avait été très long.

Le pays de nos aïeules

Comment étaient-elles et comment vivaient-elles, toutes ces femmes qui, à partir du XVIIe siècle, ont peuplé à même leurs entrailles la terre de Nouvelle-France ? Les livres d'histoire n'en parlent pas, sinon pour illustrer les mérites — très réels au demeurant — de quelques héroïnes.

---

1. *Les femmes vues par le Québec des hommes*, Éd. du Jour, 1974.

« Les femmes ont été privées de leur mémoire historique, écrivent Marie Lavigne et Yolande Pinard ; on s'en doute : si les femmes ont été exclues de l'histoire, c'est qu'elles étaient exclues du pouvoir [2]. »

On sait seulement qu'aux premiers temps de la colonie, les femmes venues des provinces françaises devaient avoir une force physique et morale au-dessus de la moyenne pour survivre dans cette contrée qui ne ressemblait en rien à leurs villages d'origine. Les historiens disent qu'elles ont dû travailler comme des hommes pour défricher, bâtir et se débrouiller, l'hiver surtout, presque sans ressources. Seules, avec l'aide d'autres femmes, elles ont accouché de générations entières, au rythme d'un enfant tous les deux ans en moyenne, et au risque de leur vie ; les démographes ont en effet relevé un taux anormalement élevé de mortalité chez les femmes âgées de 30 à 45 ans en Nouvelle-France. Elles mouraient en couches et, ensuite, leurs filles prenaient la relève de ce qui allait devenir la revanche des berceaux, établissant toutes ensemble un record mondial de fécondité qui n'a apparemment jamais été égalé.

La plupart de nos aïeules étaient illettrées et n'ont laissé aucun témoignage écrit. Mais les écrivains de l'époque les décrivent comme des femmes « libres et dégourdies », beaucoup moins puritaines que le portrait austère qu'en a tracé l'Histoire officielle.

Même si, comme l'indique le célèbre épisode des « Filles du Roy », les femmes de l'époque étaient considérées surtout comme des reproductrices et traitées, à quelques égards près, comme du bétail (Colbert annonce à l'intendant Talon l'envoi de « cinquante filles, douze juments et deux étalons »), il reste qu'en Nouvelle-France la femme était peut-être moins dominée qu'en France, dans la mesure où la société était moins hiérarchisée, dans la mesure aussi où les conditions difficiles de la survie permettaient aux femmes de jouer un rôle très actif à l'extérieur du foyer.

« La femme, enceinte ou nourrice, écrit Micheline Dumont-Johnson, se retrouve également bûcheron, défricheur, soldat, en plus d'assurer ses fonctions traditionnelles de maîtresse de

---

2. *Les femmes dans la société québécoise*, Éd. du Boréal Express, 1977.

maison... (elle est) une collaboratrice de son mari plus que sa subordonnée [3]. »

Même si la tradition juridique française ravale la femme mariée au niveau d'une mineure, les femmes de Nouvelle-France échappent, dans les faits, à cette règle : « Dans la réalité, écrit encore Mme Dumont-Johnson, la femme n'est pas systématiquement écartée de la gestion familiale, et les jugements du Conseil souverain sont remplis de causes où c'est la femme qui est la représentante du mari. Le mari fait-il la traite, est-il en France, prisonnier chez les Indiens, parti en campagne, c'est l'épouse qui assure la gestion, la responsabilité du patrimoine. Le tribunal lui permet même d'intenter seule des poursuites en justice en vue de la protection des biens de la famille, en cas d'absence du mari. »

Ce sont très souvent des femmes qui font marcher le petit commerce : tissus, vêtements, fourrures, eau-de-vie, sirop d'érable, ustensiles, auberges ou cabarets...

À côté de ces femmes anonymes, dont nous ne connaîtrons jamais les pensées qui les habitaient, lorsque la poudrerie s'élevait le long du fleuve Saint-Laurent et que le silence se faisait dans la maison, il y a les héroïnes.

Pourquoi les noms de Marguerite Bourgeoys, Jeanne Mance, Marie de l'Incarnation ou Marguerite d'Youville sont-ils passés à l'histoire ? Le fait qu'elles aient été célibataires ou veuves n'est pas une coïncidence : en se mariant, la femme tombait sous le pouvoir de son mari, pouvoir à peine tempéré par les dispositions juridiques visant à la protéger, elle et ses enfants, contre un « chef de famille » qui aurait échappé à ses responsabilités.

Les femmes qui entraient en religion disposaient d'une plus grande liberté et pouvaient mettre à profit leurs dons d'organisatrices ou leurs qualités intellectuelles. (Sous leurs airs onctueux, les « économes » de nos communautés religieuses étaient de redoutables financiers ! Et que dire des « supérieures »,

---

3. *Histoire de la condition de la femme dans la province de Québec*, étude préparée pour la Commission royale d'enquête sur la situation de la femme au Canada, 1971.

des « directrices » ? C'étaient, on s'en souvient, des maîtresses-femmes.) Pour plusieurs historiennes, d'ailleurs, la floraison phénoménale de vocations féminines au Canada français tient en partie au fait que ce fut longtemps là la seule voie de promotion sociale accessible aux femmes, la seule qui leur permettait de s'engager dans des activités qui leur étaient interdites dans la vie laïque. Bien avant que les professions s'ouvrent aux femmes, les « sœurs » furent comptables, musiciennes, peintres, pharmaciennes, historiennes, ingénieures, architectes...

« Ce qui est spécifique à l'histoire de la Nouvelle-France, écrit le Collectif Clio, c'est le nombre remarquable de femmes qui ont joué un rôle dans la fondation spirituelle et matérielle de la colonie [4]. » Il s'agissait souvent de femmes d'avant-garde, dotées d'une audace exceptionnelle. Jeanne Mance et Marguerite Bourgeoys ont effectué chacune sept traversées de l'Atlantique, « exploit que bien peu d'administrateurs laïcs ou religieux ont à leur crédit ». Cette dernière était une pédagogue en avance sur son temps : sa communauté était séculière et portait un costume laïc ; les élèves y apprenaient la lecture à partir du français et non du latin et la fondatrice prônait la formation savante des institutrices, la gratuité scolaire, l'accès à l'instruction supérieure pour les filles et l'adoucissement de la discipline. Toutes les fondatrices de la Nouvelle-France se sont à un moment ou à un autre, et le plus souvent durant de longues périodes, opposées à l'autorité de l'Évêque.

« Les Ursulines et les hospitalières, écrit M. Dumont-Johnson, ont financé elles-mêmes leurs entreprises. Mieux, leurs bailleurs de fonds, en France, sont également des femmes. Titulaires de seigneuries, elles savent exploiter judicieusement leurs terres et leurs écrits nous les montrent parfaitement au fait des problèmes économiques de la colonie. Quelques-unes, comme Jeanne Mance et Marguerite Bourgeoys, siègent même au conseil municipal de Montréal... [5] »

Ce sont donc des femmes qui ont fondé et géré durant trois siècles, et dans les conditions les plus difficiles, le système

4. *L'histoire des femmes au Québec*, Éd. Quinze, 1982.
5. *Op. cit.*

hospitalier et une partie des institutions d'enseignement que l'État québécois allait prendre en charge durant les années 60.

À mesure que le Québec s'urbanise et s'industrialise, ce qui a pour effet de réduire le rôle social que les femmes avaient pu tenir au temps de la colonie et de la société rurale, les vocations se font plus nombreuses, la misère matérielle aidant. Au XIXᵉ siècle, le Bas-Canada compte 25 communautés religieuses où travaillent quelque 10 000 femmes. En 1870, il y a dix fois plus de religieuses qu'en 1830. Au tournant du XXᵉ siècle, un peu plus d'une Québécoise sur 100 de plus de 20 ans a pris le voile. « Alors qu'à la fin du siècle, partout dans le monde occidental, des femmes forcent les portes des universités et des corporations professionnelles, les catholiques du Québec, elles, entrent en communauté[6]. » En 1939, le nombre des communautés a quintuplé : il y en a 130...

La femme mineure

Une fois révolus les temps héroïques de la colonie, la société se hiérarchise et les femmes perdent le peu d'indépendance qu'elles avaient acquis dans les faits.

Sous la Coutume de Paris comme sous le Code civil de 1866 — inspiré lui aussi du fameux Code Napoléon —, le mariage est, comme devait le dire plus tard la féministe Marie Gérin-Lajoie, « la mort légale de la femme ». L'épouse ne peut être ni tutrice ni curatrice et ne peut même pas, si elle devient veuve, être seule tutrice de ses enfants mineurs. Elle doit entière soumission à son mari, et cela, jusque dans les cas de séparation : le mari peut toujours obtenir la séparation pour cause d'adultère, mais la femme ne peut l'exiger que si son mari entretient sa concubine sous le toit conjugal ! La femme mariée ne peut exercer une profession distincte ; même quand un contrat de mariage lui permet d'échapper au régime patriarcal de la communauté de biens, elle ne peut administrer ses propres avoirs qu'avec l'autorisation de son mari ou, à défaut, d'un juge...

Alors que dans toute l'Amérique anglophone les femmes vivent depuis la fin du XIXᵉ siècle sous le *Married Women's*

6. Collectif Clio, *op. cit.*

Property Act qui institue le régime de la séparation de biens et consacre l'autonomie des femmes mariées, au Canada français, les épouses demeurent soumises au principe de l'incapacité juridique. Tout au plus, le Code de 1866 consent-il certains accommodements : ainsi, une femme mariée en séparation de biens n'a plus besoin d'une autorisation formelle de son mari pour vendre, hypothéquer ou acheter des biens immobiliers. Elle peut aussi percevoir les loyers et payer elle-même les taxes des édifices qui lui appartiennent. Si elle a encore besoin du consentement de son mari pour ouvrir un commerce, elle peut néanmoins le gérer seule. Toutefois, la ménagère est reconnue capable de faire les emplettes quotidiennes et les petits achats requis par la vie domestique !

Même le bénévolat, extrêmement répandu à cette époque en milieu anglophone, est problématique : « L'incapacité légale pose de lourds problèmes aux femmes impliquées dans des œuvres de charité. Les maris doivent sans cesse signer pour elles... La fondatrice de l'hôpital Sainte-Justine, Justine Lacoste-Beaubien, devra, en 1908, à l'instar des fondatrices de la Nouvelle-France, demander au parlement de la relever de son incapacité juridique afin qu'elle puisse vaquer aux affaires de son hôpital ![7] »

Il faudra attendre 1915 pour que la femme mariée en séparation de biens puisse hériter de son mari au même titre que ses héritiers naturels du troisième degré. (Auparavant, la femme dont le mari décédait sans testament passait au treizième rang des héritiers !) Ce n'est qu'en 1929 que le Conseil privé de Londres statuera que le mot « personne » s'applique aux femmes aussi bien qu'aux hommes (ce qui, théoriquement, donnait à celles-ci le droit de siéger au Sénat). Ce n'est qu'en 1931 que la femme mariée acquiert enfin le droit de disposer de son propre salaire, qu'en 1934 qu'on lui reconnaît celui d'avoir un compte en banque à son nom personnel... et, en 1945, il faudra que Thérèse Casgrain intervienne personnellement auprès du premier ministre Mackenzie King pour que les chèques d'allocations familiales soient remis à la mère plutôt qu'au « chef » de famille.

---

7. *Id.*

Le droit au travail

Le droit au travail a longtemps été refusé aux femmes (et cette longue conquête est d'ailleurs loin d'être achevée). Au départ, seule la misère familiale, ou la période incertaine précédant le mariage, justifiaient l'entrée des femmes sur le marché du travail... encore que la société n'ait jamais hésité à faire exercer aux femmes les emplois les plus humbles, les plus durs et les moins bien payés lorsque cela servait les intérêts de l'économie ou répondait aux besoins des familles riches.

En 1825, rappellent Marie Lavigne et Yolande Pinard, « la force de travail féminine à Montréal se composait à 56 pour cent de domestiques [8] » et jusqu'aux premières vagues du processus d'industrialisation, c'est le service domestique qui constituait la principale source d'emploi pour les femmes. Mais déjà, en 1881, 16 pour cent de la population féminine travaillait en manufacture et, dès le début du XXe siècle, les femmes formaient un immense réservoir de main-d'œuvre à bon marché : en 1911, à Montréal, plus du quart des ouvriers de la production étaient des femmes et la majorité d'entre elles se retrouvaient comme par hasard dans les industries où les salaires étaient les plus bas (confection, textile, tabac et chaussures).

Main-d'œuvre à bon marché (en règle générale, les femmes recevaient un salaire deux fois moins élevé que les hommes pour un même travail), mais aussi main-d'œuvre-tampon, qu'on appelait à l'usine lorsque la main-d'œuvre masculine faisait défaut et qu'on congédiait ensuite, quand les hommes revenaient de la guerre ou en période de chômage.

C'est en effet à la faveur des grandes guerres mondiales que les femmes sont entrées massivement dans les usines. Il va de soi que, pour ces femmes, le fait d'avoir à assumer, en plus de leurs tâches au foyer, les fonctions ingrates du travail en manufacture ne pouvait représenter une victoire : c'était une servitude de plus. Mais dans une perspective historique, ce fut là une percée dont nous bénéficions maintenant : pour la première fois, forcée par les circonstances et par l'exode de la main-d'œuvre masculine, la société québécoise admettait que les femmes puissent faire autre chose que de régner sur leur foyer.

8. *Op. cit.*

Mais les résistances à cette évolution allaient être proprement effarantes, à un point tel que Mona-Josée Gagnon estime que la fameuse crise de la conscription tient au moins autant au refus des élites canadiennes-françaises de voir entrer les femmes en usine qu'à un sentiment nationaliste : « De tous les aspects de l'effort de guerre canadien, écrit-elle, c'est sans doute contre la généralisation du travail féminin que le Québec s'est davantage révolté, plus encore peut-être que devant la volte-face du gouvernement Mackenzie King vis-à-vis de la conscription... Car le travail féminin était toujours perçu, avec justesse sans doute, comme une menace aux traditions familiales de chez nous [9]. »

Le même auteur rapporte les protestations que suscitèrent non seulement l'effort de guerre requis des femmes, mais aussi l'implantation de garderies pour les enfants des ouvrières, de même que les risques que comportait, pour la morale traditionnelle, l'inévitable promiscuité entre hommes et femmes qui allaient travailler dans la même usine.

« La femme, créée pour être un temple, ne doit pas devenir une shop », s'écrie en mars 1943 l'abbé A. Dugré dans *Le Messager canadien*. D'autres parlent du travail féminin comme « d'un péché contre la loi de Dieu » ou « d'un retour à la sauvagerie »... Et même un intellectuel comme André Laurendeau estime à cette époque que le grand danger qui menace la nation « et l'ordre social canadien-français » est que les femmes commencent à prendre goût au travail à l'extérieur du foyer.

Les écrits de l'époque sont empreints d'un mépris caractérisé envers les femmes : on les accuse d'être motivées « par l'appât du gain », d'être « encore plus sujettes que l'homme à agir en parvenue, en libertaire », de déserter leurs foyers et d'abandonner leurs enfants pour s'offrir quelque colifichet... Le plus dérisoire, c'est que les femmes dont il était alors question étaient des femmes pauvres qui n'avaient même pas le choix entre l'usine et le foyer !

Le droit de vote

D'autres femmes, privilégiées celles-là par leur milieu social et influencées par les Canadiennes anglaises plus progressistes en

9. *Op. cit.*

la matière, avaient commencé à revendiquer un droit si élémentaire qu'on oublie aujourd'hui qu'il fut extrêmement difficile à obtenir. Il s'agit bien entendu du droit de vote, qui existait au fédéral depuis 1918 et que toutes les provinces, à l'exception du Québec et de l'Île-du-Prince-Édouard, avaient octroyé aux femmes entre 1916 et 1919...

Mais ici, de 1913 à 1940, une poignée de femmes de la petite bourgeoisie, animées par des anglophones et par des francophones comme Marie Gérin-Lajoie, Idola Saint-Jean et Thérèse Casgrain, durent lutter sans relâche pour faire reconnaître le droit des femmes à voter aux élections provinciales.

Campagnes de presse, pétitions, « pèlerinage » annuel à Québec... Rien n'y faisait. Chaque année, à partir de 1927, un bill privé permettant le vote féminin était présenté à la législature provinciale... et, chaque fois, il était rejeté par d'immenses majorités. Ce n'est qu'en 1940 que le principe fut sanctionné par le parlement : cette fois, c'est le premier ministre Godbout, qui avait pourtant voté contre cette mesure quand il était dans l'opposition, qui parrainait le projet de loi qu'un petit groupe de femmes libérales lui avait fait promettre de soutenir au cours de la campagne électorale.

Pendant des années, la question du suffrage féminin avait suscité l'opposition farouche du clergé, des leaders nationalistes et même des groupes de femmes, le Cercle des fermières par exemple. Toutes ces oppositions pourraient se résumer en une phrase : la politique n'est pas l'affaire des femmes.

Des années après, le dicton subsistait toujours selon lequel une femme ne doit pas annuler le vote de son mari et, encore aujourd'hui, bien des femmes ne paraissent pas se rendre compte de la force politique que ce simple droit leur a donnée : c'est dans l'urne, le jour du vote, que se font et se défont les gouvernements.

Le droit à l'instruction

Traditionnellement, les femmes québécoises étaient souvent plus instruites que leurs maris, encore que cette affirmation, qui correspond à une croyance populaire profondément enracinée chez nous, doive être nuancée : il est exact qu'en Nouvelle-France il y avait plus de femmes que d'hommes sachant lire, mais — signe que seule une alphabétisation minimale leur était accessible — les femmes étaient moins nombreuses que les hommes à savoir à la fois lire et écrire.

Il reste que, dès 1825, le personnel enseignant, surtout au niveau primaire il va sans dire, est à 40 pour cent féminin ; en 1856, la proportion passe à 68 pour cent et, en 1878, à 78 pour cent. Au XXe siècle, la présence féminine dans l'enseignement s'élèvera jusqu'à 88 pour cent, la majorité des institutrices, exception faite des religieuses, œuvrant dans de misérables écoles rurales.

Ainsi, dans bien des cas, la femme avait été institutrice avant son mariage et pouvait enseigner à ses enfants les rudiments du français et de l'arithmétique. Jusque-là tout allait bien. C'était dans l'ordre des choses. Mais il convenait que l'instruction des femmes ne dépasse pas un certain niveau.

« Il y a sûrement moins d'inconvénients à ce qu'une femme aille voter à chaque élection, écrivait en 1944 Roger Duhamel dans *l'Action nationale*, plutôt que de la voir recevoir une instruction qui n'est adaptée ni à la tournure particulière de son esprit, ni à sa vocation sociale, ni à ses obligations domestiques éventuelles, ni souvent à sa santé. »

C'est ainsi qu'avaient fleuri au Québec les « écoles ménagères », plus tard rebaptisées « instituts familiaux », qui ne débouchaient que sur la fonction traditionnelle de la femme au foyer, excluant à jamais les jeunes femmes du marché du travail, à moins qu'elles n'entreprennent une carrière dans l'enseignement... des « arts » ménagers !

Ces écoles étaient subventionnées ; mais les collèges classiques féminins, qui, d'ailleurs, avaient vu le jour à grand-peine, ne l'étaient pas. C'est grâce aux pressions de Marie Gérin-Lajoie que la Congrégation Notre-Dame obtint en 1908 l'autorisation d'ouvrir la première école d'enseignement supérieur pour jeunes filles ; une première demande en ce sens avait été refusée quatre ans auparavant par le Comité catholique du Conseil de l'instruction publique. La première bachelière, la fille de

Mme Gérin-Lajoie, obtint le titre de « bachelier ès arts » tant on répugnait à employer ce mot au féminin... Pour ajouter au scandale, elle s'était classée première au concours annuel des finissants ! Les autorités refusèrent de lui octroyer le prix qu'elle avait mérité en « dépassant » les garçons.

L'accès aux études supérieures allait être d'autant plus compliqué que les corporations professionnelles opposaient une résistance opiniâtre à l'admission des femmes diplômées.

Le début de la majorité

J'avais 22 ans et je venais de me marier lorsque le Parlement adopta, à l'instigation de Claire Kirkland-Casgrain, première femme à être élue député à Québec, la loi 16 mettant fin, 92 ans après l'Ontario, à l'incapacité juridique de la femme mariée. Réforme scandaleusement tardive mais appréciable : dorénavant, la femme mariée allait pouvoir quitter le domicile conjugal en cas de danger, suppléer à l'autorité maritale dans certaines circonstances, exercer une profession distincte de celle de son mari, accéder à l'autonomie financière sous le régime de la séparation des biens et à une relative égalité (bien relative, notons-le, car toujours sujette à l'autorisation du mari) sous le régime de la communauté de biens.

Si, comme toujours, la loi avait été précédée par la réalité (ainsi, les femmes n'avaient pas attendu ce changement législatif pour exercer une profession distincte de celle de leur mari), les notables allaient, quant à eux, traîner de la patte et en retarder l'application, tant cette réforme allait à l'encontre de la tradition de la suprématie masculine dans le mariage.

Avant la loi 16, toute jeune journaliste mais célibataire, j'avais contracté sans la moindre difficulté et en mon nom propre un emprunt à la banque.

Trois ans après l'adoption de ladite loi, voulant m'acheter une auto, je retourne à la même banque... et les problèmes commencent. « Il faut la signature de votre mari ». J'explique que j'ai un emploi très stable, un salaire plus que décent et qu'un précédent emprunt a déjà été remboursé rubis sur l'ongle. Peine perdue, non seulement la signature de mon mari — étudiant à l'époque — ne suffisait pas, mais il fallait aussi que mon père se porte garant de ce petit emprunt !

On m'expliqua que les institutions bancaires n'étaient pas tenues de respecter l'esprit de la nouvelle loi. Il s'agissait là d'une toute petite vexation, sans grande importance en l'occurrence, mais significative de la profonde résistance qu'on opposait encore à tout ce qui risquait de faire de la femme mariée autre chose qu'une éternelle mineure.

Jusqu'à ce que Mme Kirkland-Casgrain réussisse à faire cette première brèche, l'esprit de nos lois reposait sur la conviction que la femme, faible créature, devait être guidée et, au besoin, protégée contre elle-même... et il n'est pas nécessaire d'avoir une très longue expérience de la vie pour savoir que tel est encore l'esprit qui anime, à l'endroit des femmes, une bonne partie de la magistrature, des avocats, des notaires et des divers agents du monde financier.

Il faut avoir vu fonctionner une société de fiducie pour mesurer la profondeur de la mentalité patriarcale. Un nombre considérable de veuves — et, encore, il ne s'agit ici que des privilégiées, de celles dont le mari avait quelques biens et qui ont échappé à la pauvreté et à la solitude réservées à la plupart des femmes âgées — vivent encore, telles des mineures ou des handicapées mentales, sous la tutelle des fiduciaires qui ont succédé à l'époux décédé.

Longtemps après être tombé en désuétude, le Code Napoléon restait intact dans les mentalités : la femme, incapable de s'organiser seule, devait être protégée. Aussi, les notaires et les maris s'entendaient-ils pour laisser par testament le capital aux enfants et l'usufruit à l'épouse. Celle-ci, incapable de disposer des biens que son travail domestique avait contribué à acquérir ou à conserver, tombait sous la dépendance de ses fils. Lorsque les biens étaient assez substantiels, le testament en remettait la gestion à une société de fiducie. Dans certains cas, plus nombreux qu'on ne le croit, le testament stipulait le montant exact auquel la veuve allait avoir droit mensuellement sa vie durant. On imagine ce que ce système allait donner en temps d'inflation ! Une avocate travaillant dans une société de fiducie m'a dit avoir été témoin de plusieurs cas où la veuve, ayant « hérité », si l'on peut dire, d'une large fortune, a dû faire présenter un « bill privé » à Québec pour « casser » le testament et obtenir une rente susceptible de la faire vivre décemment.

La mère Plouffe

On a souvent répété que les générations antérieures à la nôtre avaient vécu sous un régime matriarcal. « Qu'est-ce que vous avez à vous plaindre ? Ce sont les femmes qui ont toujours tout "mené" au Québec ! »

Ce genre de propos vient souvent d'hommes chez qui l'influence de la mère a été déterminante, dans la mesure où c'est elle qui tenait jalousement les rênes du foyer et assumait la formation de ses enfants au point de les maintenir à jamais sous son aile protectrice. Combien de « mamans Plouffe » le Québec n'a-t-il pas engendrées ?! Mais justement, la mère Plouffe ne vivait que pour sa famille, jamais pour elle-même... et ses enfants, longtemps infantilisés, allaient payer le prix de cette immense entreprise de répression des femmes dont elle avait été l'une des innombrables victimes.

Le mot « matriarcat », d'ailleurs, recouvre une réalité qui n'a existé que dans certaines sociétés primitives : c'est, selon le dictionnaire, « un régime juridique ou social en vertu duquel la mère transmet son nom aux enfants, la seule filiation légale étant la filiation maternelle ». Jusqu'à la toute récente réforme du droit de la famille, notre système, axé sur la filiation paternelle et l'autorité du « chef » de famille, a toujours été aux antipodes de celui-là. Il n'y a pas dix ans, une femme enceinte qui s'inscrivait à des cours prénataux devait fournir, comme uniques renseignements, le prénom et la profession de son mari ; ce n'est d'ailleurs que depuis 1981 qu'une mère a le droit de donner son nom à son enfant.

En réalité, ce qui a été considéré à tort comme un régime de type matriarcal n'a été que le produit d'un amalgame extrêmement complexe de ruses, de finesse, de mouvements de repli, d'artifices et de manœuvres dont on pourrait dire qu'ils sont culturellement féminins : les femmes exclues du marché du travail, du pouvoir politique, des fonctions socialement importantes, se sont repliées sur le seul terrain où elles pouvaient agir : le domaine de la famille.

On leur confiait la responsabilité des tâches domestiques et de l'éducation des enfants ? Qu'à cela ne tienne. Elles allaient exercer ce pouvoir-là le plus totalement possible mais en contournant les obstacles, en jouant, autrement dit, de l'influence qu'elles pouvaient avoir sur leur mari en étant conseillère, inspiratrice... voire conspiratrice. « Attends, ton père n'est pas de bonne humeur ce soir. Je lui parlerai demain... » Le lendemain, sourires, douceur et gentillesse, amours-délices-et-orgues, et le père cédait.

Il en allait de même pour le nerf de la guerre, c'est-à-dire l'argent. Beaucoup d'hommes ont remis à leur épouse la comptabilité domestique et c'est ainsi que les femmes en sont venues à contrôler indirectement les salaires qu'elles ne pouvaient pas gagner elles-mêmes.

Le même scénario se répétait dans le domaine de la promotion sociale : les femmes que le mariage avait privées de leur identité sociale se trouvaient réduites à agir par procuration, par l'intermédiaire du mari qu'elles encourageaient à solliciter un nouveau poste, une augmentation de salaire, etc. Et dans ces foyers, d'autant plus soumis au pouvoir des femmes que celles-ci n'avaient pratiquement pas de possibilités d'épanouissement à l'extérieur, il va sans dire que les enfants étaient exclusivement marqués du sceau de la mère : l'histoire du Québec est largement faite de pères absents et de mères envahissantes, qui reportaient sur leurs enfants les désirs et les aspirations que la société les avait forcées à refouler.

En somme, l'influence des femmes a toujours été grande au Québec, mais c'était une influence détournée, exercée par procuration. Pour tout ce qui débordait des cadres du foyer, les femmes ont le plus souvent été silencieuses et leur histoire est celle d'une patience sans bornes.

2

L'ENTRAÎNEMENT
Les éducatrices

« C'est une fille ! » Il fut un temps où la nouvelle faisait l'effet d'une catastrophe, à tout le moins d'une déception. Il convenait en effet que le premier-né soit un garçon, à défaut de quoi les parents espéraient « se reprendre la prochaine fois ». Bien sûr, on l'aimait quand même ce bébé fille, mais un garçon, c'était l'apothéose, la confirmation de la virilité du père, la certitude que le nom allait être transmis et que les biens resteraient dans la lignée.

Mais les choses changent et de plus en plus de parents se réjouissent de donner naissance à une petite fille, de se trouver confrontés à ce défi nouveau et exaltant : éduquer cette enfant de manière à en faire une femme forte et dynamique, capable d'échapper à la condition féminine traditionnelle.

Quand Catherine, un an et demi, se plante sur ses deux jambes, élève la voix et désigne d'autorité l'objet qu'elle veut, quand elle défend son territoire, quand elle apprend, avec une obstination farouche, à se débrouiller seule, sa mère sourit fièrement : « Pour elle, ce sera plus facile... »

Les principes de la nouvelle éducation sont simples : chaque enfant, fille ou garçon, doit s'épanouir en tant qu'individu. Les garçons doivent apprendre à donner libre cours à leurs facultés affectives, il faut les initier très jeunes à assumer leur part des tâches domestiques. Quant aux filles, elles doivent développer ces qualités naguère considérées comme « masculines » : la détermination, le désir d'autonomie, le travail intellectuel.

Facile à dire. Dans la pratique, les choses en vont autrement. Ainsi, Marc, huit ans, qui a pourtant été élevé dans un climat familial non sexiste, reproduit depuis environ trois ans — depuis qu'il va à l'école — les comportements traditionnels. Il refuse de jouer avec sa sœur : « C'est pas un jeu de fille ! », il s'identifie aux héros les plus violents de la télé, il affecte un mépris souverain pour la moitié du genre humain : « T'es rien qu'une femme ! » dit-il à sa mère, mi-taquin, mi-sérieux.

Il n'empêche qu'il fait déjà partie d'une génération différente de celles qui l'ont précédé. Quand il a besoin de quelque chose à table, il se lève et va lui-même le chercher, contrairement à tous ces grands adolescents qui trouvent normal que leur mère les serve.

Car l'éducation, au fond, n'est qu'affaire d'exemple et d'identification. Les jeunes parents instruits ont une multitude de livres sur la pédagogie, mais ce sont leurs propres gestes qui comptent le plus. L'enfant qui voit tour à tour son père et sa mère faire la cuisine, les courses, la vaisselle, le ménage, et qui s'habitue à ce que l'un et l'autre partent au travail, apprend tout naturellement que l'homme et la femme ont des droits et des responsabilités de même nature. C'est seulement ainsi, grâce aux exemples reçus dans sa propre famille, qu'il peut échapper aux conditionnements que favorisent encore l'école, la télé, la publicité, la littérature enfantine et les jeux.

Actuellement, l'un des grands facteurs de changement réside dans l'intérêt que de plus en plus de jeunes pères portent à l'éducation de leurs enfants. J'en connais beaucoup qui ont non seulement tenu à participer du mieux qu'ils pouvaient à l'accouchement, mais qui se sont ensuite chargés des soins au nouveau-né — ne serait-ce que pour permettre à leur femme de se reposer —, qui y ont pris goût et qui ont ensuite continué à s'occuper quotidiennement de l'éducation de leurs enfants. Ces gestes humbles, patients et affectueux qu'ils apprennent à leur tour à poser démontrent que certains hommes sont plus doués que certaines femmes pour s'occuper des petits et que l'instinct paternel peut être aussi fort — et dans certains cas plus fort — que l'instinct maternel, dont on a toujours fait un mythe.

Car « la » femme, disait-on (comme s'il n'y avait qu'un seul type, qu'un seul modèle de femme), aurait eu, biologiquement, par instinct, de par sa nature même, la « vocation » maternelle. « Faite pour être mère », elle était aussi « faite » pour être éducatrice..., comme si l'appareil génital d'un homme ne le prédisposait pas tout autant à engendrer, comme si un père ne se devait pas d'être, lui aussi, un éducateur !

Peu importe, puisque la société reposait sur la division des rôles et que l'éducation des enfants revenait à la femme. Il fallait donc prévoir pour elle, la future mère, un système d'enseignement spécifique, susceptible de la préparer à ce rôle et de l'empêcher de faire carrière à l'extérieur du foyer.

L'école du bonheur

C'est ainsi qu'à partir des années 30 le Québec allait mettre sur pied un secteur exclusivement destiné aux filles — l'immense réseau des « écoles ménagères » —, dont la vocation première était de dispenser, comme le rappelle Mona Josée Gagnon, « des cours d'arts ménagers, avec des rudiments de culture générale, le tout baigné dans une atmosphère mystique, religieuse et spiritualiste [1] ». À cela, s'ajoutaient bien sûr quelques éléments de puériculture et de pédagogie.

Même les matières académiques se voyaient traitées et présentées de façon féminine, c'est-à-dire adaptées aux modes de pensée supposément plus intuitifs des fillettes et des adolescentes. Une fervente admiratrice de nos écoles ménagères rapportait avec émotion en 1955 que même des matières comme la physique et la chimie étaient enseignées de façon « féminine » et adaptées à la « féminitude » !

C'était l'époque où une femme qui aimait l'étude ou le travail intellectuel risquait toujours d'être considérée comme un « bas-bleu », une « précieuse ridicule ».

« Les hommes ne veulent pas de femmes érudites, s'écriait Roger Duhamel dans l'*Action nationale*, le problème du Québec,

---

1. *Les femmes vues par le Québec des hommes*, Éd. du Jour, 1974.

c'est qu'on oriente les filles vers le cours classique, snobisme nouveau. Ne serait-il pas opportun de marquer clairement que la culture, pour une femme, n'est pas du tout la même que pour un homme et qu'à la différence des natures et des fonctions domestiques et sociales, doit correspondre une différence dans la formation des intelligences et des cœurs et dans l'information scolaire des cerveaux ? »

Ces idées allaient persister longtemps, puisque ce type d'école existait encore en 1965 et que, vers la fin des années 50, j'allais moi-même me trouver vertement semoncée par un prêtre à qui j'avais eu la malencontreuse idée de dire que j'étais étudiante dans un collège classique. « Dans un collège ? Un collège classique ? ! de tonner le brave homme, mais à quoi donc ont pensé vos parents ? Pourquoi ne vous ont-ils pas envoyée dans un institut familial ? »

J'étais une privilégiée, car les collèges féminins coûtaient cher... Contrairement aux collèges classiques masculins qui, ayant toujours été subventionnés, pouvaient réduire en proportion leurs frais de scolarité, les collèges pour filles, eux, ne reçurent pas un sou de l'État jusqu'à ce que Paul Sauvé, en 1961, mette fin à cette injustice.

Ce n'était toutefois pas qu'une question d'argent. Même dans les familles où l'on avait les moyens de procurer aux enfants une éducation postsecondaire, on refusait souvent de faire instruire les filles. Louise, l'une de mes amies, rêvait d'être médecin... Mais l'instruction, c'était pour son frère. Il fréquentait Brébeuf : c'était la gloire de la famille. Quand j'allais chez Louise, sa mère venait presque toujours interrompre nos conversations, l'index sur la bouche : « Pas de bruit ! Ton frère étudie... », disait-elle à sa fille, ajoutant à mon profit : « Il fait de grosses études, c'est important. » Je résistais mal à l'envie de répliquer : « Et alors ? Je fais les mêmes études que lui et personne n'en fait un plat ! » Quand son frère, enfermé dans sa chambre, comme par hasard la plus belle pièce de la maison, bûchait ses manuels, Louise devait ôter ses souliers et marcher sur la pointe des pieds pour ne pas faire craquer les parquets. Sa mère, aux aguets, veillait sur ce fils qui promettait tant. Pour Louise, l'avenir était tout tracé : elle allait être secrétaire ou vendeuse, ça n'avait guère d'importance, puis elle se marierait.

(De fait, comme tant d'autres jeunes filles qui auraient voulu être médecin, elle devint infirmière. Elle se maria tel que prévu, mais, dans la trentaine, elle se retrouva seule avec ses enfants.)

Louise n'était pas un cas unique. Beaucoup de mères, entièrement soumises à l'idéologie traditionnelle, ont inconsciemment sacrifié leurs filles et privilégié leurs fils. Ceux-ci avaient droit aux études prolongées, aux loisirs, aux rentrées tardives. On pouvait leur laisser la bride sur le cou. Mais les filles, elles, devaient être élevées comme leur mère l'avait été, modelées à leur image...

Car l'éducation peut aussi être une forme de dressage. Décrivant une enfant de 13 mois bien vivante, «combative, énergique, tenace, fière et digne», Élena Gianini Belotti pose une question troublante : «Quelle opération massive faudra-t-il pour qu'un tel individu, débordant de vitalité, d'énergie et d'amour pour la vie, donne une petite femme disposée à rester enfermée entre les quatre murs opprimants de son intérieur...? Et combien de ténacité, d'efforts, de persévérance et combien d'hostilité faudra-t-il déployer pour réduire un être aussi riche à ce carcan rigide qui passe pour être la féminité?[2]»

Décrivant par le menu détail les règles qui guident l'éducation des filles — l'apprentissage forcé, souvent contre nature, de la propreté, de la douceur, de la dépendance, de la passivité, du dévouement, de la coquetterie, voire de la servilité —, le même auteur s'attarde aux jeux des fillettes.

«Ne se pourrait-il pas, écrit-elle, que les jeux rituels, répétitifs, limitatifs des petites filles... soient de véritables comportements phobiques avec un arrière-plan de rituel obsessionnel? Qu'ils soient un aspect de ce perfectionnisme anxieux qui prend la place de l'agressivité réprimée, dont la manifestation est inhibée? En ce sens, le saut à la corde est typique... Un autre jeu ritualisé des petites filles, et ritualisé jusqu'à l'obsession, est celui de la balle au mur...» (Comme le saut à la corde, il s'agit d'un jeu qui consiste à maîtriser, en les répétant à l'infini, une série de variations sur un geste principal.)

2. *Du côté des petites filles*, Éd. des Femmes, Paris, 1974.

On voit déjà de quelles attitudes les jeux traditionnels de la fillette sont précurseurs : une obsession de la propreté domestique, la répétition maniaque et résignée des tâches dites féminines qui sont, par définition, « toujours à recommencer », le « perfectionnisme anxieux » des femmes au travail qui — comme à l'école où les filles sont toujours des élèves plus dociles et plus appliquées, mais moins imaginatives et moins aventureuses — traduit un manque de confiance en soi et canalise l'agressivité qu'il serait trop risqué d'exprimer ouvertement.

Les femmes au travail sont en effet remarquables par leur assiduité, leur ponctualité, le soin minutieux qu'elles apportent à leurs tâches et le besoin qu'elles ont d'être stimulées et encouragées pour solliciter une fonction de plus grande responsabilité. J'ai longuement interviewé, il y a cinq ans, la moitié des femmes qui se trouvaient aux plus hauts échelons de l'administration publique québécoise[3]. (Leur nombre était si réduit qu'il fut facile de constituer cet extraordinaire échantillon de 50 pour cent !) Toutes, même sans se connaître, se ressemblaient comme des sœurs : elles étaient soit plus scolarisées ou avaient accumulé plus d'expérience que leurs collègues masculins qui exerçaient des fonctions équivalentes ; dans tous les cas, pourtant, elles avaient attendu d'être fortement appuyées par quelqu'un (mari, collègue, patron) pour solliciter ou accepter la moindre promotion.

Ce qui frappait aussi, chez elles, c'était la retenue, cette façon précautionneuse de se vêtir, de bouger, de parler, comme pour éviter la gaffe que tous auraient attendue, l'erreur qui serait tout de suite relevée et montée en épingle. C'est pourquoi d'ailleurs on constate souvent que les femmes qui exercent une fonction d'autorité sont plus « zélées » que la moyenne, plus tatillonnes et plus rigides, tant elles veulent prouver leur compétence et leur sérieux, tant elles craignent de se faire reprocher la moindre faute et de perdre ce qu'il a été si difficile d'acquérir. C'est là le comportement du colonisé monté en grade.

Le saut à la corde, la balle au mur... c'est donc à cela que nous passions des heures, nous les petites filles, Louise, moi et les autres, toutes sauf une qui s'appelait Claire et qui, je m'en

---

3. « Les femmes c'est pas pareil », série d'articles publiés dans *La Presse*.

rends compte avec le recul du temps, a été durant toute son enfance l'objet d'une répression continue. Cette fille n'aimait que le sport et les jeux d'aventure, elle savait grimper aux arbres, elle était mince et musclée. Je revenais avec elle de l'école et, tout à coup, elle s'échappait, disparaissait dans quelque ruelle avec des groupes de garçons, courant à l'aventure, inventant avec eux des jeux libres et risqués.

Sa mère s'affolait (« elle n'est pas normale »), les institutrices multipliaient les rapports, les punitions, les menaces de renvoi. Elle était marginale et rompait l'ordre des choses : a-t-on idée d'une fille qui préfère des jeux de garçon ? Et moi, qui étais le contraire d'elle, douce, docile, aucunement sportive, je me scandalisais en silence de son comportement.

Claire qui était, entre six et onze ans, le dynamisme incarné, allait devenir méconnaissable à la puberté : taciturne, renfermée, elle ne riait plus et avait perdu son agilité, sa grâce et sa beauté naturelles. Elle se contentait de faire, toute seule, tête basse, de longues randonnées à bicyclette. Le dressage était consommé ; la longue lignée de femmes éducatrices qui s'étaient succédé auprès d'elle avait réussi à la faire entrer, de force, dans le moule de la « féminité »... mais à quel prix ?

(À l'inverse, combien de petits garçons à qui on a répété : « Un homme ne pleure pas » ont été de la même façon réprimés ? Je suis toujours bouleversée quand je vois un homme adulte honteux des larmes qui lui viennent aux yeux sous le coup d'une grande émotion ou de la souffrance. Là aussi, le dressage a été consommé, la tendresse et la sensibilité refoulées.)

Élevée pour devenir épouse et mère, entraînée à la dépendance, l'adolescente de cette époque (et celle d'aujourd'hui aussi dans une bonne mesure, car ces choses-là changent très lentement) était hantée par le besoin de plaire et d'être aimée, aimée par l'Homme, le Futur Prince à qui elle devrait tout, y compris son identité, son statut social et surtout son bonheur. Rien n'est plus normal que de vouloir plaire et séduire. Mais plaire à tout prix ? Au prix, même, de son identité ? C'est ici que commence cette autorépression à laquelle toutes les femmes, quelles qu'elles soient, se sont livrées à des degrés divers à un moment ou à un autre de leur vie.

Les conditionnements, qui sont relativement subtils dans la petite enfance parce qu'ils sont transmis à l'intérieur de la relation symbiotique avec la mère, s'intensifient dès la puberté sous les pressions sociales. Désormais prisonnière de l'image de cette femme qu'elle doit devenir si elle veut être aimée, l'adolescente apprend à effectuer elle-même, sur elle-même, les opérations, les mutilations et les répressions nécessaires. Cela peut aller de l'anorexie au désir névrotique de soumettre à la chirurgie esthétique des seins ou un nez qui sont en réalité fort normaux.

Cela peut aussi se manifester par l'inhibition progressive de dispositions et de talents naturels. Ainsi, pourquoi avons-nous été si nombreuses à nous détourner dès l'adolescence des mathématiques, de la science, de la technique et de la finance au point d'en arriver réellement à n'y rien comprendre ? Combien d'entre nous ont développé à cet âge une sorte d'inaptitude aux sports ? Les exemples sont multiples de petites filles douées pour quelque activité physique qui, après la puberté, perdant tout à coup force et motivation, se mettent à plafonner et à régresser dans le sport où elles excellaient jusque-là.

J'ai personnellement la certitude que, si j'avais été un garçon, j'aurais opposé moins de résistance aux mathématiques et aux sciences. Je n'aurais pas été « un fort en maths », mais j'aurais au moins essayé d'y comprendre quelque chose. Nul doute, aussi, que mes professeurs auraient été plus exigeants dans ce domaine. Mais l'inaptitude aux mathématiques, à plus forte raison si elle se trouvait compensée par quelques réussites dans les matières littéraires, était tolérée, voire bien acceptée parce qu'elle coïncidait avec l'image de la féminité.

Même chose pour le sport. Dans les quelques sports auxquels j'ai été initiée, mes « débuts » étaient toujours très bons : aux tout premiers cours de natation, dans cette piscine du « Y », rue Dorchester, où j'apprenais à nager, j'étais l'une des plus habiles... et puis, assez tôt, j'ai plafonné ; une fois rendue à l'apprentissage du crawl, j'ai cessé d'avoir envie de progresser, c'était devenu trop difficile... Quand j'ai commencé à jouer au tennis, j'apprenais également vite et bien. Mais après les premiers exercices et les premières parties, j'ai encore une fois plafonné, puis, évidemment, régressé. J'avais 15 ans ; en ramassant mes balles de tennis un garçon m'avait dit que je ressemblais à Grace Kelly. (Y avait-il plus doux compliment à l'oreille d'une petite Nord-américaine des années 50?) Quand je traînais de la patte sur le court de tennis, quand je perdais des points, quand je ratais un service, quand mon faible poignet et mon bras trop mince, mal entraînés, laissaient passer des balles... je n'en étais ni fâchée ni humiliée. Au contraire, j'étais l'incarnation même de la féminité pour tous ces garçons que ma vulnérabilité ravissait et qui, par contraste, me paraissaient si forts, si habiles, si parfaitement capables de me protéger à jamais.

Mais étaient-ils si forts?... Il y en a, de ces copains d'adolescence, que j'ai revus par la suite, des années plus tard. Nous étions devenus des adultes, nous avions de l'expérience et de l'assurance et nous étions enfin capables de nous parler franchement, dégagés des terribles incertitudes de l'adolescence... Ils me dirent tous, chacun à sa façon, à quel point ils se sentaient maladroits, anxieux, peu sûrs d'eux-mêmes à cette époque et comment il leur était difficile de se conformer à l'image mythique de la virilité. Certains avaient l'impression d'être marginaux, d'autres fanfaronnaient pour cacher leur peur de ne pas « être à la hauteur... »

La longue marche

Il y avait un moule... Et pourtant nous arrivions, petit à petit, pas à pas, mine de rien, le plus discrètement possible, à nous en dégager, parce que d'autres femmes nous y poussaient, réussissant à force d'adresse, de compétence et de louvoiements divers à faire changer le cours des choses. Mères ou enseignantes, ces éducatrices mettaient sur pied, dans la pénombre d'une révolte à demi formulée, les bases de la libération de leurs filles ou de leurs élèves.

Ainsi, la mère de mon amie Mireille représente bien toutes ces mères innombrables, elles-mêmes peu instruites, qui ont rusé et manœuvré des années durant pour que leurs filles développent le goût du travail et pour qu'elles puissent poursuivre leurs études, se dressant contre leur mari, au besoin.

Dans la cuisine, après souper, la mère de Mireille dit, comme si de rien n'était : « Je trouve que notre fille a bien du talent... Ce serait dommage, hein, qu'elle quitte l'école après la onzième ?

— Bah, marmonne le père, c'est pas les études qui vont lui donner un mari. »

Plus tard, dans la chambre : « Tu sais, ça se pourrait que Mireille trouve un meilleur parti si elle va au collège, tu ne penses pas ?

— Ouais... Mais l'argent ? Si elle travaille l'année prochaine, elle pourrait payer une pension... »

Et puis, le lendemain, mine de rien : « Tiens, j'ai fait des carrés aux dattes. Veux-tu une bière ?... J'ai fait les comptes, on pourrait se passer d'une deuxième télévision, je te jure que je te laisserai regarder ton hockey en paix, au fond, les films, à l'autre poste, ils ne sont pas tellement bons... Ça fait que, j'ai vérifié, au collège Marie-Anne, l'inscription, c'est mardi prochain et puis Mireille serait tellement contente... »

Le père réprime un soupir. « Tu veux en faire une in-tel-lec-tuel-le ?

— Oh mon Dieu, non ! Mais juste un petit peu plus d'instruction, ça peut pas faire de tort, et puis ça lui mettrait du plomb dans la tête, veux-tu un autre carré aux dattes, t'aimes ça, hein, (sourire)... Au fond, pour une belle fille comme la nôtre, le collège c'est un milieu plus protégé qu'un bureau où elle risque de rencontrer des gens louches... Tiens, prends donc le pouf, tu dois être fatigué après ta grosse journée... »

Une gorgée de bière, le Canadien vient de compter un but. « Bon, pour Mireille, dit le père, hé ben, si ça te fait plaisir... »

C'est à peu près comme cela que Mireille, aujourd'hui universitaire renommée, a gagné la partie : grâce à la complicité tenace et acharnée de sa mère... Quand Mireille a soutenu sa thèse de doctorat à la Sorbonne, il y avait dans l'auditoire une petite femme un peu boulotte, dans la cinquantaine, au sourire épanoui, à qui Mireille, en terminant son exposé devant l'auguste jury, a lancé un sourire éclatant où se lisait le mot « merci ».

Ces mères savaient, ou sentaient obscurément, qu'une fille a besoin de plus d'encouragement qu'un garçon pour mener à terme certains projets ou pour se lancer dans une entreprise quelconque. Ce qu'elles leur transmettaient alors, c'était leur propre dynamisme et leur propre ambition ; et cela, conjugué à l'amour et à la confiance, constituait un formidable ressort. Car autant il peut être nocif d'orienter sa fille, plus ou moins de force, vers la carrière dont on aurait rêvé pour soi-même, autant il est stimulant pour un enfant d'hériter de l'énergie de ses parents si, quant au reste, sa liberté de choix est respectée. Ces mères, en somme, se souciaient peu de savoir si leurs filles devaient être commerçantes, avocates ou musiciennes. Mais elles leur disaient : « Vas-y, fais-le, tu es capable... »

C'est encore la même chose aujourd'hui, même si les obstacles à la scolarisation sont beaucoup moins grands. J'ai rencontré récemment une femme qui se saigne à blanc pour envoyer sa fille dans une école privée, croyant à tort ou à raison que le secteur privé lui procurera de meilleures chances d'avenir. Elle élève seule deux enfants et fait des ménages pour joindre les deux bouts. C'est sa fille qu'elle envoie « au privé » : « Mon fils, lui, il n'aime pas l'étude. Mais Isabelle... elle peut aller loin. »

Dans presque toutes les familles, ce sont les mères qui ont veillé sur les activités scolaires de leurs enfants, s'initiant au besoin — et Dieu sait que ce n'est pas facile ! — aux nouvelles méthodes. Sans compter le reste... qui, justement, ne se compte pas, ne s'évalue pas, ne se monnaie pas : la transmission naturelle, comme par osmose, de valeurs et d'attitudes (l'indépendance d'esprit, le courage, le sens critique, l'humour, etc.) qui ont permis à bien des filles de faire, comme on dit, « leur chemin dans la vie ».

C'est le même type de femme qui a été à l'origine des premières institutions postsecondaires destinées aux filles. Sans aucune aide financière de l'État, en butte à la réprobation des élites de l'époque, la Congrégation Notre-Dame ouvrait en 1908 ce qui allait devenir le collège Marguerite-Bourgeoys et, comme le signale l'historienne Micheline Dumont-Johnson [4], il fallut quinze ans d'efforts pour ouvrir une institution équivalente à Québec... Mais en 1950, on comptait quinze collèges féminins.

---

4. *Histoire de la condition de la femme dans la province de Québec*, étude préparée pour la Commission royale d'enquête sur la situation de la femme au Canada, 1971.

Au sein de ces communautés religieuses, il y avait des pédagogues extraordinaires dont on ne connaîtra jamais le vrai nom — la seule à avoir atteint la notoriété, grâce à la Commission Parent, est Ghislaine Roquet, ex-sœur Laurent-de-Rome. Il fallait être très habile en affaires pour maintenir de pareils réseaux d'enseignement sans subventions gouvernementales. Les sœurs travaillaient sans salaire et les frais de scolarité étaient élevés, mais on consentait des « arrangements spéciaux » aux familles moins riches.

Il fallait aussi à ces femmes beaucoup de finesse et de doigté pour contourner les interdits de l'époque. Ainsi, elles avaient mis au point une argumentation susceptible de calmer ceux qui craignaient qu'une instruction plus poussée, analogue à celle qu'on dispensait aux garçons, n'incite les filles à échapper à leur rôle traditionnel : « Ce que nous vous préparons, messieurs, ce sont des épouses dignes de vous... » Mais entre les quatre murs des salles de classe, elles encourageaient les élèves à poursuivre leurs études, à lancer des journaux étudiants, à choisir une profession, insistant au besoin auprès des parents récalcitrants, jouant tour à tour, comme des femmes ordinaires, de la ruse, de la persuasion ou de la flatterie...

Mais à côté de ces religieuses qui, pourrait-on dire, jouaient dans les grandes ligues, d'autres femmes, plus humbles encore, s'étaient chargées depuis la moitié du XIXe siècle de l'instruction élémentaire de tout un peuple. En 1906, dans son école de rang à divisions multiples (les aires ouvertes et le progrès continu, ça ne date pas d'hier !) du comté de Charlevoix, une jeune fille de 16 ans, nommée Laure Gaudreault, gagnait 125 $ par année. Comme des milliers d'autres, elle était seule pour instruire tout son village. (Jusqu'en 1840 environ, les trois quarts des enseignants étaient des hommes, mais ils allaient être peu à peu remplacés par des femmes qu'on payait deux fois moins cher pour le même travail.) En 1936, Laure Gaudreault jetait les bases de ce qui est devenu la Centrale de l'enseignement du Québec. Et il fallut à ces institutrices rurales six années de lutte pour obtenir un salaire minimum de 300 $ par année.

Progressivement, les salaires et les conditions de travail des enseignants allaient s'améliorer. Durant les années 60, la réforme scolaire allait enfin donner aux filles — théoriquement en tout cas — des chances égales d'accès à l'instruction. Mais en même temps, phénomène classique, la situation des femmes dans l'enseignement allait régresser à mesure que le statut d'enseignant, se revalorisant, attirait des hommes. Avec l'introduction de la mixité, les femmes qui avaient jusque-là assumé la direction des écoles de filles allaient céder la place à leurs collègues masculins et, encore aujourd'hui, la plupart des femmes en poste de commande se contentent d'être sous-directrices ou adjointes au directeur. (C'est uniquement dans les écoles privées pour filles que les femmes occupent tous les postes clés.)

À l'époque héroïque où le syndicalisme était une activité bénévole et risquée, la CEQ a été fondée et animée par des femmes. Aujourd'hui, le syndicalisme est devenu une profession bien rémunérée. Or, comme par hasard, ce sont des hommes que l'on retrouve à la plupart des postes clés de la Centrale et il a fallu que se forme au sein de cet organisme, dont 60 pour cent des membres sont des femmes, un « comité de la condition féminine » pour que la mémoire de Laure Gaudreault sorte de l'ombre et qu'on commence à étudier les problèmes spécifiques aux enseignantes (congés de maternité, double tâche, etc.) ainsi que des questions comme la transmission des stéréotypes sexistes dans l'enseignement.

Très souvent, en effet, des réformes éminemment progressistes par certains aspects ont pour effet de miner la position des femmes.

Citons à cet égard l'analyse très juste que fait de la Révolution tranquille le Collectif Clio : « En 1965, on compte au Québec 43 265 religieuses dans les diverses institutions (de santé et de services sociaux). Elles assurent presque exclusivement l'enseignement secondaire et collégial destiné aux filles. (...) Les structures de ces institutions sont simples, peu hiérarchisées, le sommet de la pyramide étant le plus souvent occupé par un médecin ou un prêtre, caution masculine d'une organisation essentiellement féminine. Dans les postes de gestion et d'intendance, se trouve cette armée de religieuses diplômées qui, dès les années 30 et surtout après 1950, ont conquis les "parchemins" requis pour exercer leurs fonctions. En 1962, les religieuses du Québec détiennent 71 doctorats, 1165 licences et 285 maîtrises. De 1964 à 1968, on voit apparaître sur les campus universitaires et collégiaux des milliers d'étudiantes aux coiffes variées qui complètent une formation supérieure... C'est alors que s'amorcent, avec la création du ministère de l'Éducation et du ministère des Affaires sociales, les grands bouleversements attribués à la Révolution tranquille : laïcisation, écoles mixtes, étatisation des hospices et des hôpitaux, bureaucratisation, apparition d'une multitude de professions nouvelles, syndicalisation — notamment dans la fonction publique, qui prend rapidement des dimensions colossales. Cette conjoncture remet en question les compétences féminines. (...) La bureaucratisation propulse des hommes aux échelons supérieurs, pendant que des femmes remplissent les tâches subalternes. Le concept de directeur-général semble d'essence masculine. Des femmes avaient fait fonctionner pendant des décennies des bibliothèques, des écoles, des hôpitaux, mais ne réussissent pas à se maintenir dans des postes de cadres. À partir d'institutions féminines ou masculines déjà existantes, des cégeps sont créés (Rosemont, Saint-Laurent, Saint-Hyacinthe, Sherbrooke, etc.). Quelques femmes, religieuses ou laïques, se retrouvent dans un premier temps à l'exécutif. Mais elles disparaissent rapidement, pour des raisons qui ne sont pas éclaircies...

De jeunes fonctionnaires frais émoulus des universités viennent faire la leçon à des pédagogues reconnus, riches d'une longue expérience, ou à des hospitalières versées dans l'administration des services de santé (qu'ainsi l'on déloge) des seuls secteurs de la vie publique où elles avaient réussi à exercer des fonctions de pouvoir[5]. »

On sait aujourd'hui que l'une des raisons des problèmes de gestion et de mauvaises relations de travail, qui ont si sérieusement affecté les services hospitaliers ces quinze dernières années, tient précisément à l'inexpérience de cette génération de jeunes diplômés masculins qui se sont improvisés gestionnaires d'hôpitaux en remplaçant au pied levé les femmes expulsées des institutions qu'elles avaient fondées, puis administrées durant trois siècles.

À cette époque, nombreux furent les religieux qui défroquèrent. Mais contrairement aux hommes qui, bénéficiant de

---

5. *L'histoire des femmes au Québec*, Éd. Quinze, 1982.

puissants réseaux d'entraide, eurent tôt fait de se placer aux postes de commande du nouveau système scolaire, et particulièrement au ministère de l'Éducation (où, aujourd'hui encore, la proportion d'« anciens curés » reste fort élevée), les ex-religieuses, elles, se débrouillèrent comme elles le purent et se retrouvèrent isolées et hors des cercles du pouvoir.

La fonction d'enseignant a toujours été accessible aux femmes, dans la mesure où la société considérait l'enseignement comme l'extension naturelle du rôle d'éducatrice au foyer. Mais même aujourd'hui, après tant de réformes scolaires, les femmes restent concentrées aux niveaux d'enseignement qui sont les moins valorisés socialement (bien à tort, d'ailleurs, car rien n'est plus important que la formation primaire) et qui exigent en outre le plus de dévouement et de travail. Ainsi, en 1977-78, elles formaient 99,7 pour cent des effectifs à la maternelle et 89,1 pour cent, au niveau primaire. On en comptait encore 74 pour cent dans tout le secteur de l'enfance inadaptée, mais à mesure qu'on gravissait les échelons des classes régulières leur nombre diminuait. Au secondaire, elles ne constituaient plus que 40,6 pour cent du personnel enseignant, au collégial, que 37,2 pour cent (proportion qui décroît considérablement si l'on exclut le secteur professionnel) et au niveau universitaire, enfin, elles représentaient seulement 14,4 pour cent des effectifs.

Les femmes, ces « éducatrices par excellence » prétend-on, sont pour ainsi dire absentes de tous les paliers où s'exerce le pouvoir réel. Au ministère de l'Éducation, Thérèse Bacon a longtemps été la seule femme (et aussi l'unique pédagogue de formation) au niveau sous-ministériel. Les directions générales et le cabinet du ministre ont longtemps été la chasse gardée exclusive des hommes et ce n'est que tout récemment qu'on a commencé à y faire accéder des femmes... mais en nombre si infime que le phénomène est presque symbolique.

Aux postes de commissaires d'école, il y a eu ces dernières années une augmentation sensible du nombre de femmes... Mais il faut noter que leur nombre a augmenté en même temps que diminuait le pouvoir réel des commissions scolaires. Dans les faits, les dirigeants à temps plein des commissions scolaires — directeur général, directeur des services pédagogiques, du personnel, de l'équipement, etc. — ont infiniment plus de pouvoir

qu'un simple commissaire. Or, au niveau de ces cadres supérieurs, on trouve un nombre infime de femmes. J'ai assisté à
leurs congrès : grosso modo, les hommes formaient toujours au
moins 85 pour cent de l'assistance. Là où s'activent le plus les
femmes, c'est au comité d'école : activité bénévole, dénuée de
prestige.

Le système scolaire québécois reste donc pensé, conçu et
dirigé par des hommes, même si ce sont des femmes qui, en
majorité, en assurent la marche quotidienne.

Les choses en iraient-elles différemment si le leadership du
système d'enseignement était assumé par une majorité de
femmes ? Les écoles seraient-elles plus humaines, les programmes
plus cohérents, la structure moins lourde et moins bureaucratisée, les relations de travail plus harmonieuses ? Impossible à
dire : il y a toutes sortes de femmes comme il y a toutes sortes
d'hommes.

Mais chose certaine, une présence accrue de femmes dynamiques aux paliers supérieurs du système scolaire faciliterait
grandement l'élimination, nécessairement graduelle, des obstacles
que pose le système actuel à l'égalité des chances en matière
d'éducation.

Au Québec, comme ailleurs, l'éducation « libérée » des filles
(et celle des garçons aussi) reste compromise par la culture
ambiante. Les manuels scolaires présentent encore l'image
classique de la mère au foyer occupée à de menus travaux
manuels pendant que le père lit son journal, de même que celle
des petites filles modèles, à l'écart de toute activité projetée vers
l'extérieur.

Dans la plupart des cas, la petite enfance se déroule encore
dans un monde exclusivement féminin. L'omniprésence des
femmes dans les garderies, les maternelles et les premières
années de l'élémentaire prive les enfants de modèles masculins et
renforce les conditionnements. Car, comme l'écrit Mme Belotti,
« s'il est vrai que les femmes, comme les hommes, ont reçu une
éducation autoritaire et répressive et qu'ils reversent dans leur
rôle d'éducateurs les valeurs reçues, il est certain que ce type
d'éducation a pesé plus lourd sur les femmes. Les hommes

jouissent d'une plus grande liberté et d'une plus grande considération sociale et, de ce fait, ils mettent bien moins en jeu les
défauts typiques de ceux qui ont eu une éducation répressive [6]. » Autrement dit, les femmes qui ont été elles-mêmes
réprimées dans leurs aspirations par un long processus éducatif
ont tendance plus que quiconque à reprendre le même scénario
avec les enfants qui leur sont confiés, à moins qu'elles n'aient,
une fois adultes, réfléchi sur leur condition ; ce qui n'est pas le
cas de toutes.

Si les filles d'aujourd'hui font presque toutes leur secondaire,
elles ont encore tendance à interrompre leurs études plus tôt que
les garçons, comme si elles s'interdisaient, par quelque auto-
censure mystérieuse, de mener à terme certains projets.

Un grand nombre d'adolescentes reproduisent encore les
mêmes comportements que les filles de ma génération. Inter-
rogés par Lise Dunnigan, du Conseil du statut de la femme,
40 pour cent des conseillers en orientation estiment que « les
adolescentes elles-mêmes considèrent moins utile une formation
avancée parce qu'elles comptent se marier et vivre du salaire du
mari. »

Je ne trouve pas anormal, quant à moi, que des filles de
15 ans, qui ne connaissent pas grand-chose de la vraie vie, rêvent
au grand amour qui dure toujours et aient hâte de quitter l'école.
Mais c'est un mauvais service à leur rendre que de ne pas les
obliger à faire face aux faits. Actuellement, les femmes, moins
scolarisés que les hommes, sont mal préparées à affronter des
réalités comme celles-ci : quatre femmes sur dix sont célibataires, veuves ou divorcées ; 95 pour cent des familles mono-
parentales sont à la charge de femmes et plus du tiers d'entre elles
vivent de l'aide sociale. Non seulement le revenu moyen des
femmes est-il deux fois moindre que celui des hommes, mais
44 pour cent de celles-ci n'ont aucun revenu propre ; parmi
celles qui en ont un, plus du quart vivent sous le seuil de la
pauvreté. Enfin, les statistiques montrent qu'un mariage sur
trois se termine par un échec et qu'une adolescente doit s'attendre
à passer de 25 à 30 années de sa vie sur le marché du travail.

---

6. *Op. cit.*

Ce sont des choses que les éducatrices, mères ou enseignantes, devraient rappeler aux filles, en leur transmettant en
même temps l'amour de la vie et la confiance en soi. Avec cela,
une femme peut faire face à la vie et cueillir toutes les roses sans
avoir peur des épines.

3

L'ENFERMEMENT
Ou la reine du foyer

Durant les longues grèves qui ont paralysé en 1978 trois quotidiens québécois, plusieurs de mes collègues masculins allaient apprendre concrètement ce qu'est la fonction quotidienne de la ménagère.

Cet arrêt de travail les forçait à rester à la maison et, dans certains cas, leur femme en profitait pour retourner sur le marché du travail.

Tous étaient heureux de pouvoir « retrouver » leurs enfants. « En temps normal, dit l'un d'eux, je reviens à la maison une fois que les enfants sont couchés. Le samedi, j'aide ma femme à faire le marché, le dimanche je me lève tard et je lis les journaux... et les semaines passent sans que j'aie avec les enfants autre chose que des contacts épisodiques. »

Cet arrêt de travail leur redonnait l'entière responsabilité de leur progéniture... ils en voyaient les bons côtés mais aussi les aspects harassants : la vaisselle trois fois par jour, les interminables séances d'habillage pour la moindre sortie, le babillage incessant, les jouets qui traînent, le linge à laver, les courses à faire, les petits voisins qui font la sarabande dans le salon, la collation qu'il faut vite préparer, les devoirs à surveiller, les cris et les hurlements...

Et à huit heures et demie, une fois les enfants au lit, ils se retrouvaient saisis d'une étrange fatigue : ce n'était pas la fatigue physique qu'ils ressentaient après une grosse journée de ski ou de bricolage, ce n'était pas non plus la fatigue intellectuelle et nerveuse que provoquait leur journée de travail habituelle au journal, c'était autre chose. Quelque chose de diffus, de pesant ; au bout de quelques semaines de ce régime, ils n'en pouvaient plus : « J'ai l'impression de vivre en cage... Je ne vois plus personne... Je tourne en rond, chaque jour la même routine... Sais-tu que je commence à comprendre ma femme ? Auparavant, je m'expliquais mal ses airs de marabout, je lui reprochais d'avoir progressivement perdu tout intérêt à ce qui se passe dans la société, je lui disais : "Tu ne connais pas ta chance, toi, au moins, tu as le temps de lire, de te cultiver..." Eh bien, j'avais tort : il a suffi de quelques semaines pour que je perde jusqu'au goût de lire. C'est si facile d'ouvrir la télé ou d'écouter distraitement la radio... »

Leurs femmes, bien sûr, savaient tout cela depuis longtemps. Elles faisaient partie de cette majorité féminine oubliée, celle des ménagères à temps plein.

Mais depuis une quinzaine d'années, une révolte se lève, sourdement, discrètement, sans que cela fasse grand bruit, car chaque femme l'assume à peu près seule : la révolte des ménagères. J'ai vu je ne sais combien de femmes saisies, vers la trentaine, une fois leurs enfants à l'école, d'un désespoir sans bornes : « Je me sens vide et inutile, c'est comme si je n'avais pas d'identité propre, je régresse sur tous les plans... »

En ce sens, Louise F. est un cas typique. Elle a maintenant 30 ans, deux enfants et elle est mariée à un fonctionnaire. Unique fille dans une famille de garçons, elle fut orientée contre son gré, car elle voulait faire des études supérieures en musique, vers l'Institut familial. Son père fit entrer tous ses fils à l'université mais pour sa fille, c'était autre chose : « Il m'adorait, il m'aurait donné n'importe quoi, des vêtements, des bijoux, des voyages... tout, sauf l'instruction. » Aujourd'hui, elle n'attend que le moment où son benjamin entrera à la maternelle pour se réorienter. Mais ce sera difficile : « Mes études ne m'ont appris que la cuisine et la couture. Je voudrais faire quelque chose dans le domaine artistique, mais ça veut dire au moins trois ans à l'université... et encore sans avoir la certitude que je pourrai trouver un emploi. » Pour l'instant, elle consacre à force d'énergie le tiers de son temps à réaliser de très belles tapisseries, mais il s'agit là encore d'un travail gratuit, obscur, dont elle ne retire aucune gratification d'ordre social.

Catherine M., par contre, avait une profession au moment de son mariage. Après avoir été systématiquement première de classe durant toutes ses études, elle était devenue architecte, carrière qu'elle allait abandonner dès sa première maternité, puis que les déplacements nécessités par la carrière de son mari ne lui permirent jamais de reprendre. Aujourd'hui, elle a près de 40 ans, ses enfants sont adolescents, mais... « Mon mari et mes enfants se sont habitués à ce que je sois toujours là. Et puis comment recommencer à travailler après tant d'années ? Il me faudrait un recyclage total et les bureaux n'engagent pas volontiers des femmes de mon âge sans expérience à faire valoir. »

En effet, un retour trop tardif sur le marché du travail, dans les rares cas où c'est possible, est la source d'énormes tensions. Ainsi, par des contacts personnels, Annette B. est devenue rédactrice dans une maison de relations publiques vers l'approche de la cinquantaine. Pour elle, ce fut une grande libération, mais elle avait si peu l'habitude de fonctionner au rythme du marché du travail que la moindre échéance lui cause encore des migraines ; elle s'énerve pour un rien et manque de confiance en elle. Et comme l'expérience humaine et la maturité acquises pendant toutes ces années où une femme a élevé sa famille n'est pas reconnue, son salaire reste au bas de l'échelle.

En 1963, Betty Friedan publiait *La Femme mystifiée* [1], un livre qui allait avoir l'effet d'une bombe. À partir d'innombrables témoignages, l'auteur avait découvert derrière les confortables façades des banlieues américaines, des femmes frustrées et déprimées qui cherchaient dans le sommeil, l'alcool, les rêveries sexuelles, le « magasinage » compulsif ou les tranquillisants, des échappatoires à une condition qu'elles supportaient d'autant plus mal qu'elles avaient poursuivi des études relativement avancées avant de se marier.

Cela marquait l'échec des efforts systématiques auxquels s'était livrée l'idéologie dominante pour revaloriser le rôle de la ménagère, un rôle que l'accès des filles à l'instruction post-secondaire avait évidemment dévalué et qu'il fallait sauvegarder pour maintenir un ordre social fondé sur la division des tâches.

---

1. *La femme mystifiée*, Éd. Gonthier, 1964.

(Aux hommes le monde extérieur, aux femmes le domaine intérieur).

Auparavant, l'idéologie traditionnelle conférait à la femme au foyer des mérites quasi surnaturels. Aux jeunes filles, on présentait les instituts familiaux comme des « écoles de bonheur » et leur avenir consistait essentiellement à se sacrifier au bien-être de leur mari et de leurs enfants.

« Tenue par des doigts féminins, écrivait en 1952 Mgr A. Tessier, une aiguille devient une sorte de baguette magique... À la maison, la femme trouve toutes les occasions imaginables d'exercer son ingéniosité créatrice... En manipulant brosses, balais, plumeaux et linges de vaisselle, la ménagère chantonne, parce que la propreté est son élément naturel. »... Et 12 ans plus tard, le père M. Marcotte s.j., écrivait : « Dieu a fait l'homme pour agir au dehors sur le monde... La femme, par contraste, a été faite pour vivre en dedans... La femme, c'est la maison, parce que la femme fait la maison et que la maison fait la femme... Sans la maison, il n'y a pas de femme. »

Les temps ayant changé, la « mystique » devait changer aussi. Et ce fut l'inflation verbale : d'abord on modifia le vocabulaire, faisant l'éloge de la « reine » du foyer, de la « maîtresse » de maison, de la « femme d'intérieur » (nécessairement « accomplie »). Pour masquer la monotonie du travail ménager, on le rebaptisera de titres ronflants : on parle des « arts » ménagers, des « sciences domestiques », voire de « l'économie » domestique...

Puis ce fut à un rôle « exaltant » qu'on convia la ménagère, puisque tenir maison aujourd'hui, c'est être mille fois spécialiste, être en même temps puéricultrice, éducatrice, infirmière, cuisinière, diététicienne, économiste, comptable, experte en jardinage, en bricolage, etc. Plus les appareils ménagers se raffinent et se diversifient, plus on présente la ménagère comme l'ingénieur en chef d'une entreprise complexe et intéressante.

Le temps du plumeau est révolu et pour bien nettoyer une maison il faut s'initier à toute une gamme de produits ayant chacun une fonction et un mode d'emploi spécifiques ; voici donc l'opération-parquet, l'opération-aluminium, l'opération-bol de toilette et encore faut-il apprendre à poser soi-même du papier-tenture, à utiliser un « blender », un extracteur de jus, un four à micro-ondes, une yaourtière... et puisqu'on incite les femmes à passer près de la moitié de leur vie dans la cuisine, on leur suggère d'y poser un tapis. Au bout du compte, selon des calculs faits aux États-Unis, les tâches domestiques prennent aujourd'hui en moyenne deux fois plus de temps qu'il n'en fallait à nos grands-mères qui ne disposaient d'aucun appareil automatique. Car chaque nouvel achat entraîne de nouvelles opérations ; d'ailleurs, beaucoup de ménagères, pour justifier leur rôle et combler l'ennui qui les guette à la moindre pause, ont tendance à en faire trop.

J'ai souvent été frappée, en entrant dans des maisons où la femme n'avait jamais eu d'autre carrière que celle de ménagère, de voir à quel point tout était aussi rangé, rutilant, aseptisé que dans un laboratoire ou une salle d'opérations. Quelqu'un laissait-il traîner un livre qu'aussitôt madame s'empressait de le ranger, multipliant à loisir les gestes inutiles..., car, en réalité, faut-il vraiment que rien, absolument rien, ne reste sur les comptoirs de la cuisine dans le court intervalle de deux heures entre la collation des enfants et le repas du soir ? Faut-il vraiment passer la balayeuse, trois fois par semaine ? Faut-il vraiment faire un dessert maison par jour alors que des fruits frais suffiraient ?

J'ai vu, chez des femmes de diverses classes sociales, les préoccupations domestiques atteindre des proportions telles que cela n'avait visiblement pour but que de combler un vide.

Mme B., épouse d'un cultivateur dont les enfants commençaient à grandir, avait investi toute son affectivité dans l'espoir d'avoir de nouvelles armoires de cuisine. Elle les avait littéralement dessinées dans sa tête et, pendant un an, chaque fois que j'allais chez elle, elle revenait sur le sujet. Un jour, grand émoi, les nouvelles armoires étaient là... mais cette fois, c'était la perspective de renouveler entièrement sa batterie de casseroles qui nourrissait ses aspirations.

Michèle L., plus jeune et plus instruite, s'était résolue à quitter son emploi d'infirmière pour suivre son mari à la campagne. À partir de ce moment-là, cette jeune femme intelligente et enthousiaste commença à reporter sur sa maison l'essentiel de ses projets : elle ne parlait plus que du four encastré et du double évier qu'elle attendait ; tous ses temps libres se passaient dans les magasins, et c'est très furtivement qu'elle évoquait parfois la crainte de « s'ennuyer » dans sa nouvelle vie.

Parce que c'est elle qui tient maison et fait les emplettes, la ménagère est la principale cible de l'industrie des produits et équipements domestiques. C'est la consommatrice par excellence... à plus forte raison si l'entretien de la maison constitue pour elle une occupation à temps plein. Fabricants et publicitaires n'ont pas mis longtemps à constater — et à exploiter — le fait que le « magasinage » est l'une des seules activités qui brisent l'isolement des femmes confinées à la maison. Comme l'écrit un spécialiste en études de motivations, « la plupart des femmes sont poussées à faire des achats non par obligation mais pour des raisons psychologiques. En entrant dans un magasin, la femme a l'impression qu'elle participe à ce qui se passe dans le monde. En achetant, elle pose un geste, elle prend une décision, et en retire encore plus de fierté si elle a l'impression d'avoir fait une aubaine. »

L'industrie, cela va de soi, a tout intérêt à entretenir le mythe que le travail ménager est une carrière en soi, une occupation absorbante et fascinante que seule une réelle experte peut accomplir. Mais toute femme sait fort bien, qu'elle se l'avoue clairement ou non, que le travail ménager est plus souvent qu'autrement une corvée fastidieuse lorsqu'il constitue l'essentiel des tâches quotidiennes, et qu'il s'agit au surplus d'une activité facile, qui ne requiert aucun effort intellectuel. Faire les lits, épousseter, laver, repasser, balayer, récurer, cirer, polir, autant d'activités qui sont, certes, nécessaires, mais dont l'exercice ne demande aucun talent particulier et qu'il vaut mieux expédier le plus vite possible, sans zèle excessif.

De toutes les tâches domestiques courantes, exception faite d'activités particulièrement créatrices comme la décoration, la couture ou le jardinage, seule la cuisine me semble appartenir à une catégorie spéciale. Faire le marché, cuisiner de bons repas, savoir utiliser les «restes», voilà qui exige effectivement des talents certains, de l'imagination, des connaissances et du savoir-faire. De là à dire que c'est une entreprise qui justifie, en dehors des périodes où il y a de jeunes enfants à la maison, qu'une personne s'y consacre à temps plein, il y a une marge. (Il est d'ailleurs significatif que les seules personnes qui aiment vraiment faire la cuisine sont celles qui n'y sont pas tenues trois foir par jour, sept jours par semaine. Autrement, c'est la lassitude, le dégoût... J'ai souvent rencontré des femmes âgées qui, « libérées » par le veuvage de cette tâche, avaient cessé de faire la cuisine même si dans le temps, elles avaient été d'excellentes cuisinières. Elles se contentaient de plats froids vite préparés, de grillades sans apprêts ou de repas « prêts à servir ».)

C'est de ma mère d'ailleurs que j'ai appris que la fonction de ménagère ne pouvait occuper toute une vie. C'était une très bonne cuisinière et elle apportait beaucoup de soin à la préparation des repas. Mais quant au ménage, à l'époussetage, etc., elle ne faisait pas de zèle. « C'était plus important, dit-elle, de consacrer ce temps-là à parler avec vous les enfants, à jouer avec vous ou vous apprendre à lire ou à dessiner... » Effectivement, les meubles chez nous n'étaient pas astiqués comme ailleurs, mais les repas étaient toujours meilleurs qu'ailleurs, et nous savions lire à 4 ans. Quand la poussière se voyait un peu trop, ma mère disait : « Allez, on s'y met toutes, comme ça on sera plus vite débarrassées ! »

En elles-mêmes, les tâches domestiques ne sont pas plus monotones ni plus ingrates que bien des emplois du marché du travail. Il n'est certainement pas plus désagréable de passer la vadrouille que de poser le même type de boulon sept heures par jour ou d'actionner une machine dans une filature et il est, somme toute, bien plus gratifiant de réussir un bon repas que d'être porteur dans un aéroport ou commis dans un bureau anonyme. Mais ce n'est pas là le cœur de l'argument. La question est plutôt de savoir s'il est normal qu'on impose à un seul membre de la famille l'obligation de se consacrer une vie durant, à partir du mariage et jusqu'à la mort, à l'entretien domestique. Ces tâches-là justifient-elles une occupation à plein temps ?

D'où vient que la femme ait été considérée depuis toujours comme seule responsable de l'entretien du foyer ? L'origine de cela remonte à la nuit des temps, à l'époque où l'homme, physiquement plus fort et plus musclé, héritait naturellement de la responsabilité de nourrir et de protéger sa famille. C'est lui qui chassait et rapportait le gibier, qui faisait la guerre tandis que la femme, accaparée sa vie durant par la fonction maternelle, veillait sur les enfants et sur le foyer. Des siècles après, ce modèle persiste encore même si les conditions de vie ont complètement changé, même si l'immense majorité des emplois, dans le monde du travail, ne requièrent aucune force musculaire particulière et même si la plupart des femmes d'aujourd'hui n'ont pas plus de deux ou trois enfants. Non seulement d'ailleurs ont-elles moins d'enfants que leurs aînées, mais l'espérance de vie est maintenant telle que la femme a au moins 30 ans devant elle, une fois ses enfants élevés.

Néanmoins l'idéologie paternaliste véhiculée par Freud reste ancrée dans les esprits. Voyons, dans ses lettres à sa fiancée Martha, la conception qu'il se fait de la femme : « ... Si tout n'est pas en ordre, la maîtresse de maison qui s'est attachée à chacun de ses meubles connaîtra le tourment... Je sais combien tu es douce, comment tu peux faire d'une maison un paradis, combien tu partageras mes préoccupations, comme tu seras gaie et pourtant diligente. Je te laisserai diriger la maison comme tu l'entendras et tu me récompenseras de ton tendre amour... »

Et ailleurs, il écrit : « C'est vraiment une idée condamnée à l'avance que de vouloir lancer les femmes dans la lutte pour la vie au même titre que l'homme... la Nature a déterminé à l'avance la destinée de la femme en termes de beauté, de charme et de douceur. La loi et la coutume ont encore à accorder aux femmes quantité de choses qui leur ont été jusqu'ici interdites : il n'en reste pas moins que le destin de la femme restera ce qu'il est : dans la jeunesse celui d'une délicieuse et adorable chose ; dans l'âge mûr, celui d'une épouse aimée. »

Même depuis que les filles ont accès à une instruction susceptible de les préparer à autre chose qu'à l'entretien d'une maison, la société reste axée sur cette division traditionnelle des rôles. Et même certains courants à la mode, comme celui du retour à la terre ou à un mode de vie plus naturel, pourraient avoir pour effet d'assujettir encore davantage qu'auparavant les jeunes femmes aux tâches domestiques.

Ainsi, Christine S., une belle fille de 27 ans, diplômée en sociologie, s'est installée avec mari et enfants à la campagne. Elle fait non seulement ses conserves, mais aussi son propre pain, elle lave à la main parce que le couple préfère investir dans l'équipement agricole, et la dernière fois que je lui ai rendu visite, elle ignorait tout de ce qui se passe dans le reste du monde car non seulement n'y a-t-il pas de télé dans la maison mais encore avoue-t-elle ne plus lire du tout, faute de temps et surtout faute de stimulant, car elle n'a plus aucun contact suivi avec ses anciens amis.

Ce n'est pas dans la nature même des tâches ménagères — qui sont, répétons-le, ni plus ni moins abrutissantes, et sans doute moins dans bien des cas, que mille et une autres fonctions du marché du travail — que réside la source du problème des femmes confinées leur vie durant au foyer, mais plutôt dans l'enfermement, la dépendance économique et dans le fait qu'il s'agit d'un travail caché, privé de toute reconnaissance sociale.

La ménagère moyenne se trouve le plus souvent isolée, privée de contacts soutenus avec d'autres adultes et c'est son mari qui constitue le seul lien permanent qu'elle a avec la société, à l'exception des rencontres épisodiques que lui permet son emploi du temps : un brin de causette avec les commerçants, une soirée au comité d'école, un après-midi au bingo, un « party » où on la présente comme « l'épouse de monsieur Untel » et où elle conversera avec d'autres « épouses de... ».

C'est dans la solitude des ménagères — et aussi des retraités — que réside l'explication du succès phénoménal des lignes ouvertes : parler, parler à n'importe qui mais parler, de n'importe quoi mais parler, et que quelqu'un vous entende... Je n'ai jamais ri en entendant cette phrase classique « J'ai une opinion, quel est le sujet aujourd'hui ? » car il m'a toujours semblé que c'était là le symptôme d'une détresse sans fond.

Il y a plus grave que le fait de s'user à des tâches répétitives et non reconnues ; le pire, c'est la solitude et l'ennui, le fait d'être à l'écart des courants d'idées et des interactions qui se manifestent dans les milieux de travail. L'isolement de la ménagère est encore renforcé par l'état de dépendance économique où elle se trouve, privée d'un revenu qui lui soit propre. Le rôle de la

66

ménagère n'est ni reconnu ni valorisé, parce qu'il n'est pas rémunéré et il n'a pas de valeur sociale, parce qu'il est au service exclusif d'un homme.

(La fonction de mère et d'éducatrice a une valeur sociale indéniable, mais pourquoi en faire l'équivalent d'une « carrière » à temps plein? Dès l'âge scolaire et même avant, à condition évidemment qu'il existe un système adéquat de garderies, les enfants peuvent se passer de la présense continue de leur mère, non pas, bien sûr, de son amour ni de son attention, mais de sa présence physique constante. D'ailleurs, l'expérience montre que la plupart des mères supportent mal de se voir confinées au rôle exclusif de femme au foyer lorsque leurs enfants commencent à voler un tant soit peu de leurs propres ailes, amputant leur rôle de sa raison première. D'où la tentation, classique, de les retenir...)

« Ce que je détestais le plus, rappelle Marcelle C., qui est revenue sur le marché du travail, c'était d'avoir à demander de l'argent... d'être toujours dépendante. Mon mari me donnait un montant hebdomadaire pour les achats réguliers, mais dès qu'il fallait quelque chose en plus — une paire de patins pour le petit ou une robe pour moi —, il fallait que je fasse ma demande spéciale... En général, il mettait la main à sa poche sans rien dire ou même avec bonne humeur. Lorsqu'il était fatigué ou soucieux, il s'échappait et disait : « Ça n'arrête pas, on dépense, on dépense... l'argent ne pousse pas dans les arbres. » Ça m'humiliait terriblement. J'avais l'impression d'être une folle dépensière, d'être frivole ou de trop gâter mes enfants et pourtant j'avais des goûts modestes. »

L'argent dont dispose la femme qui n'a pas de revenu propre lui est donné par quelqu'un d'autre et peut dès lors lui être retiré sans préavis. Le seul avantage pécuniaire découlant du maintien de la femme au foyer (la déduction d'une « personne à charge » de l'impôt du mari) ne lui revient même pas et absolument rien ne la protège contre un revirement subit de son mari.

Que ce dernier la quitte, qu'il « disparaisse dans la brume » ou qu'il décide de la déshériter et la voilà à la rue. Que l'initiative du divorce vienne de l'homme ou de la femme, le divorce est toujours infiniment plus pénible pour la femme qui n'a pas d'emploi et ce, pas seulement pour des raisons d'argent, mais parce qu'elle se retrouve seule, sans amis, sans relations personnelles, sans camarades de travail. « Avant, dit une divorcée, nous fréquentions d'autres couples. Avec la séparation, je les ai tous perdus de vue, personne ne m'invite. Et comment voulez-vous que je refasse ma vie? J'ai si peu de relations à moi... sauf deux ou trois anciennes compagnes de classe qui ne tiennent pas, semble-t-il, à inviter une femme seule dans leurs "parties"... »

Un nombre considérable de femmes « au foyer » se trouvent en réalité sur le marché du travail, y remplissant des fonctions qui normalement seraient rémunérées et socialement reconnues, mais comme elles sont au service d'un employeur qui est aussi leur mari, elles accomplissent, elles aussi, un travail gratuit et obscur. Le statut ambigu de « femme collaboratrice de son mari » a fait pendant des années, l'objet d'études et de recommandations de l'AFEAS (Association féminine d'éducation et d'action sociale) avant que les gouvernements n'y apportent des modifications minimales et encore largement insatisfaisantes. Des milliers de femmes sont fermières, caissières, vendeuses, gérantes, secrétaires ou comptables dans l'entreprise de leur mari. À moins d'une association en bonne et due forme, ces femmes, dont le travail est pourtant essentiel à la survie d'une multitude de petites entreprises, ne reçoivent ni salaire ni avantages sociaux, ne bénéficient d'aucun régime de retraite décent et peuvent fort bien se voir refuser, en cas de divorce, le partage d'un avoir pourtant acquis en bonne partie grâce à leur travail bénévole.

Il y a quelques années, il a fallu qu'une femme de Saskatchewan se rende jusqu'en Cour suprême, pour obtenir la moitié de l'immense entreprise agricole qu'elle avait montée au même titre que son ex-mari... et encore n'eût-elle gain de cause que parce qu'il fut prouvé qu'elle y avait contribué financièrement. Une autre femme dans la même situation, Mme Murdoch, a, quant à elle, perdu sa cause : en 1973, la Cour suprême statuait qu'elle n'avait pas droit à une partie des biens de son mari, parce qu'elle n'avait pas versé d'argent dans la ferme familiale... Et pourtant, elle y avait travaillé à temps plein pendant 20 ans !

Cette situation de dépendance financière — qui fonde toutes les autres dépendances — peut être parfois poussée jusqu'à son extrême limite, jusqu'à confiner à jamais la femme dans un rôle de servante. À cet égard, l'un des cas les plus pathétiques que j'aie vus est celui de Mme T., 60 ans, veuve d'un cultivateur. Jusqu'à son veuvage, sa vie n'avait été qu'un labeur incessant : elle travaillait sur la ferme aussi durement que son mari et son fils ; c'est elle qui, comme toutes les épouses d'agriculteurs, se chargeait de la comptabilité et elle avait dû en outre soigner pendant des années son beau-père, avant de jouer le même rôle auprès de son mari, alité pendant des mois. À sa mort, celui-ci laisse par testament tous ses biens à son fils et la mère en arrive rapidement à se sentir « de trop » dans la maison familiale, d'autant plus que son fils songe à se marier. Comme pour se faire pardonner sa présence, elle continue d'en faire plus que ses forces ne lui permettent : les plus gros ménages, les travaux de la ferme, etc. ; et le samedi soir, dans les veillées de l'âge d'or, elle se cherche un mari, car ses prestations d'aide sociale ne lui permettent pas de se loger ailleurs. Elle fréquentera successivement deux veufs. Le premier sera déjà presque sénile... mais en échange d'un toit, elle acceptera de le soigner, de le distraire, de tenir sa maison. Le second la laissera tomber après qu'elle lui aura servi de femme de ménage (bénévole, il va sans dire) pendant des semaines... Aujourd'hui, elle cherche encore « un veuf qui voudrait de moi dans sa maison... »

À côté de portraits sombres comme celui-là, il y a mille femmes qui ont pu, tout en restant au foyer, se ménager une certaine marge d'autonomie et qui ont réussi à se créer de multiples centres d'intérêt, qu'il s'agisse de bénévolat dans des œuvres sociales ou d'un « hobby » qui, avec le temps, est devenu une occupation suivie, voire une passion. L'artisanat, par exemple, est l'un des débouchés que choisissent de plus en plus de ménagères.

Mais dans tous les cas où une femme a eu l'énergie de se forger une vie à elle, on songe à ce qu'elle aurait fait si elle avait exploité ces dons, ce dynamisme et ces talents d'une manière systématique et sur un plan professionnel : on pense aussi à cet incroyable gaspillage de ressources humaines et intellectuelles.

Un exemple entre autres : Andrée S., qui après avoir élevé trois enfants, déploie une activité sans bornes sur plusieurs fronts à la fois : elle fait de beaux émaux, elle milite dans un parti politique et dans des associations féministes et elle s'est en outre chargée d'un projet-pilote d'orientation professionnelle pour les filles du secondaire. Toutes ces activités, il va sans dire, sont bénévoles. À 55 ans, Mme S. est visiblement une femme très épanouie, active et cultivée, heureuse en ménage. Mais pour réussir à ce point une vie qui, au départ, n'était centrée que sur sa famille, elle a bénéficié de conditions qui sont loin d'être le lot de la moyenne des femmes : beaucoup d'énergie personnelle, un grand confort matériel, aucun problème d'argent, un mari qui l'encourageait dans ses entreprises... Et encore dit-elle parfois : « Ce dont j'aurais rêvé, c'est de travailler dans l'administration — je suis une organisatrice née — ou bien dans la recherche... Mais il y a 30 ans, une fille ne prenait un emploi qu'en attendant de se marier... Un jour, j'ai dit à mon mari : « Te rends-tu compte que je n'ai vécu qu'en fonction de toi et des enfants ? » D'abord, ça l'a étonné. Et puis, peu à peu, il a compris. »

Faut-il rémunérer le travail ménager ? La question est dans l'air depuis longtemps et divise les groupes féministes. Certaines militantes marxistes voient dans cette revendication une forme de lutte dirigée contre l'organisation capitaliste du travail, en même temps que l'unique débat susceptible de mobiliser les travailleuses isolées dans leurs foyers respectifs. Les militantes de *La Vie en rose*[2], pour leur part, estiment que le travail ménager devrait être rémunéré par l'État, notamment parce que les femmes n'ont en général pas d'autre perspective, en l'absence de garderies et en période de chômage, et aussi pour faire ressortir concrètement la somme énorme de travaux non comptabilisés effectués par les femmes.

La majorité des féministes s'oppose toutefois à une mesure de ce type. Non seulement au nom d'un réalisme élémentaire (la rémunération par l'État du travail du « conjoint au foyer » constituerait un fardeau phénoménal pour les contribuables et le travail ainsi rémunéré échapperait à tout contrôle et à toute évaluation extérieure), mais aussi, et surtout, pour des raisons de principe. L'octroi d'un revenu au conjoint au foyer (la femme,

2. Mars-avril-mai 1981.

dans la plupart des cas) n'aboutirait qu'à consacrer à jamais la division traditionnelle des rôles (l'homme au travail, la femme au foyer), à institutionnaliser le préjugé voulant que l'entretien d'une maison constitue une tâche à temps plein et n'aurait, en outre, aucun fondement social, puisque le « service » rendu ne déborde pas du cadre matrimonial.

Plus encore, n'y aurait-il pas une injustice caractérisée à ce que les contribuables rémunèrent les femmes au foyer pour l'accomplissement de tâches qu'effectuent également, en se privant de loisirs, toutes les femmes mariées qui ont un emploi ? Presque toutes les femmes, en effet, sont ménagères à un degré ou à un autre, la différence étant que pour certaines, les tâches domestiques s'ajoutent à leur travail à l'extérieur ! (D'où cette seconde question : pourquoi, lorsque la femme a un emploi, serait-ce nécessairement à elle, et à elle seulement, que devraient revenir les travaux domestiques ?)

Dans plusieurs milieux, on suggère une solution plus réaliste et plus nuancée, soit l'octroi d'une « allocation de disponibilité » à la personne s'occupant d'enfants d'âge préscolaire ou encore d'handicapés ou de vieillards non autonomes... L'idée se justifie par le fait que la femme (ou l'homme) qui élève de jeunes enfants remplit de toute évidence un rôle social capital, ce qui n'est pas le cas lorsque son travail à la maison consiste à laver les chaussettes de son mari. Mais l'on notera que la formule de « l'allocation de disponibilité » repose encore sur l'ancestral préjugé voulant que la femme soit naturellement « dévouée », prête au sacrifice et à l'altruisme, et que ce soit à elle qu'il incombe de dispenser les soins aux malades et aux infirmes... surtout à une époque où les gouvernements veulent réduire les coûts des services sociaux. (Théoriquement, l'allocation de disponibilité s'appliquerait aussi aux hommes, mais l'expérience prouve que ce sont les femmes qui héritent généralement de ces fardeaux et qui s'occupent des impotents ou des malades dont la charge devrait pourtant, dans une société civilisée, incomber à des professionnels choisis judicieusement et dûment rémunérés.)

Quant à la question du travail domestique proprement dit, la solution que de plus en plus de gens commencent à envisager — et de plus en plus de jeunes ménages à appliquer —, c'est une solution si simple et si évidente qu'on se demande comment quelqu'un peut s'y opposer à moins de n'avoir quelque privilège à défendre : il s'agit que l'homme et la femme partagent les tâches domestiques de même que l'éducation et la garde des enfants. On voit maintenant de plus en plus d'hommes prendre conscience de leur paternité et accomplir, fort bien du reste, toutes sortes de tâches qui étaient auparavant réservées à la mère.

Pour bien des hommes — et pour bien des femmes aussi —, c'est une évolution difficile à accepter. Quand j'étais plus jeune, je n'étais pas capable de voir un homme avec un tablier ailleurs que devant un barbecue de jardin. Quand un homme se proposait pour la vaisselle, je me récriais : « Non, non, laisse-moi faire, j'ai l'habitude », et si j'acceptais cette gentille offre, je me confondais ensuite en remerciements, comme s'il venait de faire une chose exceptionnelle. À cette époque-là, je trouvais normal qu'un homme décide de temps à autre, pour une grande occasion, de faire la cuisine, mais il me semblait que c'était à moi seule que revenait la tâche de préparer les repas ordinaires... et que la seule fonction normalement dévolue à un homme, dans une cuisine, était d'ouvrir les pots trop bien scellés et de transporter les poubelles !

J'avais bien tort ! Il n'y a pas une seule activité domestique, y compris les corvées que personne n'aime, comme récurer les chaudrons ou laver les couches souillées — qui ne puisse être partagée ou exécutée en alternance (« cette fois, c'est à ton tour »). Les tâches domestiques s'expédient d'ailleurs plus vite quand deux personnes s'y mettent. Une grande partie des couples que je connais s'organisent de cette manière et les hommes n'ont pas du tout l'air de se sentir « dévirilisés ».

Il va de soi que le partage intégral des activités au foyer n'est vraiment justifié que quand les deux conjoints travaillent à l'extérieur ou encore dans les cas où une femme a une activité personnelle — même non rémunérée — qui l'accapare. Mais seul ce partage des corvées domestiques, justement, peut permettre aux femmes de prendre leur envol, au moins quelques heures par jour, hors des quatre murs de la maison... Tout compte fait, la « carrière » de ménagère à temps plein serait-elle en voie de disparition ?

4

L'ENFANTEMENT
Vocation, instinct ou choix ?

Le corps de l'homme, tout comme celui de la femme, lui permet de procréer, mais chez lui c'est moins présent, moins évident. La femme au contraire passera près de 40 années de sa vie en intime communion avec cette faculté d'enfanter : elle saigne chaque mois, ses seins se gonflent et pourraient donner du lait. Elle vit par cycles, elle est à maints égards plus physique, plus sensuelle, plus concrète, que l'homme. Si la femme laissait la nature suivre son cours, elle pourrait avoir, dans les cas de fécondité élevée et à condition qu'elle n'allaite pas trop longtemps, un enfant tous les deux ans jusqu'à ce que mort s'ensuive.

C'est au mythe de la maternité que le mouvement de libération des femmes a porté les coups qui ont été jugés les plus scandaleux. Et pourtant, les féministes n'ont jamais été contre la maternité. De fait, il existe même à l'heure actuelle un courant féministe qui valorise la maternité plus lyriquement encore que toutes les attitudes traditionnelles du passé. Les féministes sont non pas contre la maternité, qu'elles disent toutes, à l'instar de la plupart des femmes, être l'expérience marquante de leur vie et une source de joie qui survit aux inquiétudes multiples jalonnant l'évolution d'un enfant, mais contre l'idéologie qui a longtemps fait de la maternité l'unique « vocation » où une femme pouvait s'épanouir et se réaliser, ainsi qu'une « carrière » exclusive qui conditionnait tout le reste de la vie.

En explorant, sous la poussée de cette réflexion féministe justement, leur propre vécu de mère, bien des femmes ont découvert aussi ce que l'idéologie dominante avait occulté : le

76

plaisir unique et indicible du rapport de la mère à son enfant, et aussi les sentiments plus sombres et plus complexes qui obscurcissent le tableau lumineux qu'avaient dressé autour de la maternité idéale des hommes sans aucune expérience de la grossesse et de l'accouchement.

« Fondamentalement, écrit Michèle Lalonde, le féminisme nie le caractère sacré de la grossesse et de l'enfantement, c'est-à-dire rejette la mission économique sacrée de la femme : produire des individus humains et vaquer sans relâche à l'entretien immédiat de cette production... mais il redéfinit et revalorise en même temps la maternité et cherche à articuler un projet de société maternelle, c'est-à-dire égalitaire et chaleureuse, ni maternaliste ni paternaliste, mais appuyée sur des valeurs soi-disant « féminines » données en partage originel aux deux sexes [1]. »

De tout temps, on le sait, l'homme avait pu dissocier de l'activité sexuelle sa fonction reproductrice, pourtant aussi essentielle, puisque complémentaire, que celle de la femme : son sperme éjecté, la paternité était hors de lui jusqu'à la naissance de l'enfant qu'il pouvait en outre ne pas reconnaître. La femme, au contraire, restait enchaînée aux suites possibles de l'accouplement qui se déroulaient toutes à l'intérieur de son corps. D'où l'impossibilité, durant des siècles, pour elle mais non pour lui, de dissocier l'amour ou le coït de la procréation.

Le libre choix

De toutes les innovations qu'allait amener le XXᵉ siècle, aucune ne fut plus déterminante, dans la vie des femmes, que l'invention de la « pilule ». On peut même estimer que ce fut là une authentique révolution, dans la mesure où, pour la première fois dans l'histoire humaine, les femmes allaient pouvoir contrôler efficacement leur fonction reproductrice. Certes, elles n'avaient pas attendu les découvertes de l'industrie pharmaceutique pour commencer à « empêcher la famille ». Comme le signale le collectif Clio, la race des « femmes prolifiques », mères

---

1. *Maintenant*, nº 140, novembre 1974.

de dix enfants et plus, était déjà en voie d'extinction au début du siècle : « Chez les femmes nées entre 1916 et 1921, seulement 7,6 pour cent de celles qui se marieront auront plus de dix enfants... [2] » À la génération suivante, ce pourcentage diminue à 3,5, puisque seulement 19,2 pour cent des femmes mariées ont plus de six enfants. À cette époque déjà, 40 pour cent des femmes mariées n'ont qu'un ou deux enfants ou n'en ont pas du tout. En 1940 enfin, les Québécoises n'ont en moyenne que trois enfants. (Au début des années 50, le taux de natalité augmentera sous l'effet du *baby boom* de l'après-guerre qui se manifestera au Québec comme ailleurs en Occident. Ensuite, le taux de natalité connaîtra une baisse spectaculaire et sans précédent).

Ces fluctuations montrent que la contraception n'était pas inconnue. Bien avant la guerre, des condoms et des gelées spermicides circulaient à Montréal sous le manteau. On pratiquait aussi le coït interrompu et la méthode Ogino était d'autant plus répandue qu'elle était acceptée par l'Église. Mais aucune de ces « méthodes » — qui reposaient toutes, en outre, sur l'accord préalable du mari — n'était vraiment sûre.

C'est au début des années 60 que la « pilule » allait se répandre à Montréal. L'usage du diaphragme était devenu chose courante, mais même en pleine Révolution tranquille et au cœur de la métropole, il fallait « bien choisir » son médecin, car nombreux étaient les praticiens qui refusaient carrément de prescrire des contraceptifs aux jeunes femmes. Le choix du médecin s'effectuait alors souvent selon la consonance du nom, l'idée étant d'éviter les médecins catholiques. Un nom d'origine juive représentait la garantie maximale, car même un nom à consonance anglaise n'était pas sûr : on risquait de tomber sur un Irlandais !

Plus tard, on découvrit que l'industrie pharmaceutique avait insuffisamment expérimenté certains produits contraceptifs et que l'usage de la « pilule » comportait des dangers. On sait aujourd'hui qu'aucune méthode contraceptive n'est exempte de contre-indications (le stérilet, dont la vague a correspondu à la découverte des dangers de la contraception chimique, est rejeté par certaines femmes) et plusieurs jeunes femmes préfèrent

2. *L'histoire des femmes au Québec*, Éd. Quinze, 1982.

maintenant recourir à des méthodes plus « douces ». Toutefois, la réforme fondamentale avait quand même été consommée : dorénavant, les femmes auraient le libre choix dans le domaine de la maternité. Non seulement pourraient-elles déterminer, à peu près, le nombre de leurs enfants, mais elles pourraient aussi décider de n'en pas avoir. En outre, en dernière analyse et advenant un désaccord avec leur conjoint sur la question, cette décision leur appartiendrait à elles seules... Juste corollaire de la loi biologique qui impose à la femme le fardeau de l'enfantement.

Ce nouveau pouvoir sur la vie que la science contemporaine a octroyé à la femme est susceptible de provoquer beaucoup d'angoisse et de ressentiment chez les hommes : déjà exclus, à priori, de la grossesse, incapables d'expérimenter dans leur propre corps l'enfantement et la paternité, possiblement envieux depuis la nuit des temps de ce pouvoir de la femme-mère (c'est une hypothèse courante chez les anthropologues), ceux-ci se trouvent maintenant entièrement dépendants du désir de la femme d'avoir ou non un enfant et, dans le cas d'une grossesse non planifiée, de garder ou non le fœtus. Voilà qui explique assez bien l'acharnement féroce que mettent des gens comme Joe Borowski, le champion de lutte contre Morgentaler au Manitoba, à combattre tout ce qui peut faciliter le recours à l'avortement. Cette lutte, en dehors de ses aspects éthiques, est très clairement une lutte pour le pouvoir dans le domaine de la reproduction.

Qui dit libre choix dit également liberté de refuser l'enfant. L'histoire contemporaine montre que, lorsqu'elles en ont le choix, les femmes sont nombreuses à refuser la maternité. Cela en soi illustre un changement absolument révolutionnaire, la rupture de l'équation millénaire entre féminité et maternité. Jusqu'à tout récemment, en effet, la femme qui était mariée depuis un certain temps mais qui n'avait pas d'enfant était considérée comme un être suspect : qu'avait-elle donc d'anormal ? Était-elle stérile ? Ou, pis encore, était-elle si égoïste, si matérialiste, si hédoniste qu'elle préférait ne s'occuper que d'elle-même, de ses propres besoins, de ses propres plaisirs ? Souvent, c'est le mari qui était pointé du doigt comme le grand responsable de cette scandaleuse carence dans la vie du couple : était-il impuissant ? Ou, ce qui dans la mentalité populaire revenait au même, stérile ?

Même si les mœurs et les attitudes changent, l'antique équation entre le modèle de la « vraie femme » et la maternité persiste encore dans l'inconscient. Poussée à son ultime limite, cette règle absurde — absurde comme tous les stéréotypes imposés aux êtres humains — se trouve au cœur de certains cas pathologiques. Celui de Jocelyne Deschambeault, condamnée au printemps 83 pour avoir tué et éventré une jeune femme enceinte de huit mois, est révélateur. Quand elle fut arrêtée, Mme Deschambeault serrait dans ses bras le cadavre du fœtus qu'elle avait arraché au ventre de sa mère après l'avoir frappée de 48 coups de couteau. Les psychiatres qui témoignèrent à son procès affirmèrent qu'elle était d'intelligence supérieure mais qu'elle souffrait depuis longtemps d'une névrose obsessionnelle caractérisée, notamment, par une mauvaise image d'elle-même, un irrépressible sentiment de culpabilité et « le désir d'avoir un enfant pour tenter de se réaliser pleinement ». Voici la description que faisait de leurs témoignages la journaliste Martha Gagnon :

« En remontant dans le temps, ils ont découvert que dès son jeune âge Jocelyne Deschambeault était constamment dans "la lune", elle passait de longs moments à se bercer, à rêver. Elle a eu durant plusieurs années une amie imaginaire qu'elle appelait "Denise" et qui représentait la petite fille modèle qu'elle aurait voulu être.

« L'image que Jocelyne Deschambeault a alors d'elle-même, et qu'elle conservera à l'âge adulte, est très négative. Elle se trouve méchante, agressive, jalouse, mauvaise et laide. La mort de plusieurs personnes, par exemple de son père, de sa mère, d'une nièce, de sa sœur, de son premier mari et d'une amie lorsqu'elle était toute petite, laisseront des traces.

« Malgré tout, Jocelyne Deschambeault mène une existence paisible qui semble tout à fait normale. Après avoir terminé ses études, elle travaille dans une librairie puis se marie. Le bonheur s'estompe rapidement, son mari décède du cancer. Elle a 35 ans. C'est à ce moment précis que ses manies de propreté apparaissent. Elle passe son temps à nettoyer, frotter et laver. Elle prend quatre à cinq bains par jour, se lave les pieds et les mains plusieurs fois et lave ses vêtements en revenant d'une soirée.

« Son deuxième mari, Germain, ne peut plus supporter son obsession. Il la quitte. Un peu plus tard, elle lui annonce qu'elle est enceinte. À ce sujet, le Dr Sarwer est catégorique : "Elle croyait réellement qu'elle était enceinte même après que le médecin lui eut déclaré le contraire. Elle s'accrochait à son rêve. Dans son esprit, elle était enceinte."

« Selon les psychiatres, le refus de Suzanne Lauzon de lui vendre son bébé le 11 mars est sans doute ce qui a provoqué cette explosion de rage. "Lorsque Jocelyne Deschambeault souhaitait quelque chose, il fallait que ça arrive. Elle se croyait enceinte parce qu'elle désirait l'être pour devenir une femme accomplie, 'parfaite, propre, honnête'," précise le Dr Sarwer.

« Le 11 mars, elle n'a pu supporter l'idée que Suzanne Lauzon découvre la vérité, comprenne qu'elle n'était pas enceinte et répande la nouvelle. Elle a été prise d'un accès de fureur et elle a frappé sur "ses mensonges". Les médecins ne peuvent dire avec exactitude combien de temps a duré cette période de perte de conscience. Ils affirment cependant qu'au moment de la "césarienne artisanale", après le meurtre, elle avait recouvré une certaine lucidité.

« Les psychiatres expliquent qu'il ne faut pas se fier à l'attitude de l'accusée, à son absence d'émotion. "Elle souffre énormément", croient-ils. Hier, Jocelyne Deschambeault a pleuré quelques instants[3]. »

L'enfant voulu

Le libre choix de la maternité implique aussi la liberté d'avoir l'enfant voulu, désiré, aimé. La maternité n'est plus alors la « vocation » naturelle, exclusive et quasi obligatoire de la femme, mais l'expression d'un désir, d'un besoin.

En réalité, les choix ne sont pas toujours si simples : nombre de femmes, à telle ou telle autre étape de leur vie, veulent un enfant sans être sûres de le vouloir ou, au contraire, n'en veulent pas sans être sûres qu'elles n'en voudraient pas un. Cette ambivalence, qui explique probablement bien des échecs de la

---

3. *La Presse*, 14 juin 1983.

contraception et bien des dépressions *post-partum*, est difficile à analyser, car le désir ou le refus de l'enfant s'inscrit dans les profondeurs de l'inconscient.

Il n'y a jamais de bonnes raisons de vouloir un enfant, ni de n'en pas vouloir. Chacune a ses raisons, c'est tout ; et, en général, on ne connaît pas soi-même toutes les facettes de son choix. Chose certaine, les questions d'ordre économique ne pèsent pas lourd dans la balance, même si effectivement l'éducation d'un enfant coûte cher et qu'en milieu urbain celui-ci constitue davantage un fardeau qu'à l'époque de la société rurale où, au contraire, il représentait deux bras de plus pour les travaux de la ferme. (C'est d'ailleurs sur cette réalité qu'achoppent toutes les politiques natalistes. Aucun avantage matériel ne convaincra une femme d'avoir ce « troisième enfant » si important pour les démographes, si elle, ou le couple, n'en ressent pas le désir.)

Tout ce qu'on connaît, c'est le résultat : il y a des enfants non désirés qui ont ensuite été comblés d'amour et des enfants désirés qui ont été négligés et mal-aimés ; il y a de bons parents, des parents médiocres et de mauvais parents, et cela n'a pas nécessairement à voir avec l'intensité avec laquelle ils voulaient ou non un enfant.

Depuis que sont disparus les pires tabous sur la fille-mère, beaucoup de femmes ont des enfants, dans la solitude et la misère matérielle, même si elles auraient pu se faire avorter. D'autres jeunes femmes, qui jouissent d'une sécurité matérielle, hésitent à en avoir, souvent par crainte de s'enchaîner au père, ou de rester seule avec l'enfant en cas de séparation, ou, pire encore, de le « perdre ».

Les jeunes mères féministes se trouvent aujourd'hui prises au piège des changements de mentalité qu'elles avaient elles-mêmes réclamés : très souvent, le père, ce nouveau père qui s'est occupé de l'enfant autant que sa femme, réclamera la garde de l'enfant. Faire un enfant, pour une femme d'aujourd'hui, c'est ne plus être assurée qu'elle en aura automatiquement la garde en cas de séparation.

C'est un signe des temps, qui marque une évolution considérable et bienvenue dans les rapports humains, que la découverte par les hommes de l'importance de leur paternité ; c'est aussi là la condition *sine qua non* du partage du monde par les deux sexes et de l'éclatement de la division des rôles... Mais nous sommes et serons encore durant longtemps en période de transition, et cette évolution peut être fort douloureuse pour les gens qui la vivent en chair et en os.

La culpabilité

Aussi désiré soit-il, l'arrivée de l'enfant bouleverse le cours des choses. Il transforme à jamais le couple et constitue, pour la plupart des mères, un frein très sérieux à la poursuite d'un métier ou d'une profession. Car, sauf exception, c'est presque toujours la mère qui est, ou croit être, la première responsable de l'enfant. Souvent, le père participe, il aide, il assiste, mais...

Eva, 35 ans, a eu un enfant au sommet d'une carrière exigeante. Le mari parfait : attentif, paternel, habile à toutes les tâches domestiques comme à celles du « maternage », désireux de tout partager avec sa femme. Un ménage où deux revenus élevés ont apporté une aisance exceptionnelle. Il y a une bonne à la maison. Le tableau idéal, quoi ! Il n'empêche que, même dans cette situation privilégiée, Eva s'est retrouvée trois ans après la naissance de son fils dans un état de grande fatigue : « Si la bonne est partie ou s'il faut la remplacer, si la gardienne ne vient pas ou si Martin est malade, c'est à moi, toujours à moi d'y voir. Je vis toute la journée dans une inquiétude diffuse, comme si j'avais toujours peur d'un accident, d'une maladie... Quand je voyage pour mon travail, je téléphone à la maison trois fois par jour et quand le téléphone sonne dans ma chambre d'hôtel, je sursaute comme s'il allait m'apporter une mauvaise nouvelle. Je constate que mon mari, bien qu'il soit aussi attaché que moi à Martin, ne réagit pas de cette façon : il s'en dégage davantage, il n'est pas hanté comme moi par tous ces mauvais pressentiments (qui finalement ne se confirment jamais). Mais j'ai aussi l'impression qu'il ne se sent pas aussi « responsable » que moi. Ainsi, quand je pars en voyage et qu'il passe une semaine tout seul avec Martin, à mon retour il a l'air d'un homme qui vient de passer sept jours sur une île déserte. C'est comme s'il s'agissait d'un exploit. »

Comment démêler tout cela ? S'agit-il simplement d'une sourde persistance de l'ancien modèle de la division des rôles, la femme se sentant toujours investie, quelles que soient ses conditions de vie objectives, d'une responsabilité première, jamais entièrement partagée par rapport à l'enfant ? S'agit-il plutôt de ce phénomène classique et si courant chez les mères qui « travaillent à l'extérieur » : la culpabilité, latente et parfois inconsciente mais constante, qui fait qu'on comble l'enfant de cadeaux inutiles et coûteux, tout en s'inquiétant outre mesure à son sujet ?

Il est évident que les ménages où les deux conjoints travaillent (et à plus forte raison les familles mono-parentales) ne peuvent facilement assumer la fonction parentale sans un système adéquat de garderies. Mais il est significatif que même dans les cas comme celui d'Eva, où le gardiennage ne constitue pas un problème quotidien et s'effectue dans des conditions idéales, puisque l'enfant est gardé à la maison par une personne choisie par les parents, la culpabilité s'infiltre.

Sans doute aurait-il été naïf de croire que des transformations comme celles qui ont affecté la vision traditionnelle de la maternité pourraient s'effectuer facilement. Rien de ce qui concerne l'image de la femme, de l'homme, du couple, de l'enfant ou de l'amour ne peut changer rapidement ; dans ce domaine, tout est affaire de générations, parce qu'on touche là à une matière délicate, tout imprégnée d'archétypes.

La culpabilité est donc l'enfer intérieur que vivent un grand nombre de jeunes femmes au travail et peut-être pourrait-on émettre l'hypothèse que ce sentiment croît avec l'aisance matérielle. Un peu comme si la seule façon de « racheter » l'abandon (temporaire et épisodique) de l'enfant était la certitude que son salaire est indispensable à la sécurité minimale de la famille. Travailler pour pouvoir payer le lait et le pain quotidien est une autre manière de se dévouer, de se sacrifier pour son enfant... Mais travailler une fois que les besoins essentiels du *primo vivere* ont été satisfaits, ne serait-ce pas sacrifier l'enfant à son propre égoïsme ? Une fois de plus, l'on voit poindre ici l'idéologie traditionnelle qui exige de la femme (et de la femme seulement) le sacrifice d'elle-même dans la maternité transformée en occupation exclusive et en vocation naturelle et innée.

Les mères de famille au travail peuvent « rationaliser » et se dire (ce en quoi elles ont d'ailleurs en général parfaitement raison) que leur enfant ne manque de rien et qu'il peut même bénéficier du fait qu'elles ont un travail rémunéré à l'extérieur, elles restent néanmoins vulnérables à tout ce qui peut faire resurgir la culpabilité : « Quand je pars au travail, dit Véronique, 28 ans, fonctionnaire, et que j'entends ma fille me dire, avec de grands yeux tristes : « Maman, tu pars encore ? », je suis désarmée, démolie... plus malheureuse, bien plus malheureuse qu'elle ! Je sais bien que deux minutes après elle aura oublié mon départ et qu'elle a, comme tous les enfants, un petit côté « manipulateur », mais qu'importe... J'ai beau me raisonner, rien n'y fait. Et, en fin de semaine, je « compense » plus que ne le ferait n'importe quelle « mère à la maison » : gâteries, sorties, conversations en tête-à-tête... Le résultat, cependant, c'est que le dimanche soir, à la veille de recommencer ma semaine de travail régulière, je suis plus fatiguée que n'importe lequel de mes confrères. Je n'ai jamais, comme eux, la possibilité de faire le vide et de récupérer. »

Cette fatigue constante, éloquente manifestation du fardeau de la « double tâche », semble affecter les mères de famille indépendamment du nombre d'enfants qu'elles ont. Celles qui ont un ou deux enfants ne paraissent pas moins fatiguées que celles qui en ont plusieurs. Ce phénomène pourrait peut-être donner à penser que la fatigue en question est au moins partiellement d'ordre psychologique. Ce ne serait pas tellement la somme des gestes à poser — le nombre de repas à préparer, de bains à donner ou à superviser, de vêtements à laver, etc. — que l'attention et la disponibilité constamment réclamées par les enfants qui constituerait le plus lourd du fardeau maternel. L'enfant unique est toujours plus accaparant, envers ses parents, que celui qui grandit au sein d'une famille nombreuse. On pourrait aussi poser l'hypothèse que les femmes qui, à notre époque où la contraception est si facile, ont choisi d'avoir plusieurs enfants sont des femmes pour qui l'exercice de la maternité est particulièrement facile, des femmes qui aiment les enfants.

Ainsi, Myrna Gopnik, linguiste de McGill, a eu six enfants tout en poursuivant une fructueuse carrière universitaire. « Même — et peut-être particulièrement — dans le contexte de ce livre féministe, écrit-elle dans *A Fair Shake*[4], je dois dire que ce sont mes enfants qui ont été et qui sont encore au cœur de mon identité et de mes satisfactions. La pire semaine de ma vie ce fut quand l'un d'entre eux s'est trouvé à l'hôpital. Les meilleurs moments de ma vie, c'est quand ils reviennent tous à la maison pour Noël... Tout n'a pas toujours été idyllique... La période terrible des « deux ans », celle de l'adolescence, l'enfant charmant tout à coup transformé en jeune monstre... Mais la mémoire est sélective. Tous ces moments de frustrations et de colère s'estompent derrière les souvenirs heureux qui, tout compte fait, pèsent tellement plus lourd.

« Il y a deux façons de faire quelque chose : la façon organisée et la façon non organisée. J'ai choisi la seconde. Les planchers ne se dissolvent pas s'ils ne sont pas lavés pendant une semaine ou deux. Les enfants ne se désintègrent pas s'ils vont parfois au lit sans avoir pris leur bain. Les vêtements n'étaient pas toujours étincelants de propreté...

« Avec le recul, je peux dire que j'ai pu terminer mon doctorat (avec six jeunes enfants à la maison et un budget d'étudiants) non pas en dépit de mes enfants, mais parce que j'en avais. Ils ont toujours donné un sens à ma vie, grâce à quoi j'ai pu garder des perspectives équilibrées. Ma vie intellectuelle est très importante, mais je la vis tout autant en parlant avec mon mari et mes enfants qu'avec mes collègues.

« Mais n'oubliez pas, poursuit-elle, que ces enfants n'étaient pas seulement les miens. Ils étaient à Irwin aussi. Il les a lavés, nourris et aimés autant que moi. Il était bien mieux capable que moi de s'en occuper quand ils étaient malades. Les gens me demandent toujours comment j'ai fait pour tout concilier. Ils ne posent jamais la question à Irwin. Ils devraient. »

Dans ce cas en effet, autant le mari que la femme voulaient des enfants, le plus d'enfants possible, et la responsabilité parentale a été parfaitement partagée. Il va de soi que pas une femme au monde ne pourrait concilier l'éducation de six enfants

4. À paraître chez Eden Press, Montréal.

avec une carrière dans l'enseignement, si le père vivait selon un modèle traditionnel et si tous les deux n'avaient pas en commun l'amour des enfants. Tout le monde en effet n'aime pas les enfants également. On peut très bien aimer son propre enfant sans tellement apprécier la présence des enfants en général. Myrna et Irwin Gopnik, quant à eux, prenaient tous deux plaisir à suivre le développement de leurs enfants, à parler et à voyager avec eux, et ils agissent encore de même avec leurs deux petits-enfants.

L'une des idées reçues les mieux ancrées dans l'inconscient veut que tout parent — toute mère, surtout — ne puisse pas ne pas aimer inconditionnellement son enfant, à moins de souffrir d'une très grave déviation. Aussi la plupart des femmes s'efforcent-elles de réprimer tout sentiment d'agressivité à l'égard de leur enfant, quitte évidemment à ce que l'agressivité refoulée resurgisse ensuite sous d'autres formes, généralement dans des comportements qui relèvent de l'autopunition, de l'autodépréciation, de la dépression.

« Il m'a fallu quatre ans et l'aide d'un psychothérapeute, raconte une jeune mère de famille, pour admettre que je nourrissais beaucoup d'agressivité envers mon fils. J'avais désiré sa naissance et je l'aimais plus que tout au monde. Mais il y avait en moi de la colère et de la peur. L'accouchement avait été difficile et la grossesse avait laissé des traces ; les premiers mois, j'étais constamment fatiguée et déprimée sans même oser me l'avouer. Et puis cette présence envahissante... Ne jamais pouvoir lire en paix, ne jamais pouvoir causer librement avec mon mari, se mettre à la recherche d'une gardienne pour la moindre sortie, et vivre chaque jour ce dilemme insoluble entre mon travail et ma situation de mère de famille... Il me semblait que mon mari devenait plus « père » qu'époux, et sans doute étais-je moi aussi devenue plus « mère » que femme... Mon fils allait-il détruire mon ménage comme il avait temporairement détruit ma santé ? »

Une fois l'agressivité amenée à la conscience et exprimée verbalement, cette jeune femme allait peu à peu, comme elle dit, « remonter la côte » ; mais combien de femmes, aux prises avec les mêmes sentiments insondables, innommables, si profondément tabous, n'ont-elles pas sombré dans une dépression qui n'osait pas dire son nom ?

La dépression *post-partum* commence à peine à être reconnue, nommée, expliquée et traitée. Mais jusqu'à tout récemment, le mythe de la « bonne mère » qui devait tout sacrifier à son enfant et trouver dans la maternité le bonheur suprême, un bonheur sans bavure ni zones grises, s'ajoutant à l'insensibilité du monde médical masculin, a occulté ce phénomène pourtant fréquent, dont la manifestation inexpliquée allait accroître la culpabilité et la mauvaise image de soi dont ont souffert et souffrent encore tant de femmes.

Instinct ou sentiment ?

Dans un livre percutant où elle expose la nature des rapports entre les mères et leurs enfants au cours des siècles, la philosophe française Élisabeth Badinter a montré que l'instinct maternel — qui correspondrait à une disposition innée, irrépressible, analogue à l'instinct de l'animal — n'existe pas, qu'il s'agit d'un mythe entretenu sous diverses formes par les idéologies dominantes dans le but de consolider l'ordre social. Ce qui existe — et encore, pas toujours ni à toutes les époques —, c'est non pas l'instinct mais l'amour.

« L'amour maternel, dit É. Badinter, n'est qu'un sentiment humain. Et comme tout sentiment, il est incertain, fragile et imparfait. Contrairement aux idées reçues, il n'est peut-être pas inscrit profondément dans la nature féminine. À observer l'évolution des attitudes maternelles, on constate que l'intérêt et le dévouement pour l'enfant se manifestent ou ne se manifestent pas. La tendresse existe ou n'existe pas. Les différentes façons d'exprimer l'amour maternel vont du plus au moins en passant par le rien, ou le presque rien... [5] »

Ainsi y eut-il dans l'histoire humaine une longue période où l'amour, au sens où on l'entend aujourd'hui, n'existait ni entre les parents eux-mêmes ni entre les parents et leurs enfants. (À l'époque où le taux de mortalité infantile était fort élevé, les parents n'assistaient même pas à l'enterrement de leurs enfants.) Durant longtemps, les mères de toutes conditions « se débarrassèrent » de leurs enfants dès la naissance en les envoyant « en

---

5. *L'amour en plus*, Flammarion, Paris, 1980.

nourrice » ; ceux-ci ne passaient somme tout guère plus de cinq ou six ans chez leurs parents, entre la période de l'allaitement à l'extérieur et l'entrée au couvent ou en pension.

Ce n'est qu'au XVIIIe siècle, alors que l'État français s'inquiète du taux élevé de mortalité infantile et veut accroître la population, que l'idéologie dominante commence à valoriser le rôle de la mère, encourageant celle-ci à allaiter elle-même son enfant et à lui consacrer l'essentiel de son temps. Même alors, signale l'auteur, les femmes résisteront pendant une assez longue période à ces appels... qu'elles auraient précédés si l'attachement à l'enfant avait procédé d'un irrépressible instinct plutôt que d'habitudes culturelles.

De l'idéologie exaltant l'instinct maternel allait découler la théorie selon laquelle la mère, première responsable de l'enfant, était aussi l'unique responsable de ses problèmes et de ses faillites, de ses maladies ou de ses déviations. La psychanalyse allait jouer un rôle clé dans l'institutionnalisation de la culpabilité. L'enfant était-il schizophrène, asthmatique, autistique, homo-sexuel, dyslexique, hyper-actif, obèse ou anorexique ? Toujours la même explication : cherchez la femme... cherchez la mère !

La psychologue Roxane Simard raconte que les experts amenés à étudier le cas de l'Étrangleur de Boston, qui avait étranglé et violé onze femmes, s'attachèrent tout de suite à établir le portrait-robot... non pas du criminel mais de sa mère. « Selon ceux-ci, écrit R. Simard, le meurtrier était consumé par une haine folle de sa mère, (qui devait avoir été) une femme douce, ordonnée, propre, contraignante, séduisante, dominatrice et punissant facilement. Pendant l'enfance de son fils, elle s'était probablement promenée à moitié nue dans l'appartement tout en punissant sévèrement l'enfant de toute manifestation de curiosité sexuelle. Cela expliquait la tendance de son fils à attaquer des femmes âgées. Mais aucune mention du père, dont la qualité centrale semblait être l'effacement. Quand finalement on arrêta le meurtrier, on découvrit que sa mère n'était ni particulièrement propre, ni particulièrement ordonnée, méticu-leuse ou dominatrice. C'était une personnalité plutôt moyenne. Toutefois, le père de Salvo (L'Étrangleur) couchait avec des prostituées devant ses enfants. Il avait appris à ses fils à voler dans les magasins. Ivrogne, il battait régulièrement sa femme et ses enfants. Et un jour, il avait méthodiquement, un à un, brisé tous les doigts d'une main de sa femme.

Face à ce cas troublant, poursuit Roxane Simard, n'est-on pas en droit de se demander par quels privilèges les pères bénéficient généralement de l'immunité psychiatrique et judiciaire, et pourquoi, encore de nos jours, derrière chaque enfant malade, autistique ou délinquant, on continue de chercher une mère abusive?... Les femmes sont ainsi tenues responsables des problèmes de leurs enfants, des problèmes de leur conjoint, des problèmes du couple, des difficultés émotionnelles peu importe l'endroit où elles surgissent. On a réussi à les rendre responsables des accidents qu'elles ne font pas mais qu'elles provoqueraient. Dans la même veine, elles provoquent aussi les viols qu'elles subissent... [6] »

Premières responsables et donc seules coupables... On voit ici que la culpabilité que ressentent tant de jeunes mères aux prises avec « la double tâche » a des racines fort profondes.

La dépossession

Ironiquement, alors même que la société forçait la mère à assumer seule l'essentiel de l'éducation des enfants — le rôle du père étant limité à celui du pourvoyeur et, plus tard, d'initiateur aux réalités du monde extérieur —, alors même que la société semblait ainsi reconnaître à la femme une compétence toute particulière et mille vertus innées en ces matières, on allait peu à peu la déposséder des connaissances que lui avaient données des siècles de pratique.

Dans le domaine de l'accouchement par exemple, on allait assister à l'élimination des sages-femmes, dotées d'une expérience concrète, et à la médicalisation de la grossesse et de la délivrance, avec constitution d'une nouvelle profession médicale, celle des gynécologues-obstétriciens. Je ne suis pas de l'école passéiste qui exalte les charmes et les vertus de l'accouchement à domicile. Mais le fait est que trop longtemps les femmes ont été soumises au pouvoir autoritaire de la médecine, traitées en « malades » passives et privées de toute autonomie à cette étape capitale où

6. *Va te faire soigner, t'es malade!*, Éd. Stanké, 1981.

elles allaient donner la vie. L'implantation de « chambres de la naissance » dans les hôpitaux constitue certainement un pas en avant dans l'humanisation de l'accouchement devenu aussi acte du couple. Il n'y a pas vingt ans, la plupart des hôpitaux interdisaient la présence du père dans la salle d'accouchement. Je connais aujourd'hui peu d'hommes qui n'aient pas tenu à assister à la naissance de leur enfant et il y en a même un nombre surprenant que ne rebuterait pas la vision d'une naissance par césarienne.

Après l'époque de l'accouchement « mécanique », pourrait-on dire, — la femme anesthésiée le plus longtemps possible —, il y eut celle de l'accouchement « naturel » (comme si tous les accouchements par voie vaginale n'étaient pas « naturels » !) L'autorité médicale faisait de l'accouchement un événement joyeux et sportif, et malheur à la femme qui avait la faiblesse de réclamer l'anesthésie quand la souffrance la terrassait. (La douleur liée à l'accouchement est une autre de ces réalités longtemps demeurées taboues.)

L'allaitement est un autre domaine où les diktats de la science officielle — qui varient d'une époque à l'autre et parfois même d'une décennie à l'autre — ont semé le trouble, le doute, la panique et, encore et toujours, la culpabilité. Pendant des siècles, seules les pauvres allaitaient elles-mêmes leurs enfants : dans les familles qui incarnaient les normes de l'idéologie dominante, c'est à une nourrice — une grosse femme saine, préférablement de la campagne ! — qu'on confiait cette tâche. Ensuite, la mode fut à l'allaitement maternel : garantie de santé pour l'enfant, preuve ultime d'amour et de dévouement de la part de la mère. Par la suite, l'autorité médicale décréta que le lait animal, enrichi de vitamines, était meilleur pour l'enfant que le lait maternel. Enfin, le pendule revint du côté de l'allaitement, sans lequel, disait-on, un enfant risquait de souffrir des années durant du « rejet par la mère ».

À ce propos, voici un cas éloquent, celui de Brigitte, 32 ans, qui accoucha de son premier enfant sous le règne de l'idéologie de l'accouchement et de l'allaitement naturels. Elle avait choisi, pour l'accouchement, un médecin libéré ainsi qu'une clinique d'avant-garde et, si bien engagée sur la voie de la maternité parfaite, nourrissait son enfant au sein. Au bout de quelques semaines, l'enfant ne dormait plus. Son poids n'avait pas augmenté comme il aurait dû. Il pleurait presque sans répit. La mère et le père, épuisés, inquiets et déprimés eurent recours à une voisine, mère de famille elle-même, qui finit par diagnostiquer le mal : « Mais, dit-elle un peu trop brutalement, ce bébé meurt de faim ! » Comme cela se produit assez fréquemment en effet, le lait de Brigitte n'était pas bon, ou pas assez, et l'enfant ne buvait pas à sa faim. Dès qu'on eut remplacé le lait maternel par du lait « chimique », le bébé, repu, recommença à dormir et à prendre du poids. Facile à faire..., mais pour Brigitte les problèmes commençaient : elle avait échoué, elle n'avait pas été capable de nourrir elle-même son enfant, son lait était mauvais, elle était une mauvaise mère, pas à la hauteur... Il lui fallut du temps pour surmonter ce sentiment persistant d'incapacité. (Il va de soi qu'il y a des femmes plus prédisposées que d'autres à ce type de réaction : Brigitte avait probablement au départ une mauvaise image d'elle-même et peu de confiance en soi. Mais les femmes sont toujours plus vulnérables que les hommes à la culpabilité, parce que le stéréotype de la féminité les oblige à l'altruisme et au dévouement tout en les rendant responsables de tous les malheurs des autres.)

Après l'allaitement, la pédagogie... À quel âge l'enfant doit-il dire « ma-man » ? Cesser de faire caca dans sa couche ? Que faire en cas de fièvre ? En « pédagogie » aussi la pensée du jour fluctue selon les auteurs à la mode... Et là encore, l'inquiétude, la tension, la peur de se tromper et de se rendre coupable de quelque terrible calamité guettent la femme...

« Quand j'étais plus jeune, dit une mère de famille, la théorie c'était que la mère devait entraîner l'enfant le plus tôt possible à aller aux toilettes. On déposait l'enfant sur le pot, on lui disait d'y faire son caca « pour faire plaisir à maman », on l'y remettait à heures fixes... Quelques années après la théorie avait changé : cet entraînement trop précoce engendrait des inhibitions chez l'enfant. J'imaginais mes aînés, devenus « propres » très jeunes, aux prises avec toutes sortes d'obsessions cachées... Il allait donc falloir laisser les plus jeunes salir leurs couches le plus longtemps possible, c'était le prix à payer pour qu'ils deviennent des êtres libres ! »

Même chose pour la fièvre : longtemps l'idée eut cours que l'enfant fiévreux devait être plongé dans un bain d'eau froide... jusqu'à ce qu'on décrète que cela pouvait susciter un arrêt cardiaque et qu'on prescrive plutôt de l'eau tiède. Comment s'étonner de ce que l'un des plus grands best-sellers de tous les temps ait été le *Dr Spock* ? Rien n'est plus facile — ni plus rentable — que de miser sur l'insécurité et la culpabilité des femmes.

Le nombre d'enfants par famille a diminué et l'on aurait cru qu'à l'heure des appareils électriques et des couches jetables les jeunes mères auraient eu moins de travail... mais non : médecins, diététistes, psychologues, auteurs à la mode, pédagogues de la nouvelle pédagogie, etc., leur en demandent toujours plus.

Les bébés ne doivent plus être nourris avec ces purées en conserve qui ont pourtant fait grandir les deux ou trois générations précédentes : il faut dorénavant passer soi-même la viande, les légumes et les fruits au mélangeur et recommencer l'opération plusieurs fois par semaine. Tout en se consacrant corps et âme au nouveau-né, la jeune mère doit retrouver sa forme au plus tôt, masser ses mamelons quinze minutes par jour, faire de la culture physique une demi-heure chaque matin, sans pour cela oublier de s'empresser autour du mari qui, autrement, se sentirait exclu, rejeté, jaloux, ainsi qu'auprès de l'aîné qui, lui aussi, pourrait se sentir délaissé. Son bébé aura à peine appris à parler que déjà on l'engagera à en faire un « surdoué ». (Des jeunes femmes, autrement fort sensées, ont été nombreuses à se précipiter sur des livres qui prétendaient leur montrer comment initier des bébés de 18 mois à la lecture !)

Sous leur allure d'avant-garde, certaines mode contre-culturelles semblent plutôt destinées à convaincre les femmes qu'elles devraient rentrer au foyer pour se consacrer à temps plein à la maternité. Car après Freud, Spock, Dolto, Olivier et combien d'autres, vinrent Illich et les chantres de la Nature, dont les préceptes, exclusivement centrés sur le bien-être de l'enfant, sacrifient allègrement les besoins et la sécurité des mères. Les théories du Dr Leboyer ont au moins le mérite d'être relativement inoffensives, mais n'importe quel fumiste — tel Léandre Bergeron, ce « quaker » du nord — se permet maintenant de faire la leçon aux femmes et de leur ordonner, littéralement, d'accoucher chez elles en s'instituant, avec l'incommensurable prétention et la dangereuse irresponsabilité que produisent l'ignorance et la bêtise, conseiller médical.

Dans la foulée « naturiste » du bon docteur Leboyer, et à la faveur de l'engouement des années 60 pour les pratiques orientales, il y eut aussi la montée de la théorie du « massage », inspirée d'une habitude propre à certaines régions rurales et isolées de l'Inde. L'enfant devait être massé de trois à quatre heures par jour, condition essentielle à son bien-être futur. On voit d'ici à quoi pareil diktat peut aboutir : ce massage quotidien exigeant une disponibilité presque totale de la part de la mère, comment pourrait-elle se permettre en même temps de poursuivre un travail à l'extérieur du foyer ?

Dépossédée de l'art d'éduquer ses propres enfants, incapable pour ce faire de puiser à même l'expérience des femmes des générations antérieures (puisque d'une génération à l'autre la théorie change), incapable même de se fier à ses propres instincts, la femme-mère a été le jouet de l'autorité médicale et cette autorité, constituée d'experts masculins, a souvent été impuissante, faute d'expérience concrète, à alléger ses peurs les plus légitimes. Ainsi cette autre femme, que j'appellerai Colette, fut assaillie par l'inquiétude en découvrant, quelques mois après son accouchement, que ses seins déversaient un liquide jaunâtre, mystérieux... Mystérieux même aux yeux de son obstétricien : « Je ne sais pas ce que c'est, lui dit-il, je n'ai jamais vu ça. » L'inquiétude céda le pas à l'angoisse, puis à la panique... jusqu'au jour où, après avoir consulté deux ou trois médecins qui l'avaient soumise à des radiographies sans pour autant établir de diagnostic, elle aboutit chez une omnipraticienne qui lui dit : « Moi aussi j'ai eu la même chose, cela se produit parfois après la période de l'allaitement ! »

De la même façon, on doit s'interroger sur les chirurgies pratiquées sur les femmes : comment expliquer que, selon une étude[7] effectuée en 1978, ce soit la ligature des trompes qui constitue la principale méthode contraceptive au Québec ? (La ligature, opération irréversible, représente en effet 27,7 pour cent

7. LAPIERRE, GRATTON et HENRIPIN, *Fécondité au Québec*, enquête-rappel, 1976, Université de Montréal, 1978.

de la contraception au Québec, la pilule anovulante, 24,8 pour cent et les autres méthodes — diaphragme, vasectomie, stérilet, condom, etc. — moins de 10 pour cent chacune.) Comment expliquer qu'il se fasse encore au Québec tant d'hystérectomies ? (En 1981, on évaluait à 18 112 le nombre annuel de « grandes opérations », dont 10 448 pratiquées sur des femmes de 25 à 44 ans, et l'on notait aussi que, fort étrangement, la proportion d'hystérectomies était plus élevée dans les régions éloignées.) Que dire enfin de l'ignorance qui a si longtemps entouré la ménopause ? La femme avait perdu son pouvoir de reproduction, donc sa valeur sociale ; elle ne pouvait plus être mère, elle n'intéressait plus...

5

LA CRÉATION
Ou la sœur de Shakespeare

Les arts, la création? C'est bien, à première vue, le domaine par excellence de la non-discrimination.

Le tout premier écrivain natif de Nouvelle-France fut une femme : Marie Morin, qui écrivit en 1697 l'histoire de la communauté des Hospitalières de Montréal. Le premier grand romancier québécois fut une femme : Laure Conan. Presque tous les créateurs du Canada français qui ont obtenu une reconnaissance internationale furent des femmes : la grande cantatrice Albani vers la fin du siècle dernier, Gabrielle Roy (prix Fémina), Marie-Claire Blais (prix Médicis), Antonine Maillet (prix Goncourt), Anne Hébert (encore le Fémina)... Les acteurs québécois les plus connus à l'étranger sont des femmes : Geneviève Bujold, Carole Laure, Monique Mercure (prix du festival de Cannes en 1977). Ce sont souvent des femmes qui ont animé et dirigé l'activité artistique : Françoise Berd (l'Egregore), Yvette Brind'Amour et Mercédès Palomino (le Rideau Vert), Jeannine Beaubien (La Poudrière), Ludmilla Chiriaeff (les Grands Ballets), ce sont encore des femmes, Fernande Saint-Martin et Louise Letocha, qui ont été successivement les deux premiers directeurs du musée d'Art contemporain de Montréal. L'histoire littéraire est jalonnée de noms féminins : Rina Lasnier, Claire Martin, Nicole Brossard, Louky Bersianik, France Théoret, Monique Larue, Madeleine Ouellette-Michalska, Jovette Marchesseault, etc. L'histoire de la musique compte de nombreux « prix d'Europe » féminins. L'histoire des arts plastiques aussi : Marcelle Ferron, Marcelle Maltais et combien d'autres... Et le chant? Alarie... Et la chanson? Julien, Dufresne, Thibault, Forestier, Leyrac, Reno...

Dans les milieux de la création d'avant-garde, les femmes sont à l'avant-plan, audacieuses, subversives : Pol Pelletier et le Théâtre expérimental des femmes, les nouveaux groupes tels Wonder Brass et Ma't'chum... C'est une femme qui est la plus connue de nos voix rock, Marjolaine de Corbeau. C'est une œuvre de femme qui fut l'objet du plus gros succès artistique de 1982 (le *Dinner Party* de Judy Chicago au Musée d'Art contemporain qui a établi un record d'assistance sans précédent dans les annales des musées québécois)... C'est une femme, Phyllis Lambert, qui a mené — presque toujours avec succès — les grandes luttes pour la sauvegarde du patrimoine architectural de Montréal...

En dehors des grands centres, on ne compte plus les femmes qui, à un titre ou à un autre, se sont occupées à des activités artistiques, soit comme animatrices, soit comme critique littéraire du journal local ou régional, soit comme écrivain, peintre, artisane, musicienne.

Ces œuvres ne sont pas toujours rétribuées à leur juste valeur et ce travail est souvent bénévole, mais c'est aussi le cas de bien des artistes masculins ; on ne gagne pas facilement sa vie dans le roman ou la sculpture. En ce sens, on pourrait croire que les plus privilégiés, parmi les artistes et les écrivains, sont les femmes mariées à des hommes qui sont de bons « pourvoyeurs » : ils rapportent un salaire à la maison, et madame peut peindre ou écrire en paix, sans souci matériel... et qu'importe si la vente de ses œuvres ne lui rapporte pas grand-chose : elle ne fait pas ça pour gagner sa vie, elle fait ça pour « s'exprimer » ou pour « communiquer ».

Quant aux actrices, c'est simple. À peu près toutes les pièces de théâtre, tous les télé-romans, tous les films, contiennent une multitude de rôles féminins qui sont souvent de premiers rôles, alors elles gagnent leur vie, ni mieux ni moins bien que leurs collègues masculins. Sur le plan social, quelle différence y a-t-il entre une Monique Miller et un Gilles Pelletier ? Entre une Louise Marleau et un Benoit Girard ?

Alors, disent-ils, que vous faut-il de plus ? Où est le problème ?

Avant de répondre à la question, il faut aller voir dans les coulisses, derrière le rideau, derrière l'écran des apparences... Car, dès qu'on prend un tant soit peu le temps d'y penser, on découvre, dans le vaste monde de la création artistique et littéraire, la persistance de plusieurs phénomènes anormaux. Là non plus, les femmes n'ont jamais eu des « chances égales ».

Dans l'histoire, la place des femmes en tant que sujets directs de la création est extrêmement limitée. De tout temps, « la Femme » a été l'objet de la création, la principale source d'inspiration des artistes et des auteurs : on l'a peinte, sculptée, décrite, célébrée, et elle se retrouve, plus ou moins mythifiée, dans toutes les grandes œuvres : Vénus de Milo, Joconde, Iphigénie ou Emma Bovary... Et c'est souvent pour ses beaux yeux, pour lui plaire ou pour l'encenser, que les hommes ont créé.

Tour à tour muse, égérie, modèle passif qui prêtait ses formes à la peinture ou à la sculpture, la femme restait le plus souvent muette, capable d'inspirer les plus grands sentiments mais apparemment incapable de les exprimer dans une œuvre qui lui fût propre.

Il fut même un temps où les femmes n'avaient pas le droit de monter sur les planches : les rôles féminins étaient tenus par des travestis. Et, plus récemment dans l'histoire, en 1928, un critique anglais écrivait à propos d'une musicienne : « Une femme qui compose est comme un chien qui danse. Ce qu'il fait n'est pas bien fait, mais vous êtes surpris de le lui voir faire. »

Même les femmes qui, telle George Sand, ont transgressé les normes sociales de leur époque ont longtemps été considérées moins en fonction de leur œuvre que de l'influence qu'elles ont pu avoir sur des créateurs masculins. George Sand a surtout été décrite comme un phénomène (ce qu'elle était à l'époque : elle fumait le cigare et avait une vie très libre) et comme la maîtresse de Musset et de Chopin... Et il a fallu attendre le livre de Francine Mallet, pour avoir une analyse plus approfondie non seulement du personnage mais aussi de l'œuvre de George Sand.

Bien plus tard, d'autres femmes aptes à la création allaient devoir vivre elles aussi dans l'ombre d'un grand homme. Colette allait pendant des années sacrifier une large part de son talent à son premier mari, écrivain médiocre qui retouchait ses écrits pour les rendre plus « piquants », plus commerciaux... et empochait tous les droits d'auteur ! Clara Malraux, femme énergique et audacieuse, avait un indéniable talent d'écrivain, mais a surtout été connue, jusqu'à ces toutes dernières années, comme la première femme d'André Malraux.

Plus près de nous, et à un degré évidemment moins dramatique, on peut analyser le cas de Mouffe dans la même optique. Cette jeune femme a d'abord été connue comme la compagne de Robert Charlebois et elle se consacrait essentiellement à la carrière du chanteur. Ce n'est qu'après leur séparation qu'une autre Mouffe s'est révélée et celle-là était metteur en scène, compositeur et animatrice, et elle mit enfin tout ce talent au service de sa propre carrière.

Une occupation secondaire

L'histoire du Canada a commencé à une époque où il était relativement bien admis que les femmes (mais seulement celles de l'aristocratie) puissent s'adonner à des activités littéraires ou artistiques.

Va pour la création, mais on préférait que cela prenne la forme d'un « hobby », d'une activité secondaire susceptible de permettre à la femme de donner libre cours à sa « sensibilité naturelle », à son côté « romanesque » ; cela lui conférait même, en certains milieux, un charme supplémentaire.

Il convenait donc que cette activité ne soit pas trop accaparante, et que ce hobby ne se transforme pas en passion. Ainsi, une femme pouvait, quand ses moyens et ses loisirs le lui permettaient, s'offrir le luxe d'écrire quelques poèmes, quelques menus textes, mais pas un roman d'envergure qui risquait d'engloutir, de dévorer le temps et l'attention qu'elle devait à ses proches.

Aussi est-il fort révélateur que les premiers écrits féminins, au Québec comme ailleurs, aient été de petites choses qui n'exigeaient jamais de recherche systématique, ni de travail de longue haleine, ni de connaissances puisées en dehors de la maison paternelle ou maritale : des mémoires ou des auto-biographies, des « carnets intimes », des journaux personnels (Henriette Dessaules), des récits d'amour, des descriptions d'états d'âmes, des chroniques épisodiques (Jovette Bernier)...

Une femme pouvait, de la même façon, réaliser des tapis-series (de petit format de préférence), quelques aquarelles, gouaches ou huiles, mais la sculpture, par exemple, était consi-dérée comme une activité masculine. La femme était chanteuse, pianiste, harpiste, voire violoniste, mais il aurait été mal vu qu'elle choisisse la batterie ou les cuivres : c'est moins gracieux, moins mélodique, l'effort musculaire paraît plus grand, le son est plus percutant... Encore aujourd'hui, on a du mal à trouver une femme chef d'orchestre. La même division des rôles s'est perpétuée dans les arts modernes : au cinéma, la femme est monteuse (un travail qui exige de la délicatesse) mais non caméraman, ni ingénieur du son, encore moins directeur (tâches trop « dures », trop « techniques » et qui, dans le dernier cas, exigent des aptitudes au commandement !).

Comme le signalait Sandra Gwyn en 1971 : « On pourrait écrire l'histoire de la peinture de ces deux dernières décennies sans mentionner une seule femme peintre ayant joué un rôle de premier plan et absolument essentiel dans la création de nouveaux styles abstraits, d'œuvres qui dépassent la technique habituelle de la peinture, art op, pop ou géométrique [1]. » Pourtant, commente le Conseil du statut de la femme, « cinq des signa-taires du fameux *Refus global* étaient des femmes. Si l'histoire ne leur rend pas justice, affirment Rose-Marie Arbour et Suzanne Lemerise, toutes deux professeurs d'art à l'Université du Québec à Montréal, c'est à cause de la mise en quarantaine des femmes artistes à partir de cette époque. À partir du moment où, au Québec, les femmes ont commencé à affluer dans le domaine de la peinture, c'est-à-dire dans les années 1950-1960, et à peindre des œuvres post-automatistes, les critiques se sont généralement mis à qualifier ce type d'œuvre d'« académique » et à le dévaluer en lui reprochant de traduire des traits de caractère qualifiés de typiquement féminins (émotivité, instinct, etc.) [2]. »

---

1. *La femme canadienne et les arts*, étude préparée pour la Commission royale d'enquête sur la situation de la femme au Canada, Ottawa, 1971.

2. *Pour les Québécoises : égalité et indépendance*, Éd. officiel du Québec, 1978.

Même dans les domaines où la discrimination était beaucoup moins évidente, deux problèmes de fond subsistaient et subsistent encore dans une très large mesure : le manque d'argent et le manque de temps.

Exception faite des femmes mariées à des hommes riches (et qui bénéficient d'une aisance qui peut toutefois leur être brutalement retirée en cas de divorce), les femmes créatrices sont pauvres et l'ont toujours été. Ce n'est certes pas un hasard que les premières œuvres de femmes aient été littéraires : rien ne coûte moins cher qu'un crayon et du papier... Les femmes sont en outre plus occupées que les hommes à mille et une tâches matérielles et même lorsqu'elles réussissent à s'en dégager, la présence constante de jeunes enfants dépendant de la mère plus que du père ne leur permet jamais d'avoir l'esprit libre.

« Le cliché d'une civilisation des loisirs, écrit le CSF, ne concerne pas les femmes mariées soumises au fardeau de la double tâche (au travail et au foyer) et qui travaillent de 70 à 80 heures par semaine [3]. »

Est-ce pure coïncidence que les quatres écrivains québécois qui ont mené une carrière sans interruption et remporté des prix prestigieux soient toutes des femmes sans enfant et, qui plus est, célibataires dans trois cas sur quatre ? Qu'auraient produit Anne Hébert, Marie-Claire Blais, Gabrielle Roy ou Antonine Maillet, si elles avaient dû consacrer leur jeunesse à l'entretien d'une maison et à l'éducation de petits enfants ?... Une bonne partie des hommes écrivains ont au contraire pu « faire » à la fois des livres et des enfants et concilier les joies de la paternité avec celles de la création. Grâce à qui ?

Des génies

Et le génie ? Comment expliquer qu'il n'y ait pas de « génies » féminins ? Il y a de grandes créatrices, soit, mais personne de la stature de Homère ou Mozart. Personne dont l'œuvre soit telle que, des siècles après, elle force encore l'admiration du monde entier. Un peu comme il n'y a pas (de fait il y en a, mais en nombre infime) de grands « chefs » parmi les femmes, qui passent pourtant le tiers de leur vie dans la cuisine.

---

3. *Id.*

Dans l'ensemble, les arts c'était comme la cuisine : les femmes avaient un talent « naturel » pour l'art, activité qui fait largement appel à l'intuition et à la sensibilité... comme elles étaient, disait-on, naturellement douées pour la cuisine. Mais les grandes œuvres, la création véritable, restaient un don masculin. Les femmes pouvaient faire, et très bien, trois repas par jour pendant 60 ans, mais, répétait-on, les grands chefs cuisiniers ne pouvaient qu'être des hommes. Même chose dans les arts : l'histoire le prouvait, les femmes pouvaient exceller comme artistes ou écrivains mineurs, mais le génie était, semblait-il, d'essence masculine : Homère, Villon, Shakespeare, Racine, Goethe, Bach, Picasso... tous des messieurs. Nommez-moi une femme, une seule, dont le génie soit universellement reconnu. Le fait est qu'il n'y en a pas. Celles dont la notoriété a dépassé les frontières de leur pays (Virginia Woolf, Anaïs Nin, George Sand, Colette, Marguerite Yourcenar, quelques autres) restent malgré tout des auteurs secondaires par rapport aux plus grands noms du patrimoine littéraire de l'humanité, et il n'y a pas non plus de génie féminin reconnu dans la peinture, la sculpture, la musique, le cinéma.

Sur le plan international, comme à l'échelle du Québec, c'est essentiellement dans les arts d'interprétation — où la part de création est plus minime — que les femmes se sont hissées au sommet : Sarah Bernhardt ou Madeleine Renaud au théâtre, Édith Piaf dans la chanson, Maria Callas à l'opéra, sans compter les innombrables grandes actrices du cinéma.

« Si j'avais été un homme, confiait Diane Dufresne au magazine *l'Actualité*, je ne serais pas chanteuse, mais compositeur. Je le sens instinctivement. » Son instinct vise juste. Car la question n'est pas du tout de savoir s'il est plus valable d'être chanteur ou compositeur, actrice ou cinéaste, mais plutôt de se demander pourquoi tant de femmes sont pour ainsi dire cantonnées à vie dans les arts d'interprétation, chantant des chansons composées par d'autres, jouant des rôles écrits par d'autres, étant toujours soumises aux directives des producteurs, directeurs musicaux, metteurs en scène, lesquels sont en immense majorité des hommes.

Tout l'aspect industriel des arts en effet — l'infrastructure technique, la production, la mise en marché, etc. — est un

domaine essentiellement masculin où une femme peut difficilement percer à moins d'avoir auparavant « fait ses preuves »
au-delà de tout doute. Ainsi, les rares cinéastes féminins du
Québec (Anne-Claire Poirier, Mireille Dansereau, etc.) ont dû se
serrer les coudes et se regrouper pour pouvoir s'affirmer au sein
de l'Office national du film ; d'ailleurs, ces femmes étaient
tellement conscientes de leur statut de « minoritaires », de
« marginales », que la plupart de leurs films portent précisément
sur des problèmes et des expériences de femmes.

Même au strict plan de la création, beaucoup de femmes
plafonnent assez tôt, incapables, dirait-on, de poursuivre une
œuvre de façon systématique.

Ainsi l'écrivain Michèle Lalonde racontait dans une interview
à Radio-Canada que lorsque ses enfants étaient plus jeunes, elle
avait pris l'habitude de n'écrire que des textes très courts,
poèmes ou articles, parce qu'elle n'avait jamais assez de temps
devant elle, ni assez de disponibilité mentale, pour entreprendre
une œuvre de longue haleine, un roman par exemple.

Marcelle Ferron a déjà fait, elle aussi, un témoignage
analogue : « Quand mes enfants étaient petits, je peignais de tout
petits tableaux. J'étais fauchée, donc ça prenait très peu de
matériel, très peu de couleurs. Mes tableaux ont grandi avec mes
enfants. »

Retournons, c'est le cas de le dire, à la cuisine : prenons une
bonne, une excellente cuisinière. Libérons-la de l'obligation de
« nourrir » trois fois par jour, avec un budget limité, une famille
entière. Donnons-lui tous les instruments, les appareils les plus
sophistiqués, les plus beaux produits du marché et disons-lui :
« Vous voilà libre de créer. Prenez le temps qu'il faut, laissez
aller votre imagination et voici en outre quelques marmitons
pour vous aider. » Cette femme, nul ne peut en douter, aurait pu
être Escoffier ou Bocuse, mais ses conditions de vie l'en auront
empêchée. Dans les meilleurs des cas, et avec beaucoup de
chance, elle sera Sœur Berthe, Julia Child ou Jehane Benoit.
Dans les arts comme en cuisine, on ne pourra jamais évaluer la
somme de talents qui, faute de pouvoir se développer, n'ont pu
aboutir à des œuvres d'envergure.

La romancière anglaise Virginia Woolf en était consciente dès 1929. Dans *Une chambre à soi*[4], elle imagine ce qui serait arrivé, compte tenu des conditions de l'époque, si Shakespeare avait eu « une sœur merveilleusement douée ». D'abord, elle n'aurait pas eu accès aux livres, ou à peine. On l'aurait ensuite mariée de force avant l'âge de 20 ans. S'il lui était resté assez de courage pour fuir et tenter sa chance à Londres, sans doute aurait-elle abouti dans le lit de quelque directeur de théâtre et peut-être ensuite dans la Tamise (Woolf allait elle-même se suicider en 1941.)

« Un génie comme celui de Shakespeare, écrit-elle, n'est pas né parmi des gens en train de se livrer à un travail pénible... Il ne naît pas aujourd'hui dans les classes ouvrières. Comment alors eût-il pu naître parmi les femmes dont le travail (ménager) commençait presque avant la sortie de la nursery ?... Ce qui me semble vrai quand je pense à l'histoire de la sœur de Shakespeare, c'est que n'importe quelle femme, née au XVIe siècle, et magnifiquement douée, serait devenue folle, se serait tuée ou aurait terminé ses jours dans quelque chaumière éloignée, mi-sorcière, mi-magicienne, objet de crainte et de dérision...

« Une fille de génie, poursuit Virginia Woolf, qui aurait tenté de se servir de son don poétique, aurait été à tel point contre-carrée par les autres, torturée et tiraillée en tous sens par ses propres instincts, qu'elle aurait perdu santé et raison. Aucune fille n'eût pu (comme l'a fait Shakespeare) se rendre à pied à Londres, se tenir dans l'entrée des artistes, et forcer son chemin (pour faire accepter ses pièces) jusqu'auprès des acteurs-directeurs, sans se faire violence et sans être suppliciée par une violence illogique peut-être... mais qui n'en était pas moins inévitable... Eût-elle survécu, tout ce qu'elle eût écrit, découlant d'une imagination faussée et morbide, en eût été déformé et contrefait. Et sans doute n'aurait-elle pas signé ses œuvres. Ce refuge de l'anonymat, elle l'aurait certainement recherché, (comme) Currer Bell, George Eliot, George Sand... » : toutes des femmes avec des prénoms d'homme.

Parlant ensuite des sœur Brontë, elle poursuit : « Nous devons accepter le fait que ces romans furent écrits par des

---

4. *Une chambre à soi*, trad. Clara Malraux, Éd. Gonthier, 1951.

femmes qui n'avaient de la vie que l'expérience qui pouvait entrer dans la maison d'un respectable pasteur : mieux encore, écrits dans le salon commun de cette maison respectable et par des femmes si pauvres qu'elles ne purent se permettre d'acheter plus de quelques rames de papier à la fois pour écrire *Les Hauts de Hurlevent* ou *Jane Eyre*... La liberté intellectuelle dépend des choses matérielles. La poésie dépend de la liberté intellectuelle. Et les femmes ont toujours été pauvres, depuis le commencement des temps. »

C'est pourquoi Woolf insistait tant, dans ce livre, sur l'importance pour une femme qui veut créer d'avoir de l'argent à elle (donc une certaine indépendance financière) et « une chambre à soi » (donc la possibilité d'être seule, libérée des corvées familiales et domestiques). Et elle pose la question : si Tolstoï avait vécu le genre de vie des sœurs Brontë, aurait-il pu écrire *Guerre et Paix* ?

Le manque d'espace vital, l'absence d'ouverture sur le monde, une formation intellectuelle très pauvre et limitée « à l'observation des caractères et à l'analyse des émotions », et les innombrables tabous sociaux qui se perpétuaient d'un siècle à l'autre, quelles qu'en aient été les formes, tout cela ne pouvait produire, selon Virginia Woolf, que des œuvres relativement limitées, qui jamais ne seraient traversées par le souffle audacieux et novateur du génie.

Car le génie n'est pas un don, il ne tombe pas du ciel. Les grands créateurs ont bénéficié de certaines conditions ou de certaines dispositions d'esprit : soit de l'aisance matérielle, soit de voyages, de rencontres, d'influences, soit de la présence à leurs côtés d'un être — d'une femme en général — qui leur était dévouée et leur épargnait les tracas quotidiens, soit, enfin, de la détermination et de l'aptitude au travail soutenu... autant de prérequis pour qu'un talent naturel puisse s'épanouir au maximum. Le génie ne se développe pas chez les êtres timorés, inhibés, élevés dès le berceau pour servir les autres et vivre par procuration. (On a souvent parlé de « roman de femme » pour désigner des œuvrettes au style fleuri, sans envergure, vaguement sentimentales, somme toute peu intéressantes.)

Bien des choses ont changé depuis l'époque de Virginia Woolf et les femmes sont aujourd'hui plus que jamais présentes dans l'univers de la création. Mais les grandes lignes des anciens ghettos demeurent : on trouve peu de femmes compositeurs, cinéastes ou aux postes de commande de l'infrastructure industrielle du monde artistique.

Même dans les arts d'interprétation, où l'on a l'impression que les femmes sont sur un pied d'égalité, elles font face à des problèmes bien spécifiques, aux conséquences du vieillissement notamment, qui sont bien pires pour elles que pour les hommes. Un chanteur âgé — Yves Montand, Maurice Chevalier, Frank Sinatra, etc. — peut poursuivre sa carrière plus longtemps, en vertu des standards traditionnels qui conservent à l'homme un pouvoir de séduction même au troisième âge. Dans le domaine du théâtre ou du cinéma, il y a plus de rôles intéressants pour les hommes que pour les femmes d'âge mûr, d'autant plus que la plupart des pièces et des scénarios sont écrits par des hommes. Une actrice vieillissante sera le plus souvent exclue de la scène ou réduite à des rôles stéréotypés de servantes, de belles-mères, etc. Je rencontrais récemment une actrice dont le visage ne cessait de m'étonner. D'après mes déductions, cette femme devait bien avoir au moins 60 ans mais son visage ne montrait aucune ride profonde. Aucun sillon sur le front, ni autour des yeux, de la bouche ou du menton... Curieusement, sa peau me rappelait du papier de soie froissé, parcourue en tous sens de petits plis. Même le sourire avait quelque chose d'étrange, comme un rictus. Ce visage n'était plus jeune, c'était bien évident. Le malaise venait du fait qu'il n'avait pas d'âge. J'appris par la suite que cette dame en était à son quatrième *face-lift*.

Quelques comédiennes plus jeunes ont réagi contre leur condition. Soit, comme Luce Guilbeault, en protestant passionnément contre l'obligation qui lui fut si longtemps faite de jouer des rôles qui jamais ne correspondaient ni à ce qu'elle était ni aux femmes « réelles », soit, comme Michelle Rossignol, en menant parallèlement une carrière de metteur en scène.

La floraison

Le mouvement féministe a produit, ces dernières années, une floraison extraordinaire d'œuvres de femmes : édition, théâtre, danse, musique, cinéma, etc., créations militantes ou purement ludiques, toujours frémissantes, oscillant entre la tendresse et la révolte.

Les femmes entre elles, privées de l'argent et de l'expertise accumulés dans les milieux masculins, sont toujours pauvres. Aussi ces lieux d'expression féministes sont-ils souvent, faute de moyens, à l'écart des grands circuits de distribution : vidéos projetés en cercles plus ou moins fermés, librairies modestes maintenues par des bénévoles, salles inconfortables...

Réalité qui renvoie à celle, également marquée par la pauvreté, des loisirs des femmes, qui sont, selon le CSF, « le yoga, la gymnastique, la marche, la télévision et l'artisanat [5] », autant d'activités relativement peu coûteuses qui ont le mérite de pouvoir être conciliées avec les tâches domestiques : le yoga et la gymnastique se pratiquent à la maison, la marche « s'allie à la nécessité de faire les courses, de promener les enfants ou de les conduire à l'école », l'artisanat s'inscrit également dans le prolongement des travaux domestiques et la télévision se conjugue facilement avec la tenue d'une maisonnée.

Malgré la pauvreté et l'amateurisme qui peut, dans certains cas, affecter les productions réalisées à l'écart des grands marchés artistiques, les regroupements de femmes visant à créer et se produire semblent encore constituer une formule nécessaire. Comme si, quand elles sortent du silence et de l'isolement, elles éprouvaient le besoin d'y puiser, l'une auprès de l'autre, la force et le courage pour ce faire. La solidarité, palpable dans tous les lieux d'expression féminine-féministe, reste pour beaucoup une condition *sine qua non* de l'acte créateur qui, d'ailleurs, emprunte souvent la forme de l'œuvre collective. Rejet du *star system* et de la hiérarchie ou compensation au manque de confiance en soi congénital des femmes, le « collectif » est pour l'instant l'une des voies privilégiées des créations de femmes. (Ce manque de confiance en soi qui, faut-il dire, affecte toutes les femmes quelles qu'elles soient, au-delà des apparences, peut être difficile à comprendre pour quelqu'un qui a toujours travaillé en milieu mixte. Un soir, au Théâtre expérimental des femmes, j'ai assisté

---

5. *Op. cit.*

à un concert donné par un groupe de jeunes musiciennes qui avaient refusé, davantage pour se sentir « plus à leur aise » que pour des raisons idéologiques, que leur spectacle soit ouvert aux hommes. Même devant un auditoire féminin qui leur était acquis d'avance, ces jeunes femmes paraissaient dénuées d'assurance et fort timides. Il était clair qu'elles n'auraient pas pu s'exprimer si elles avaient été soumises au jugement des hommes. Elles avaient besoin de l'atmosphère chaleureuse et symbiotique d'un auditoire de mères, de sœurs, d'amies. Et pourtant, dès qu'elles commençaient à jouer, ce qu'elles faisaient était si beau, et c'était fait avec tant de finesse, d'assurance et de talent que j'arrivais mal à comprendre qu'elles ne veuillent pas jouer pour tout le monde. Et je regrettais que l'homme qui normalement m'aurait accompagnée ce soir-là ne puisse jouir lui aussi de ce « son » magnifique et émouvant.)

C'est le cinéma américain — cinéma de « masse » par excellence, sensible aux fluctuations du marché et aux courants d'idées, — qui a ouvert la voie à la transformation de l'image de la femme à l'écran. Non seulement a-t-il produit nombre de films axés sur des femmes échappant aux stéréotypes (*Julia, Girlfriends, Still of the Night, Alice Doesn't Live Here Anymore, Unmarried Woman, Reds, French Lieutenant's Woman*, etc.), mais il évite aussi assez scrupuleusement les ornières du sexisme trop voyant. (Je parle ici bien sûr du cinéma de masse et non des productions parallèles ou semi-clandestines de l'industrie de la pornographie.) La même évolution s'était produite en ce qui a trait à l'image des Noirs et des Indiens, que le cinéma s'efforce maintenant de mettre en scène dans des rôles non stéréotypés. On voit maintenant de plus en plus d'images de femmes au travail ou dans des rôles de leaders et même les comédies s'inspirent souvent de thèmes féministes (*Nine to Five, Tootsie*).

Sur ce plan comme sur d'autres, le cinéma québécois traîne de la patte et les scénarios sont en général trop incohérents ou alors trop fidèles aux romans dont ils sont inspirés pour qu'on puisse même qualifier son action à cet égard. Il y a eu, dans notre cinéma, des images de femmes intéressantes : l'épouse de *J.A. Martin, photographe*, le personnage interprété par Marie Tifo dans *les Bons Débarras*, la mère dans *Maria Chapdelaine* (seul personnage crédible du film), mais, dans l'ensemble, le cinéma québécois reste trop marginal et incomplet à divers titres pour constituer un bon objet d'étude. Le théâtre souffre de carences analogues, encore qu'elles soient moins visibles à cause de la production, plus fréquente qu'au cinéma, de créations féministes. Dans le théâtre populaire, l'image de la femme a trop longtemps été réduite aux caricatures de Michel Tremblay. C'est dans le domaine de la littérature — où, d'ailleurs, les femmes sont beaucoup plus présentes — que les images de femmes sont le plus diversifiées, complexes et approfondies.

En ce domaine, toutefois, il faut se garder du dogmatisme. Il n'y a pas « une » bonne image de la femme qu'il faudrait transmettre sous peine d'être jugé sexiste. L'art doit décrire toute la réalité, toutes les réalités, et aussi ce qui aux yeux de la majorité n'a rien à voir avec la réalité communément perçue. Dans l'art, la réalité est toujours transposée. Il importe de sauvegarder la liberté des créateurs... même s'ils sont souvent misogynes !

Au sujet de la façon dont les écrivains masculins ont toujours décrit les femmes, Virginia Woolf signalait que « presque sans exception, les femmes nous sont données dans leurs rapports avec les hommes... et pourtant, ces rapports ne constituent qu'une toute petite partie de leur vie ! Et qu'un homme sait peu de choses, même de cette petite partie, quand il l'observe à travers les lunettes noires ou roses que le seul fait d'être homme lui pose sur le nez. D'où, peut-être, la nature particulière des femmes fictives ; les étonnants extrêmes de leur beauté et de leur horreur ; leurs alternatives de bonté céleste et de dépravation diabolique — car c'est ainsi qu'un amoureux les verrait, selon que son amour croîtrait ou décroîtrait, serait heureux ou malheureux... Imaginez, par exemple, que les hommes aient toujours été représentés dans la littérature sous leurs aspects d'amants des femmes, et jamais sous celui d'amis des hommes, de soldats, de penseurs, de rêveurs... [6] »

Mais faut-il reprocher aux artistes de s'inspirer de la réalité qui les entoure ? Il est vrai qu'à l'époque de Virginia Woolf, comme aujourd'hui dans une moindre mesure, les femmes

---

6. *Op. cit.*

étaient surtout dépeintes comme mères, épouses ou amoureuses..., mais c'était alors essentiellement ce qu'elles étaient, ce
à quoi la société les réduisait à être en exclusivité. Il aurait été
difficile de les représenter comme soldats, médecins, professeurs
ou penseurs, puisqu'elles ne l'étaient pas. Aussi, avant de
s'élever contre les représentations de la femme dans l'Art me
paraît-il plus important de transformer la réalité qui nourrit ces
représentations.

« S'appartenir, écrit Stéphanie Dudek, voilà la bougie
d'allumage de toute création. La personnalité créatrice est
innovatrice, égoïste, courageuse, sensible, non conformiste, inter-
rogatrice et agressive, d'une agressivité qui est au service du moi,
au service de l'art. Or, les filles ont reçu une éducation qui les
mène justement vers une voie contraire, marquée par le don de
soi, le refoulement de l'agressivité, le conformisme, la socia-
bilité [7]. »

Une femme qui, transgressant son éducation et les barrières
sociales, subordonne et sacrifie tout à la pratique de son art,
passera non pas pour une grande artiste, mais pour une marginale et une folle.

Comme le souligne Benoîte Groult, une femme qui « aban-
donnerait pour toujours sa famille comme Gauguin, vivrait en
pestiférée comme Van Gogh, en hors-la-loi comme tant d'autres,
(serait) considérée non comme une artiste mais comme une folle
ou une criminelle. La liberté qu'exige l'épanouissement du génie
inclut la cruauté, l'égoïsme, l'acceptation de l'insécurité, le
suicide social, toutes choses encore inadmissibles chez une
femme [8]. »

« Un grand esprit est androgyne », écrit encore Virginia
Woolf, c'est-à-dire qu'il comporte, à des degrés qui varient selon
les individus, une part de caractéristiques dites masculines, et
une part de caractéristiques dites féminines. Tous les grands
artistes masculins ont pu créer parce qu'ils ont pu exprimer des
qualités considérées (à tort) comme essentiellement « féminines » : la tendresse, la sensibilité, la vulnérabilité, la générosité

---

7. *La motivation créatrice chez la femme*, conférence citée par le CSF.

8 *Ainsi soit-elle*, Grasset, Paris, 1975.

(puisqu'on répète que l'œuvre d'art est comme un accouchement). Mais par contre, seules des femmes exceptionnelles et donc minoritaires ont été capables, dans l'histoire des arts et de la littérature, de manifester les qualités qui sont tout aussi nécessaires à la création... et qui sont considérées, à tort là aussi, comme « masculines » : l'audace, l'énergie, l'esprit critique, l'indépendance.

On peut ici se poser la question suivante : pourquoi la distinction entre l'art, le « grand art », et l'artisanat, art populaire et de moindre valeur sociale, a-t-elle plus ou moins correspondu à la division traditionnelle entre l'art pratiqué par les hommes et celui exercé par les femmes ?... Car, de tout temps, les femmes avaient travaillé de leurs mains : broderie, courtepointe, couture, tricot, petit point, etc. À la faveur de l'engouement des années 60 pour l'artisanat, ces formes d'art, incluant l'émail et la poterie, ont été quelque peu revalorisées, mais le fait demeure que ces humbles travaux, inspirés par la nécessité quotidienne, ont toujours été dévalorisés.

Autre fait plus révélateur encore : lorsque l'art domestique a été récupéré et pratiqué à plus large échelle par l'industrie (dans les premières filatures par exemple) les femmes en ont été écartées : on utilisait leur savoir-faire riche de longues traditions, mais au profit exclusif des hommes, qui seuls en tiraient gloire. Tel est l'aspect le plus émouvant du *Dinner Party* que d'avoir rendu compte de cette injustice historique et d'avoir, en exaltant la beauté des couverts mis en place pour ce grand repas symbolique, en célébrant la beauté des napperons cousus et brodés avec une infinie patience, redonné aux travaux traditionnellement féminins l'éclat et la gloire dont ils avaient été spoliés.

6

LE TRAVAIL
Ou la double tâche et les doubles standards

Quand j'étais petite, les feuilletons radiophoniques faisaient partie du rituel quotidien : *Jeunesse dorée* le midi, la chronique de Jovette Bernier et, le soir, c'était les plats de résistance : *Yvan l'Intrépide* (le seul de tous ces radio-romans à être destiné aux enfants), *les Plouffe*, *Métropole*, etc. Je connaissais par cœur le nom de leurs auteurs, pour les avoir si souvent entendus au générique des émissions. Un jour, on interviewe l'un d'eux, Jean Desprez... Ô surprise, c'est une voix de femme qui répond à ce prénom masculin ! Je n'y comprends rien, j'interroge ma mère : « Mais pourquoi elle s'appelle Jean ? » Ma mère alors de m'expliquer que c'était là un pseudonyme, que l'auteur avait choisi d'utiliser pour faciliter sa carrière dans un monde où les femmes avaient du mal à faire leur chemin.

Plus tard, j'allais apprendre que beaucoup de femmes, sans nécessairement aller jusqu'à emprunter un prénom masculin, avaient signé leurs écrits d'un pseudonyme, « sage précaution, écrit Yolande Pinard, à une époque qui acceptait difficilement que les femmes expriment ouvertement leur opinion et même qu'elles en aient une ! [1] »

Lorsque, quelques années après, j'allais entrer dans un journal, les femmes commençaient à peine à sortir du ghetto des « pages féminines ». Les seules qui avaient réussi à se faire un nom dans le domaine de l'information générale ou politique étaient des femmes comme Judith Jasmin, Renaude Lapointe,

---

1. *Les femmes dans la société québécoise*, Éd. du Boréal Express, 1977.

Adèle Lauzon, Françoise Côté, et quelques autres qu'on aurait pu compter sur les doigts de la main... À ses débuts, Françoise Côté avait dû « couvrir » certaines conférences cachée derrière un rideau, tant la présence sur les lieux d'une femme reporter était impensable. Renaude Lapointe et Adèle Lauzon avaient été les premières femmes à travailler dans la grande salle de rédaction de *La Presse*... où cela avait causé tout un émoi ! L'un de leurs collègues de l'époque s'en souvient encore : « Leur arrivée a tout chambardé. Avant, entre hommes, on travaillait en manches de chemise, chacun avait son petit flasque de gin dans le tiroir, on sacrait comme des charretiers, on racontait des histoires cochonnes... On était entre nous. Quand Adèle et Renaude sont arrivées, quel choc ! Il a fallu qu'on se tienne mieux. On a eu moins de *fun*... (soupir) mais tout compte fait, j'imagine que c'était pour le mieux. Ça nous a — euh — civilisés... »

Au début des années 60, l'information était donc un domaine qui, grâce justement à ces femmes-là et à quelques patrons de presse progressistes, commençait à s'ouvrir aux femmes... à l'instar de la psychologie, du droit ou de la médecine, encore que l'idée courante était qu'une fille devait plutôt s'orienter vers des professions plus « féminines » (lettres, diététique, travail social, pédagogie, nursing ou technologie médicale) et que si elle s'aventurait dans une faculté à prédominance masculine, ce devait être surtout pour s'assurer une bonne formation intellectuelle et rencontrer un brillant futur diplômé pour l'amour duquel elle aurait, dans la majorité des cas, à interrompre ses propres études. À la fin des années 60, il n'y avait encore au Québec que 17 femmes ingénieurs, 150 avocates, sept architectes, deux psychanalystes et six urbanistes !

L'information, domaine moins réglementé, échappait un peu à ces catégories. Comme il n'y avait pas de journaliste dans ma famille ni parmi les amis de mes parents, l'image que je me faisais d'un reporter était plutôt floue et très romanesque : c'était un jeune homme, une sorte de Tintin en plus vieux, qui passait sa journée à arpenter les rues à la recherche d'un accident, d'un incendie, d'un événement. Il était vêtu d'un *trench-coat* beige à col relevé. À son journal, il écrivait perché sur un tabouret, penché sur une vieille machine à écrire noire, à la lumière d'une ampoule suspendue au plafond. Ses manches de chemise étaient protégées par des « poignets » de plastique. Il portait aussi, contre l'éclat trop cru de l'éclairage, un genre de casquette à visière transparente. Cette image était si loin de ce que j'étais et si contraire à mon tempérament (j'étais très timide), que je ne croyais pas pouvoir devenir journaliste, encore moins reporter. Mais je savais que, dans un journal, on faisait de la traduction et de la rédaction et j'aimais écrire. Quand j'ai obtenu ce premier emploi d'été au *Petit Journal* (un hebdo à gros tirage, très populaire à l'époque), j'ai découvert un univers qui n'avait rien à voir avec mon imagerie empruntée à de vieux romans ou à un cinéma désuet : une salle de rédaction très moderne à éclairage indirect, des gens habillés normalement et quelques femmes qui faisaient un salaire égal pour un travail égal. (La plupart des journaux étaient syndiqués et la parité de salaire découlait logiquement des échelles déterminées par la convention).

Mais la présence dans les journaux d'un certain nombre de femmes — fort minime au demeurant — n'avait pas tout réglé, loin de là...

Je n'avais que 18 ans quand je suis entrée dans ce métier. J'étais très jeune et j'étais une femme. Où que ce soit, mon arrivée comme reporter sur les lieux d'un événement déclenchait invariablement une réaction de surprise.

« Ah tiens... C'est vous, « le » journaliste ? Vraiment ? » Je sentais la déception chez mes interlocuteurs : la présence d'un homme journaliste leur aurait donné plus d'importance ; si le journal avait délégué une femme, et une très jeune femme en plus, cela montrait que l'événement était secondaire. Mais en même temps ils étaient ravis, gentils, galants : « Qu'est-ce qu'on peut faire pour vous ? Venez, je vais tout vous expliquer... Puis-je vous offrir un verre ? Ah si j'avais su que « le » journaliste allait être une jolie fille, etc. »

D'un côté, cela me convenait : j'avais été élevée pour plaire et je plaisais, tout était donc normal. De l'autre, cela me terrifiait et renforçait mon insécurité naturelle. Je prévoyais la réaction des gens que j'allais interviewer, je savais qu'au départ ils ne me prendraient pas au sérieux et je me disais qu'il fallait que je « leur » montre que je connaissais bien le dossier, que je pose les bonnes questions, que j'aie l'air encore plus sérieux que mes collègues masculins. Ma petite « victoire » personnelle, c'était qu'une interview se termine sur une poignée de main égalitaire alors qu'elle avait débuté par un sourire paternaliste.

Je n'ai jamais subi de discrimination au sens strict. Quand on me faisait sentir que j'étais différente — ce qui, du reste, ne me choquait aucunement, puisque, de fait, je me sentais différente de la plupart de mes collègues —, c'était toujours subtil, allusif. Un jour, durant mes premières années à *La Presse*, je demande au patron d'être affectée au magazine hebdomadaire du journal. Aux informations générales où j'étais, on ne me donnait guère d'affectations intéressantes tandis qu'au magazine je pourrais au moins faire des reportages qui demanderaient plus de travail d'écriture. J'avais expliqué mes raisons, mais sans doute n'avais-je pas osé donner trop de précisions par peur de déplaire à quelqu'un... Le lendemain, l'un des adjoints du patron vient me voir : « Dis donc, tu es enceinte ? »

Je tombe des nues : « Mais non je ne suis pas enceinte.

— C'est ce qu'on a cru quand tu as demandé d'aller travailler au magazine. Les horaires sont plus flexibles... Et le rédacteur en chef se disait que, puisque tu t'étais mariée l'an dernier, ça se pouvait que tu sois enceinte et que tu veuilles un poste avec moins de travail... Remarque, nous on serait bien d'accord pour te faciliter les choses ! »

Il était souriant, rempli de bonne volonté. Je ne pouvais pas lui en vouloir. Mais j'étais très blessée, car c'était précisément pour avoir non pas moins mais plus de travail — et du travail plus intéressant — que j'avais demandé ce transfert.

Une autre allusion dont je me souviens. C'était quelques années plus tard, au moment où je songeais à postuler la fonction de chroniqueur à l'éducation. J'en parle à l'un de mes collègues, un homme plus vieux que moi, plus expérimenté, généralement de bon conseil : « Qu'est-ce que tu en penses ?

— C'est une bonne idée, dit-il, tu devrais postuler... Une femme chroniqueur à l'éducation... Je n'y aurais pas pensé, mais pourquoi pas ? Mais oui, pourquoi pas ? Quand on y pense c'est plein de bon sens : l'éducation, les enfants, la pédagogie... La pédagogie, c'est naturel pour une femme. »

J'étais à ce moment un (tout petit) peu plus sûre de moi. Je me suis fait un malin plaisir de lui répondre qu'en réalité ce qui m'intéressait dans l'éducation ce n'était pas du tout la pédagogie, mais la contestation étudiante, la question linguistique, la restructuration scolaire de l'île de Montréal, les projets législatifs que le gouvernement avait en vue, le débat politique qui s'en venait, la politique...

Aujourd'hui, la présence des femmes dans l'information est beaucoup plus affirmée, encore qu'elles y soient toujours très minoritaires (20 pour cent environ), souvent concentrées dans les secteurs les moins valorisés dans la conception traditionnelle de l'information, et généralement exclues des postes de direction, soit parce qu'elles n'y prétendent pas et n'y posent pas leur candidature, soit parce qu'on exige d'elles une compétence et une disponibilité supérieures à ce qu'on demande aux hommes pour les y nommer. La majorité des étudiants inscrits dans les départements de communication sont aujourd'hui des femmes. Mais dans ce domaine, comme dans bien d'autres, la crise et la récession ont brusquement fermé aux nouvelles venues la porte qui avait peu à peu commencé à s'ouvrir aux femmes.

Les femmes journalistes sont si minoritaires que les quelques-unes qui sont connues sont très visibles. Elles se retrouvent souvent dans la position de la *token woman* servant d'alibi à un milieu presque entièrement masculin... et souvent aussi dans l'obligation d'avoir à détromper ceux qui s'imaginent que l'information est devenue « l'affaire des femmes », parce qu'on voit chaque soir Barbara Frum et Denise Bombardier à la télévision et que Lise Bissonnette est rédatrice en chef du *Devoir*.

Un dialogue — entre autres — révélateur. Avec un universitaire pourtant reconnu pour son esprit méthodique et sa rigueur intellectuelle :

— L'information, dit-il, a bien changé depuis que les femmes en ont pris le contrôle...

— (Moi, bouche bée) : ... Les femmes ? Mais qui donc et où ?

— Enfin, partout... À la télévision, dans les journaux...

— Faisons le compte. Les femmes dont vous parlez sont fort peu nombreuses et la plupart n'ont pas de fonctions d'autorité. Pour une seule femme, à ces niveaux, il y a cent hommes !

Il m'écoute, mais je sens qu'il ne me croit pas. J'ai l'impression qu'il trouve que les femmes dans l'information a) ont une influence occulte, obtenue on ne sait comment ; b) ont une importance démesurée par rapport à celle des hommes ou à celle qu'elles devraient avoir ; c) ont trop d'influence et trop d'importance. Bref, j'ai l'impression que nous nageons dans l'irrationnel et dans une mer de préjugés. Comme s'il était si étonnant, si anormal, de voir une femme s'affirmer qu'on le remarquait indûment, que ce simple élément prenait une importance excessive et éclipsait l'ensemble du tableau et qu'on y cherchait même le signe d'une « prise de contrôle », voire d'une conspiration. Cela me rappelle le préjugé courant dans l'Ouest canadien selon lequel le cabinet Trudeau serait tout entier voué au *French Power* et dominé par des francophones parce qu'une partie (une partie seulement) des postes clés sont occupés par des Québécois de langue française. Cela ressemble aussi étrangement au préjugé dont sont victimes les Noirs américains quand on affirme qu'ils sont partout, qu'ils font leur chemin sans problème. La preuve ? Eh bien, la preuve... Il y a quelques maires noirs ici et là, il y a Andrew Young... Cela me rappelle encore ce qu'on dit sur les Juifs : qu'ils dominent tout, qu'ils sont partout, dans les affaires, les mass média, l'immeuble, le cinéma... En réalité, les Juifs ne sont pas dix millions dans le monde et ils sont partout minoritaires. D'où vient que ces minorités, les Noirs, les Juifs, les femmes, semblent si présentes, si envahissantes ? Seraient-elles, tout simplement... de trop ?

Des siècles de travail

L'une des plus grandes mystifications de tous les temps, c'est celle-ci : on disserte autour de la notion du travail des femmes, on se demande gravement si la femme doit pratiquer un métier ou une profession, si sa force musculaire et son corps fait pour enfanter le lui permettent, s'il est bon qu'elle s'use à toutes ces tâches qu'un homme pourrait plus facilement expédier... Comme si la femme avait le choix entre le travail et l'oisiveté, entre le travail et le repos, entre le travail et quelque vie idyllique où elle n'aurait jamais rien à soulever, rien à porter, où elle n'aurait à affronter ni stress ni souci. Or, la vérité, c'est que de tout temps les femmes ont toujours travaillé et souvent, aux plus dures entreprises : aux labours, au sarclage, au ramassage, au nettoyage, dans les usines les plus abrutissantes et les positions les plus fatigantes. De fait, les femmes ont fourni tant de travail humain, rémunéré ou pas, que seule leur capacité de résistance reconnue, laquelle aurait, dit-on, des fondements biologiques, a pu leur éviter de succomber précocement à la tâche.

Au tournant du siècle au Québec, deux travailleurs sur dix étaient des femmes et elles se trouvaient toutes, exception faite des institutrices (terriblement sous-payées elles aussi) dans les secteurs aux conditions les plus pénibles et les moins bien rémunérés : elles étaient servantes, bonnes à tout faire, ouvrières dans le textile, le vêtement, la chaussure, le tabac, le caoutchouc et les conserveries. Ce n'est qu'en 1885 que la journée de travail sera limitée, pour les femmes, à dix heures par jour et à 60 heures par semaine. En 1941, un ouvrier sur trois est une femme mais elle gagne en moyenne trois fois moins que l'homme travaillant dans un secteur équivalent. (En 1951, 17 pour cent de la main-d'œuvre féminine était mariée, mais 30 ans plus tard, cette proportion était passée à 48 pour cent, sans compter les femmes mariées qui travaillaient bénévolement dans l'entreprise « familiale » appartenant à leur mari [2].)

Toutes ces femmes, compte tenu du peu d'intérêt et des minces chances d'épanouissement qu'offraient les secteurs d'emplois qui leur étaient réservés, travaillaient par nécessité. Pourtant, en 1943, André Laurendeau, qui s'opposait farouchement, comme tous les intellectuels nationalistes, au travail des femmes, semblait croire que seul « l'égoïsme » ou l'appât du gain pouvait pousser les femmes sur le marché du travail : « La femme mariée, écrivait-il, prendra à regret le chemin de l'usine ou du bureau. Elle en souffrira. Puis elle en souffrira moins. Un jour il est probable qu'elle prenne goût à son nouveau rôle. Elle est humaine, et la famille comporte des servitudes ; l'égoïsme que chacun porte en soi sera satisfait de ce que les garderies prennent

---

2. Collectif Clio, *L'histoire des femmes au Québec*, Éd. Quinze, 1982.

122

soin de l'enfant, et de ce qu'il entre plus d'argent à la maison. Si cette situation dure le moindrement, vous faussez le sens de la famille dans une génération, vous sapez l'ordre social chrétien, l'ordre social canadien-français jusque dans ses fondations. »

Fermant pudiquement les yeux sur la réalité des travailleuses qui effectuaient les plus durs travaux physiques sur les fermes, dans les usines les plus insalubres ou debout des heures durant derrière les comptoirs des commerces ou des restaurants, les intellectuels de l'époque tentaient de convaincre leurs femmes et leurs filles qu'il était contre leur nature même que de songer à un travail hors du foyer.

C'est McGill et non Laval qui fut la première université à ouvrir ses facultés aux femmes, et les corporations professionnelles du Québec furent les dernières à les admettre.

En 1914, une femme, Annie Langstaff, devient la première diplômée en droit de McGill... mais le Barreau lui refuse l'admission. En 1933, c'est au tour d'Henriette Bourque, première francophone diplômée en droit, d'être refusée du Barreau. Mais les temps ayant changé, on lui proposa toutefois un poste de... secrétaire dans une étude d'avocat ! En 1940, toutes les diplômées en droit de la province de Québec, dont Mme Langstaff elle-même qui depuis 1914 n'avait jamais pu pratiquer sa profession, attendaient toujours la loi qui leur ouvrirait les portes du Barreau. Ce n'est qu'en 1941 que la porte s'ouvrit. Pour le notariat, il fallut attendre jusqu'en... 1956.

Au Canada anglais, les femmes avaient commencé à pratiquer la médecine dès 1867. En 1903, le Dr Irma Levasseur, qui avait étudié aux États-Unis, dut solliciter un « bill privé » pour obtenir son admission au Collège des médecins. En 1918, McGill ouvrait sa faculté de médecine aux femmes, mais ce n'est qu'en 1930 que l'Université de Montréal fit de même ; c'est d'ailleurs seulement à partir de cette année-là que les femmes eurent la possibilité de pratiquer la médecine au Québec. En pharmacie, un règlement adopté en 1920 interdisait explicitement la profession aux femmes. Ce règlement ne fut abrogé qu'en 1943.

Chez les comptables agréés, le processus fut différent ; c'est l'Assemblée législative elle-même qui refusa à la Société des comptables agréés le droit d'admettre des femmes parmi ses membres. La SCA décida toutefois de passer outre et en 1930, les femmes furent autorisées à pratiquer cette profession. Néanmoins, au début, seules des Canadiennes anglaises ont sollicité leur adhésion à la SCA et ce n'est qu'à la fin des années 40 qu'on compta les premières Canadiennes françaises à poursuivre leurs études supérieures en sciences commerciales [3].

On pouvait être infirmière, secrétaire, institutrice, vendeuse, couturière, domestique, serveuse (mais pas dans les grands restaurants, où le personnel, pour être « de classe », devait et doit encore d'ailleurs être masculin). La liste n'était guère plus longue et restait axée sur les tâches qui constituaient le prolongement du rôle traditionnel de la femme. Si d'aventure une femme osait pénétrer l'univers de la médecine, il convenait qu'elle soit pédiatre : soigner les enfants, passe encore... si elle devenait avocate, qu'elle travaille plutôt dans l'ombre, à la recherche ou la rédaction, ou qu'elle se spécialise dans le droit familial. Ingénieur ? Chimiste ? Comptable ? Chauffeur de taxi ou d'autobus ?... Ah, quand même pas !

D'ailleurs, la langue française elle-même ne le permettait pas. L'idée que la femme puisse se diriger vers certains milieux de travail était exclue de l'inconscient collectif au point que, encore aujourd'hui, il n'existe même pas de mot féminin pour désigner ces fonctions. Ingénieur, médecin, plombier, greffier, chauffeur, autant de mots sans contrepartie féminine, de la même façon que les mots « femme de ménage » ou « puéricultrice » n'ont pas d'équivalents masculins. Qu'est-ce qu'une mairesse ? Ce n'est pas une femme maire, c'est l'épouse du maire.

Même une fois les obstacles formels levés, tout restait à faire. En 1948, une brochure publiée par la faculté des sciences sociales de l'Université Laval décrivait ainsi la clientèle étudiante : « ... La faculté compte (aussi) une quarantaine de représentants du sexe faible qui lui donnent un cachet très spécial et invitent les étudiants à beaucoup de délicatesse et de savoir-vivre. » (Je suis persuadée d'avoir lu, dix ou quinze ans plus tard, des propos analogues sans qu'ils m'aient même frappée, tant cette façon de dire et de penser a été longtemps répandue.)

3. *Histoire de la condition de la femme dans la province de Québec*, Micheline DUMONT-JOHNSON, 1971.

Voici comment la sociologue Nicole Laurin-Frenette décrit les premières années où les femmes sont entrées en sciences sociales : « Les étudiantes décrochaient fréquemment les meilleures notes et les meilleures bourses, comme c'est encore le cas aujourd'hui. Toutefois, elles ne parlaient pas, pratiquant cette traditionnelle invisibilité féminine dans l'espace public masculin. (...) Féministes, nous l'étions implicitement dans les années 50 et 60 mais le terme n'évoquait encore que le souvenir un peu extravagant des suffragettes des films d'actualité d'avant-guerre. Nous évitions soigneusement de nous spécialiser en sociologie de la famille ou tout autre champ de recherche susceptible de paraître naturellement féminin. Il s'agissait plutôt de faire oublier cette féminité, gage possible de médiocrité et d'insipidité aux yeux des confrères et parfois des maîtres. Il y a plus qu'un intérêt anecdotique à souligner que la place des femmes dans la sociologie, pour celles des premières générations, a comporté, entre autres fonctions, celles de préparer le café du mari accouchant d'une thèse, de mettre de l'ordre dans ses papiers et de dactylographier ses manuscrits, tout en pesant le pour et le contre de faire elles-mêmes une thèse ou un enfant. Celles de plus de 30 ans qui ont fait carrière dans la sociologie l'ont fait malgré qu'elles fussent des femmes ; cela ne fait aucun doute dans leur esprit. Certaines ont laissé de côté ce qu'on appelle une vie de famille normale, d'autres ont fait des carrières de femme, interrompues, segmentées, retardées par le mariage et la maternité. Il faut ainsi prendre la mesure de l'énergie déployée [4]. »

Il y a deux ans, avait lieu au Mont-Gabriel un colloque sur l'histoire des sciences sociales au Québec. Parmi la trentaine d'universitaires conférenciers, il n'y avait que deux femmes, la philosophe Louise Marcil-Lacoste et Nicole Laurin-Frenette. Discrimination de la part des organisateurs ? Pas du tout. Simple illustration du fait que les femmes ont été beaucoup moins nombreuses que les hommes à prolonger leur formation au-delà du baccalauréat ou de la maîtrise, à poursuivre ensuite des recherches systématiques et à faire carrière à l'université. Même aujourd'hui, ces tendances demeurent : il y a trois fois plus d'étudiants que d'étudiantes au doctorat et même si les femmes

---

4. « Les femmes dans la sociologie » *Sociologie et sociétés*, vol. XIII, n° 2, oct. 1981.

représentaient, en 1978, 47 pour cent de la clientèle universitaire, elles restent toujours plus nombreuses dans les programmes à temps partiel, anormalement concentrées dans les sciences infirmières, la réhabilitation, le service social, les arts et les lettres, et minoritaires dans le génie, le commerce et les sciences appliquées. Le droit, la pharmacie, la médecine, l'optométrie, les sciences pures sont des facultés charnières où la proportion des femmes a crû énormément durant la dernière décennie [5].

Voici comment Jeannine David-McNeil, professeur aux Hautes Études Commerciales, décrivait, dans une communication prononcée en 1982, son expérience d'étudiante à la même école : « En 1963, je présentai ma thèse de licence sur les disparités de salaire entre les hommes et les femmes... J'y constatais bien entendu des écarts de rémunération qui avaient toutes les apparences d'une discrimination fondée sur le sexe et j'y défendais le principe d'une égalité de traitement pour des tâches identiques. Cette thèse, par les idées qu'elle contenait, provoqua un émoi certain, autant parmi mes collègues étudiants que parmi les professeurs, pour qui la volonté d'émancipation et d'égalité économique des femmes violait l'ordre naturel. Plus tard, au moment du choix de mon sujet de thèse de doctorat, ces mêmes professeurs me conseillèrent avec paternalisme d'éviter un thème féministe car, selon eux, le succès de ma carrière exigeait que je m'imposasse d'abord comme 'économiste'. »

Les ghettos d'emplois

C'est la notion de ghetto qui caractérise le mieux le travail réservé aux femmes et qui sous-tend la nature particulière de la discrimination qui en affecte toutes les dimensions.

Parmi les ghettos d'emplois traditionnels, on compte les carrières se situant dans le prolongement « naturel » du rôle de la femme au foyer (l'infirmière qui soigne, la secrétaire qui assiste et collabore, l'enseignante qui initie les enfants aux apprentissages élémentaires, la serveuse ou la servante qui sert et nourrit, etc.), les secteurs d'emplois les plus mal rémunérés et

5. *Chiffres en main, statistiques sur les Québécoises*, Conseil du statut de la femme, 1981.

126

aux conditions de travail les plus dures (les emplois non syndiqués, le travail à la chaîne ou à la pièce dans le textile, le vêtement, etc.) et, enfin, tous les types d'emplois totalement dépourvus de sécurité. (Notons que les trois quarts des gens qui travaillent au salaire minimum sont des femmes et que c'est aussi à elles que vont la plupart des emplois à temps partiel, c'est-à-dire précisément ceux qui n'offrent ni protection syndicale, ni plan de carrière, ni sécurité d'emploi, ni salaire décent. En 1980, 18,7 pour cent des femmes et seulement 4,9 pour cent des hommes travaillaient à temps partiel.)

Dans les secteurs plus avantagés et les professions, domaines privilégiés qui constituent autant de ghettos d'emplois masculins ou, à tout le moins, fortement dominés par les hommes, la grande majorité des femmes travaillent dans des sous-ghettos : en pédiatrie, en médecine générale ou en santé communautaire dans le secteur de la médecine ; en droit familial ou matrimonial dans celui du droit ; dans la catégorie fluctuante des « chargées de cours » sans perspective d'emploi permanent dans le secteur universitaire ; dans les spécialités à dimension « humaine » ou « familiale » dans le secteur de l'information ; dans les ministères ou organismes à vocation « humaine » ou « sociale » dans le secteur de la fonction publique, etc.

Les femmes sont de plus en plus présentes sur le marché du travail où elles forment maintenant 40 pour cent de la main d'œuvre. Il est à noter aussi que les femmes mariées sont de plus en plus nombreuses à avoir un emploi, puisque c'est aujourd'hui le cas de la moitié d'entre elles, et que la moyenne d'âge des femmes au travail a augmenté, 70 pour cent d'entre elles ayant plus de 25 ans. (Il y a 30 ans, près de la moitié des travailleuses avaient moins de 25 ans, ce qui indique qu'elles quittaient le marché du travail dès le mariage ou la première maternité [6].)

Dans les ghettos d'emplois féminins, la discrimination salariale s'exprime par le fait qu'il s'agit de secteurs sous-payés si on les compare à des secteurs semblables constitués d'une main-d'œuvre majoritairement masculine. Exemple : un cordonnier sera en général mieux payé qu'une couturière. Où est la logique ?

6. Conseil du statut de la femme du Québec, Conseil consultatif canadien sur la situation de la femme.

Est-il plus difficile de réparer des chaussures que de faire une robe ? Réponse : non, mais le cordonnier est (généralement) un homme, et la couturière (généralement) une femme.

Dans les professions et les secteurs qui sont des chasses gardées masculines, surtout s'il s'agit de milieux syndiqués, les femmes bénéficieront de la parité salariale, mais leur moyenne de salaire sera probablement très inférieure à celle des hommes, puisqu'elles sont généralement cantonnées au bas ou au milieu de l'échelle et exclues des postes de direction et de gérance.

« En général, affirme Jeannine David-McNeil, qui a comparé les salaires payés aux hommes et aux femmes à Montréal en 1973 et en 1979, on constate, sauf exception, des disparités qui vont toujours dans le même sens. Non seulement les écarts sont-ils importants, mais il n'existe aucune tendance à leur réduction même si de 73 à 79 les salaires réels ont augmenté de façon très substantielle. Tout au plus les femmes ont-elles réussi à maintenir leur position relative. (...) Toutes les recherches effectuées sur cette question, soit par le Bureau canadien de la main-d'œuvre féminine, soit par des économistes de renom comme Monica Boyd et Sylvia Ostry, montrent qu'après avoir éliminé statistiquement l'influence de variables liées à l'âge, l'expérience, l'ancienneté, la scolarisation, etc., il subsiste toujours un écart significatif qui reste inexpliqué. La variable qui reste, le résiduel, serait donc le sexe de l'employé [7]. »

« Les statistiques, écrivent Pat et Hugh Armstrong, montrent que plus de 70 pour cent des femmes salariées sont dans l'administration, les services, la vente, la transformation et la fabrication, et qu'elles font du "travail de femme" dans les bureaux, les banques, les magasins, les maisons particulières et les usines. Bien qu'on trouve des femmes dans presque tous les emplois qu'offre le marché du travail, la plupart d'entre elles restent confinées dans des emplois "de femme". De plus, elles occupent une place toujours plus grande dans ces secteurs traditionnellement féminins. Depuis 1975, elles n'ont perdu du terrain que dans deux catégories professionnelles, soit l'enseignement et l'usinage, qui offrent des emplois qualifiés, bien rémunérés. Au cours des cinq dernières années, le nombre

---

7. *Femmes, travail et entreprises*, colloque, HEC, octobre 1982.

de postes d'enseignement à temps plein offerts aux femmes a diminué sensiblement. Ceux qui ont été nouvellement créés sont allés en parts égales à des hommes travaillant à temps plein et à des femmes travaillant à temps partiel. Le nombre de femmes diminue aussi dans le domaine des soins infirmiers, (autre domaine) qui a toujours été dans le passé une profession avantageuse pour les femmes. Celles qui réussissent aujourd'hui à s'y introduire ne trouvent de plus en plus qu'un travail à temps partiel [8]. »

Les deux auteurs notent en contrepartie que le nombre de femmes cadres a augmenté, mais outre le fait qu'en chiffres absolus ce type de poste constitue par définition un secteur d'emplois limité, on constate que ce sont les hommes qui obtiennent en général les emplois de cadre à temps plein. Enfin, ajoutent Pat et Hugh Armstrong, compte tenu du fait que les trois quarts des femmes sont concentrées dans le tertiaire, « les postes de gestion qu'elles occupent se situent au bas de l'échelle et consistent à diriger, par exemple, de petits salons de coiffure et non pas de grandes usines ».

« Les femmes répètent à l'extérieur, écrit Colette Beauchamp, les gestes les plus familiers du quotidien. Le plus étonnant : entre la maison et l'usine ou l'hôpital, elles semblent perdre leurs compétences en matière de travail domestique. À la maison, on leur confie les travaux manuels les yeux fermés, et leur habileté semble telle que les maris osent rarement les remplacer ! Sur le marché du travail, par contre, ces mêmes tâches ne leur sont pas toutes confiées et elles sont mieux payées quand elles sont exécutées par un homme. À la maison, préparer un gâteau, le cuire et le glacer nous semblent du pareil au même. Pas à l'usine. L'homme y prépare et cuit les gâteaux, les femmes les glacent et les emballent. L'homme est buandier. La femme, aide-buandière. L'homme, cuisinier, la femme, aide-cuisinière ou aide-alimentaire. « Marie, passe-moi le plateau ! » À la maison, confectionner un vêtement, c'est le tailler et le coudre. Dans l'industrie, les hommes coupent, les femmes cousent. Le geste de couper peut y être évalué jusqu'à trois dollars l'heure de plus que celui de coudre.

8. *Une majorité laborieuse*, Pat ARMSTRONG et Hugh ARMSTRONG, Conseil consultatif canadien de la situation de la femme, Ottawa, 1983.

« Ça paraît chinois comme ça, mais ça ne l'est pas du tout. Ça
s'appelle la sexualisation des emplois, cette ligne de démarcation
solidement tirée entre les emplois dits masculins et les emplois
dits féminins. «On tente d'expliquer «la petite différence» en
alléguant que les emplois catalogués masculins exigent plus de
force physique ou présentent un coefficient de difficulté plus
élevé. «Ce n'est pas toujours vrai, dit une ouvrière. Être
conducteur d'une plieuse-brocheuse n'est pas plus dur qu'être
conductrice d'une brocheuse semi-automatique.» «Surveiller ou
distribuer le travail ne l'est pas plus que filer», commente une
autre. «Un mécanicien à l'entretien des machines, affirme une
troisième, ne travaille pas plus fort qu'une opératrice de machine.
Et il est soumis à une tension beaucoup moins forte.» Qui plus
est, des travaux de précision accomplis par des femmes peuvent
exiger une dépense d'énergie nerveuse équivalente à la dépense
d'énergie physique des hommes qui soulèvent à l'occasion des
objets, font remarquer des responsables syndicales [9]. »

D'autres témoignages recueillis par Colette Beauchamp :
«Marie-Reine Lavoie travaille depuis 20 ans dans la même
entreprise de fabrication de produits pour bébés et d'articles
sanitaires. 'Nous sommes collées aux mêmes machines depuis
toujours et pour longtemps encore. Les salaires sont meilleurs,
mais la situation ne l'est pas. Les machines sont réglées à des
vitesses de plus en plus accélérées et le boni au rendement est
moins intéressant. Aujourd'hui, il est réparti sur sept machines.
Si une machine se brise et que, pendant deux heures, une
employée est empêchée de produire, le boni de six autres
travailleuses est affecté. Dans le travail à la chaîne, c'est la
machine qui nous règle. Même si nous ne déplaçons pas de poids
lourds, emballer des serviettes sanitaires, par exemple, exige de
l'endurance physique : la station unique, pendant plusieurs
heures d'affilée, debout ou assise, la vitesse de la machine,
l'éclairage cru. C'est monotone et stressant. En principe, en
vertu de la loi, les emplois ne doivent plus être sexualisés. Mais
les beaux emplois ne sont pas pour nous. Notre carrière se
résume à aller d'une machine à une autre, toujours aux plus bas
échelons. La ligne de progression, telle qu'elle existe, ne permet

9. «Nous sommes les championnes du cheap labor», *Châtelaine*, octobre
1977.

pas aux femmes d'accéder à d'autres emplois plus intéressants, moins durs ou plus payants qu'elles seraient en mesure de remplir. Pour accéder à ces emplois, il faut nécessairement passer au deuxième ou au troisième échelon, par un poste qui pourrait, par exemple, être dangereux pour des femmes en état d'avoir des enfants, comme c'est le cas dans certaines usines.

« Le contrôle de la qualité, voilà un beau secteur ! C'est une chasse gardée par les hommes, où les employés ne sont pas syndiqués. Leur salaire est aussi un secret bien gardé. Si l'une de nous se risque à postuler un emploi habituellement réservé aux hommes, on cherchera par tous les moyens à l'en dissuader. Une fois le poste obtenu, si les hommes ne nous acceptent pas, nous font la vie dure et que nous n'arrivons pas ainsi à bien faire le travail, nous sommes forcées de retourner à nos fonctions antérieures, mais sans retrouver notre ancienneté.

« Il est difficile de se battre pour la désexualisation des tâches ou pour obtenir de meilleurs avantages sociaux ou des congés de maternité pour les plus jeunes parce que, chez nous, la majorité sont célibataires, travaillent depuis 25 ou 30 ans, et qu'à cette époque, on ne gardait pas les employées qui se mariaient. Elles acceptent leur sort et ne sont pas militantes. »

« Pour sa part, Hélène Gauthier est présidente de son syndicat à l'usine de fabrication de biscuits où elle travaille, dans le secteur de l'emballage, depuis 14 ans. Elle y gagne 5,47 $ l'heure, un salaire élevé comparativement à la moyenne des salaires des ouvrières d'usine. Dans son secteur, 275 ouvrières, mariées pour la plupart. « Le salaire égal à travail égal, dit-elle, des mots ! Il y a une différence d'environ 75 cents l'heure entre le salaire d'un boulanger ou d'un mélangeur de pâte et celui d'une emballeuse. Le mélangeur doit soulever des poches de farine de 100 livres. Et alors ? Le travail de l'emballeuse exige de la rapidité et impose une forte tension. Le syndicat a récemment mené une bataille au sujet de deux emplois de commis dans des secteurs différents de l'usine, le premier destiné aux femmes et moins bien payé, et l'autre destiné aux hommes et mieux payé. La direction a tout simplement éliminé l'emploi « féminin », pour le moment en tout cas. Il y a toutes sortes de façons d'empêcher la promotion des femmes, et d'autant plus quand les femmes elles-mêmes ne sont pas intéressées à se défendre ou ont peur du syndicalisme. Les femmes mariées, en particulier, sont très individualistes. Chez nous, la plupart ont déjà eu leurs enfants. Elles ne pensent pas aux jeunes femmes qui vont les suivre. Et elles ne sont pas plus prêtes à se battre pour avoir accès aux mêmes emplois et aux mêmes salaires que les hommes que pour obtenir de bonnes conditions de travail ou des congés de maternité payés. »

Le chômage

Temps partiel, petits emplois aléatoires, formation professionnelle à l'avenant... Les femmes qui veulent retourner sur le marché du travail s'engagent, faute de temps libre ou d'argent, dans des cours à temps partiel qui s'étirent, s'étirent désespérément, ou alors s'enfoncent dans les avenues improductives du « socio-culturel » qui ne débouche pas vraiment sur le marché du travail... Main-d'œuvre tampon par excellence, les femmes sont les premières victimes du chômage, les premières licenciées advenant une réduction de la production, les dernières au bas de la « liste d'ancienneté », les premières à être frappées par la récession, puisque leurs ghettos d'emplois sont souvent des secteurs « mous » (ainsi, en deux ans seulement, la crise a fait disparaître 20 pour cent des emplois dans l'industrie du vêtement pour dames à Montréal), et les premières à faire les frais des changements technologiques, puisque c'est un « fief » féminin, le « travail de bureau » et tout le secteur des services qui vit maintenant à l'heure de la bureautique et de la micro-informatique.

La double tâche

Mais ce n'est ni le manque de formation ni l'absence d'ambition qui sont à la source de la situation particulière des femmes sur le marché du travail. L'explication première tient en deux mots : double tâche.

Preuve *a contrario* : la majorité des femmes qui ont « réussi » au travail n'étaient pas mariées ou n'avaient pas d'enfant. Ce fut le cas, par exemple, de toutes les militantes féministes de l'avant-guerre (Idola Saint-Jean était célibataire ; Thérèse

Casgrain, précocement veuve), des grandes pionnières du syndicalisme (Laure Gaudreault, Léa Roback, Yvette Charpentier), et d'une proportion anormalement élevée de « femmes de carrière » d'aujourd'hui.

Nicole Laurin-Frenette signale qu'à l'UQAM en 1978, « on a constaté que dans le corps professoral, la proportion des personnes célibataires, séparées et divorcées était nettement plus élevée chez les femmes que chez les hommes, le groupe d'âge étant constant [10]. » Le même phénomène se retrouve presque partout : dans les milieux de l'information, la majorité des journalistes masculins sont mariés et pères de famille ; la majorité des femmes journalistes, par contre, sont célibataires ou divorcées et celles qui sont mariées en sont souvent à leur second mariage ; une forte proportion d'entre elles, par ailleurs, n'ont pas d'enfant. Toutes les enquêtes réalisées dans les milieux professionnels, et à plus forte raison au niveau de l'administration, montrent que les minorités de femmes qu'on y trouve sont, proportionnellement, beaucoup plus nombreuses à être célibataires ou divorcées, quelques-unes étant mariées mais sans enfant, que leurs collègues masculins, qui font presque tous partie de cette tranquille majorité d'hommes de carrière dotés d'une épouse à la maison, de deux enfants et demi et d'une maison bien tenue dans une banlieue prospère.

À l'heure où l'avocat referme ses dossiers pour aller prendre l'apéro avec ses collègues ou pour attendre au salon que le dîner soit prêt, l'avocate, elle, file en vitesse à la maison, parce que la gardienne ne peut rester plus longtemps, parce qu'il faut préparer le repas, parce que le mari n'aime pas tellement que sa femme s'attarde...

« Combien de fois ai-je dû m'excuser, au cours d'une réunion de travail, parce que j'avais des problèmes à la maison..., dit une femme qui occupe un poste de directeur adjoint dans l'administration publique et qui sait fort bien que des incidents du genre ont considérablement nui à ses possibilités de promotion. Lorsque le poste de directeur s'est ouvert, je savais qu'on ne me l'offrirait pas, parce qu'on jugeait que je n'étais pas assez disponible. »

---

10. *Sociologie et sociétés, op. cit.*

Il est évident qu'une femme qui doit assumer, parallèlement à ses fonctions professionnelles, l'entière responsabilité du foyer, est moins disponible qu'un homme dont le travail est la seule préoccupation — encore qu'il soit faux de croire que les hommes ne sont pas eux aussi, à l'occasion, paralysés par des problèmes personnels : j'en ai connu plusieurs qu'un divorce, une mortalité ou un chagrin d'amour avaient littéralement empêchés de travailler pendant des semaines et même des mois. Cela, d'ailleurs, n'est pas anormal en soi. Ce qui l'est, c'est qu'on juge la personne différemment selon qu'il s'agit d'un homme ou d'une femme. Dans le premier cas, on dira que cet individu est particulièrement sensible, on comprendra assez facilement la nature et l'étendue de son problème personnel. Dans le second cas, on dira : « Évidemment, c'est une femme » !

Jusqu'à ce que les statistiques sur l'emploi montrent, hors de tout doute, que les femmes sont en moyenne plus assidues au travail, les préjugés les plus absurdes avaient longtemps couru sur l'absentéisme des femmes. On allait par exemple construire tout un mythe autour du phénomène des menstruations, alléguant qu'une femme ne pourrait pas donner le même rendement pendant trois ou quatre jours, voire une semaine, chaque mois. Or, pour la très grande majorité des femmes, les menstruations n'entraînent que de légers malaises qui peuvent durer au maximun quelques heures : rien de comparable avec le « mal de bloc » dont souffrent leurs collègues au lendemain d'une « brosse » !

L'obligation de concilier la vie de famille — dont elle est la première et souvent l'unique responsable — et le travail sera souvent l'obstacle premier à l'obtention d'un travail rémunéré. C'est pourquoi les femmes sont si souvent abonnées au « temps partiel », qu'il s'agisse des études ou du travail. Toutes les enquêtes montrent que ce sont les femmes mariées de 25 à 44 ans qui constituent la principale catégorie des employés à temps partiel, mais qu'elles ont tendance à souhaiter un emploi à temps plein dans la mesure où leur conjoint participe aux travaux domestiques [11].

---

11. Études réalisées par le Conseil du statut de la femme, Québec.

134

Les femmes capables de retourner sur le marché du travail en surmontant cet obstacle de la double tâche jouissent dans presque tous les cas d'atouts bien particuliers : une certaine aisance financière due au revenu du mari ; la tolérance de ce dernier ; un degré de motivation, une santé et une énergie exceptionnelles, qu'il serait aberrant d'attendre de la part de la majorité.

Ainsi, la somme d'efforts que Lise T. a dû déployer constitue une histoire en soi. À 32 ans, mère de trois enfants dont le plus jeune avait cinq ans, mariée à un avocat débordé par son propre travail, Mme T. décidait de s'inscrire à temps plein à l'université, dans une faculté qui correspondait à ses projets. Son programme de la semaine était d'autant plus contraignant qu'elle tenait à ce que ni son mari ni ses enfants ne souffrent de ses absences. Levée à sept heures, couchée avant minuit, pas de cigarette ni de café, histoire de préserver la santé et l'énergie dont elle avait besoin. Un seul marché par semaine, donc une liste d'achats extrêmement détaillée. Dans ses moments libres, elle préparait des plats en sauce faciles à réchauffer, détaillait un rôti en prévision d'une salade, faisait mijoter une soupe avec les restes ; elle trouvait encore le moyen d'entretenir sa maison et de suivre sa famille à la campagne en apportant ses livres et ses travaux, de rester aux yeux de tous la femme coquette et l'excellente cuisinière qu'elle avait toujours été... et, enfin, de réussir tous ses cours sans exception ! À la troisième année d'université, les trois quarts des étudiants, tous plus jeunes et beaucoup plus libres qu'elle, avaient été éliminés. Elle avait réussi à tenir le coup, et à décrocher le diplôme tant attendu.

Durant toute cette période pourtant épuisante pour elle, elle paraissait plus heureuse et plus détendue qu'auparavant, et son mari se félicitait de la décision qu'elle avait prise... mais un peu comme s'il s'était agi d'une sorte de « hobby ». Or, Lise T. ne voyait pas son avenir comme un « hobby » ; elle avait des projets de travail très précis, qui se sont d'ailleurs réalisés... à la plus grande surprise du mari et des enfants. « Je ne peux pas aller au bord de la mer cet été, leur annonça-t-elle un jour tranquillement, parce que je n'aurai pas de vacances avant septembre. » Émoi dans la famille : « Mais comment ? Tu travailles pour vrai ? Tu as un emploi ? Et nous alors ? Et nous ? »... Ainsi fut-il ; ils ont appris par la force des choses qu'elle les aimait beaucoup beaucoup, mais qu'elle s'aimait aussi elle-même.

L'immense majorité des femmes dans la même situation que Lise T. auraient renoncé dès le départ à une pareille opération, pour la simple raison qu'il n'y avait pas, dans ce cas, d'impérieuse obligation financière. Mais d'innombrables femmes — des milliers, pour ce qui est du Québec — n'ont même pas ce choix : elles sont seules soutien de famille, leur mari est chômeur ou son revenu ne suffit pas à faire vivre la famille...

Écoutons-les parler... D'abord cette femme qui travaille dans une buanderie 58 heures par semaine et qui explique ainsi pourquoi son mari ne s'occupe pas du ménage : « Ça n'aurait pas de bon sens ! Il me dirait de le faire moi-même. Pourquoi le ferait-il ? C'est lui qui rapporte le plus d'argent à la maison... Cet homme-là travaille fort, il n'arrête pas [12]. »

Une autre, secrétaire à temps plein, dont le mari est chômeur, mais qui, en rentrant du travail, fait tout à la maison : « De temps en temps, ça arrive qu'il prépare le souper avant mon retour. » Une troisième, femme de ménage celle-là et également à temps plein, confie que son mari ne fait rien « sauf, quand il a faim, ouvrir le frigo, et s'il trouve quelque chose dont il a envie il se le fait réchauffer. »

Une autre femme au travail, mère de trois enfants, décrit ainsi sa situation : « Ils arrivent tous à la maison avant moi et je n'ai pas fermé la porte que je les entends crier : Qu'est-ce qu'on mange ?... Personne, bien sûr, n'a songé à sortir quelque chose du congélateur. Ils restent tous là sans rien faire, même ma fille qui revient de l'école à trois heures trente. Si je leur demande à l'avance de préparer quelque chose, ils disent : O.K., on va le faire quand tu seras là pour que tu nous dises comment... Mon mari est comme tous les hommes : pas capable de prendre les choses en mains et de dire aux enfants : « Écoutez les enfants, on s'y met tous aujourd'hui, on fait le ménage, on lave les rideaux, on faire cuire un poulet... »

Un témoignage révélateur : « Quand il n'y a pas d'homme à la maison, dit une mère de deux enfants séparée de son mari, on

---

12. *Une majorité laborieuse, op. cit.*

peut s'organiser plus facilement. On ne dépend que de soi-même. C'est plus facile. Vous savez ce que vous avez à faire, vous prenez vos propres décisions — bonnes ou mauvaises mais ce sont les vôtres —, et quand vous revenez du travail vous n'avez pas à vous « garrocher » comme une folle. Pas besoin de faire un repas élaboré ni de voir à ce que tout soit propre et rangé, on peut se faire un hot-dog, tout est plus simple. »

Mais enfin, diront certains, pourquoi ces femmes ne forcent-elles pas leurs maris à partager les tâches ? Et les enfants ? Qui les a élevés de telle façon qu'ils sont à 15 ans de grands fainéants dépendant de leur mère ? Il est vrai que la plupart des femmes participent à leur propre « esclavage » et qu'elles en sont inconsciemment complices. Cela montre la force de l'idéologie dominante : une femme ayant grandi avec l'idée que c'est à elle de s'occuper de tout dans la maison ne pourra pas facilement, devenue adulte et une fois entrée sur le marché du travail, changer son attitude. Elle aurait alors l'impression d'être « sans-cœur », de déroger à son devoir, de ne pas être une vraie femme digne d'estime et d'amour. On dit d'une idéologie qu'elle est « dominante » quand ceux qui en sont, objectivement, les premières victimes, l'intègrent à leur propre système de valeurs et s'y conforment instinctivement. (Et puis, bien sûr, il y a l'entraînement, l'habitude : combien de femmes ne disent-elles pas : « J'aime autant "le" faire moi-même (le lavage, le repassage, le repas, le ménage, etc.), ça ira plus vite... Et puis toujours avoir à demander, à expliquer... aussi bien tout faire soi-même. »

Cendrillon au travail

Les femmes n'ont pas le même rapport que les hommes au travail. Ces derniers sont habitués dès l'enfance à l'idée qu'ils devront un jour gagner leur vie, voire faire vivre toute une famille. Chez un petit garçon, l'ambition est une qualité qui est bien vue. La petite fille grandit avec un idéal tout à fait contraire : non seulement doit-elle ne pas faire montre d'ambition (c'est une disposition masculine), mais pour elle le travail est quelque chose d'occasionnel, d'épisodique, qui pourrait survenir « en attendant », « au cas où ».

Pour les femmes dépourvues de formation, la perspective de passer leur vie dans un ghetto d'emplois sous-payés n'a rien d'exaltant, aussi le mariage est-il une porte de sortie bienvenue. Les femmes de milieu bourgeois, qui théoriquement pourraient bénéficier de cette liberté de choix de carrière que leur donnent leurs privilèges de classe, refrènent leurs aspirations naturelles et s'engagent rarement à fond dans la profession qu'elles choisissent.

La vie réelle cependant vient souvent détruire ces châteaux de cartes sur lesquels la femme croyait édifier son avenir. Quatre femmes sur dix n'ont pas d'homme à leurs côtés, et parmi les six autres, un bon nombre ne peuvent compter sur l'homme comme unique pourvoyeur et il faut deux salaires pour « arriver » ; par ailleurs, qui prétendra que la minorité de femmes dont le mari gagne bien sa vie peuvent toutes croire que leur mariage sera éternel ?

Une fois sur le marché du travail, la plupart des femmes seront ambivalentes, partagées entre le désir de s'affirmer et leurs aspirations les plus anciennes et les plus profondes, celles dont elles ont été nourries durant l'enfance et l'adolescence et que Colette Dowling a si bien décrites dans *Le Complexe de Cendrillon* [13] : le désir de fuir la dureté et les responsabilités du marché du travail, de retrouver la sécurité d'un foyer qu'elles pourraient dominer sans partage, de se réfugier tout entières dans l'amour et sous la protection d'un homme. Le manque de confiance en soi, l'inaptitude à nourrir des ambitions professionnelles soutenues et l'opposition réelle et objective de la plupart des hommes de leur entourage (mari, collègues, patrons) aux implications concrètes du travail des femmes, tout cela viendra réanimer la petite Cendrillon que toute femme porte en elle.

Certaines tenteront de mener de front une carrière professionnelle et la carrière féminine traditionnelle, de tout cumuler et de tout faire, et elles s'y épuiseront. À cet impossible jeu de pendule, beaucoup de femmes rateront et leur carrière professionnelle et leur mariage.

---

13. *The Cinderella Complex, Women's Hidden Fear of Independence*, Pocket Books, 1981. (Ce livre a par la suite été traduit en français).

« J'essayais de faire mon travail le plus convenablement possible, raconte une recherchiste, mariée et mère de deux enfants, mais j'avais toujours l'œil sur l'horloge, parce que je voulais être à la maison de bonne heure pour préparer le souper, et c'était en général à moi d'aller chercher les enfants à la garderie puisque mon mari (un médecin) avait des horaires plus exigeants. (Dans le cas contraire, serait-il allé chercher les enfants à la garderie? Pas nécessairement, répond-elle, il me semblait toujours que c'était à moi de faire ça). Mais je perdais pied. Je n'arrivais jamais, faute de temps, à être aussi bien habillée, bien coiffée, aussi jolie en somme que les femmes des collègues de mon mari, je ratais un repas sur deux, les enfants prenaient tout mon temps libre, mon mari se sentait négligé... Au travail par contre j'étais moins disponible que mes collègues. Un jour on m'a proposé un poste qui représentait une promotion, mais qui aurait demandé plus de travail et entraîné des déplacements. J'ai refusé à cause de mon mari et des mes enfants et à partir de ce moment-là ma carrière a plafonné et je me suis trouvée de moins en moins motivée. Au bureau, ça se répétait qu'il est inutile d'offrir des fonctions de responsabilité à de jeunes mères de famille et ça me mettait en furie, mais je savais que c'était vrai au moins dans mon cas. À la maison j'étais de plus en plus tendue, il me semblait que j'avais sacrifié quelque chose que mon mari, lui, n'aurait jamais eu à sacrifier... qu'il n'aurait jamais eu besoin de sacrifier. Je n'étais bien nulle part, je me sentais inadéquate et au bureau et à la maison... J'en avais "trop pris". » Aujourd'hui séparée, cette jeune femme tente de rassembler les morceaux de sa vie, mais elle a l'impression d'avoir gaspillé une partie de sa jeunesse à se conformer à l'idéal impossible de la femme parfaite, capable de tout concilier : la *Super Woman* à qui tout réussit.

D'autres mettront dès le départ la pédale douce dans tout ce qui touche à la carrière. Le travail, souvent obtenu plus ou moins par hasard, sera un «ornement» de plus, dont on se débarrassera au besoin, mais qui pour un temps répondra à des besoins d'évasion et de *self image*. Dilettantisme qui peut toujours s'accommoder d'une bonne situation maritale, mais qui prend une tournure tragique si la femme se retrouve seule.

Un autre signe d'ambivalence chez la femme est son rapport à l'argent. La plupart des femmes, y compris celles qui sont les plus affirmées professionnellement, « toucheront » le moins possible à l'argent, même à celui qu'elles gagnent. Au restaurant, même si elles paient la moitié de l'addition, elles laisseront l'homme faire le compte et déterminer le pourboire. Elles se préoccuperont rarement, comme sous l'effet d'une incapacité congénitale, de faire fructifier l'argent qu'elles gagnent. Les échappatoires fiscales, les taux d'intérêt et tout ce qui concerne le système monétaire et bancaire leur apparaîtront souvent comme du pur chinois. « C'est après avoir travaillé durant des années, dit l'une de mes consœurs, que j'ai fini par "découvrir" qu'il était avantageux de placer son argent ailleurs que dans un compte d'épargne à 1 ou 2 pour cent... et encore a-t-il fallu, pour que je me résigne à m'initier à cette réalité pourtant simple, que j'aie le nez sur le phénomène de l'inflation et que mes proches m'incitent à m'occuper de mes affaires ! »

Ironiquement, dans les foyers où la femme n'a pas d'emploi à l'extérieur, c'est souvent elle qui s'occupe des « finances » de la famille. L'argent, alors, aurait une valeur compensatoire, la femme qui n'en gagne pas s'appropriant celui de son mari, et la femme qui en gagne tentant de se faire pardonner cette transgression à l'ordre « naturel » des choses en développant inconsciemment une sorte d'incapacité à le manipuler. Car dans notre société, l'argent est un symbole de pouvoir... et le pouvoir est ce qu'une femme a le plus de difficulté à assumer.

Une ambivalence analogue, et inspirée du même besoin de se conformer, au moins dans une certaine mesure, à l'image traditionnelle de la femme, marquera souvent le rapport de la femme à son propre « plan de carrière »... si l'on peut dire, car, autre phénomène bien connu, la femme en général n'a pas de plan de carrière. Les promotions qu'elle obtient surviennent le plus souvent par hasard, sans qu'elle ait vraiment provoqué l'événement. La sociologue Colette Carisse, dans une longue enquête auprès de « femmes innovatrices » note que le tiers environ de ses sujets « s'est trouvé poussé par des circonstances favorables. L'attitude active n'a pas consisté à créer ces circonstances mais à les utiliser. Elles ont « saisi l'occasion par les cheveux [14] ». On est frappé de voir, dans tous ces cas, que les

14. C. Carisse et J. Dumazedier, *Les femmes innovatrices*, Éd. du Seuil, Paris, 1975.

circonstances ont joué un rôle tellement déterminant que certaines parlent du « destin » ou du « hasard ».

Les femmes hésitent toujours à postuler un emploi de responsabilité soit à cause du fardeau de la double tâche qui entrave leur disponibilité, soit parce qu'on ne les y encourage pas assez (« on » étant le mari, les patrons, les collègues) et qu'elles n'ont pas confiance en elles, soit parce qu'elles se disent qu'en se trouvant obligées de diriger des hommes elles risquent de perdre leur pouvoir de séduction et de paraître moins « féminines », tout en devenant en plus la cible de jalousies des autres femmes. Résultat : les bureaux sont peuplés de femmes d'un certain âge qui sont dirigées par des jeunes hommes, ces derniers ne se posant jamais ces questions sur leur propre compétence ou sur leur capacité de séduire. (Au contraire, un poste de direction augmente le pouvoir de séduction de l'homme.)

Il est certainement très significatif que toutes les femmes qui ont « percé » dans des milieux de travail masculin et qui ont mené des carrières brillantes aient bénéficié de conditions exceptionnelles : des parents eux-mêmes exceptionnels soit par l'origine, le statut social ou le degré de motivation ; un père ou une mère leur ayant transmis une bonne dose d'estime de soi ; une formation plus poussée que la moyenne ou des talents plus marqués ; des encouragements particuliers de la part du conjoint ou du milieu de travail ; une conscience profession- nelle plus élevée que la moyenne, et aussi la capacité de « faire son chemin » sans soulever trop d'antagonisme, en faisant preuve d'un tact et d'une diplomatie... exceptionnels eux aussi [15].

Les femmes de plus de 30 ans sont davantage portées, à cause de leur éducation plus traditionnelle, à manœuvrer avec finesse — une finesse toute « féminine » — dans leurs milieux de travail et à éviter les conflits de pouvoir avec leurs collègues masculins. Les jeunes femmes au contraire, initiées plus jeunes aux théories sur l'égalité des sexes, ont davantage tendance à exiger et à revendiquer... et cela soulève, on le constate partout, beaucoup

---

15. C. CARISSE, *op. cit.* ; Francine DESCARIES-BÉLANGER, *L'école rose... et les cols roses*, Éd. coopératives Albert Saint-Martin, CEQ, 1980 et Lysiane GAGNON, « Les femmes c'est pas pareil », *La Presse*, 1976.

d'hostilité. Ce qui pouvait « passer » en douceur et à la longue se heurte à un blocage dès que la chose est formulée, dite clairement et revendiquée avec force et à coups d'arguments rationnels.

Car même si les femmes sont souvent elles-mêmes ambivalentes par rapport à leur travail, il faut bien voir qu'elles ont raison de l'être, raison de craindre les effets d'un investissement personnel trop poussé dans le travail, raison d'avoir recours à la négociation et aux jeux d'adresse et de subtilité plutôt qu'à l'affirmation franche et directe. Car elles ont raison d'avoir peur : leur seule présence risque toujours de déclencher des sentiments latents d'hostilité et elles sont toujours jugées en fonction de doubles standards.

La corde raide

La plupart des femmes expérimenteront peu de discrimination dans leur milieu de travail immédiat, dans la mesure où elles sont cantonnées dans des ghettos d'emplois qui correspondent à leur vocation « naturelle » (enseignement élémentaire, services, nursing, secrétariat, etc.). La discrimination dans ces cas prend plutôt l'aspect d'un phénomène institutionnel, moins perceptible dans la vie quotidienne.

C'est lorsque la femme pénètre dans des milieux de travail majoritairement masculins que sa véritable condition se révèle, à l'état pur pourrait-on dire, car ce type d'emploi coïncide généralement avec un statut social élevé et une relative aisance financière. Nulle part mieux que là peut-on mesurer l'effort excessif imposé aux femmes.

Elle marchera sur des œufs. Elle devra se conformer à des standards qui sont doublement exigeants à son endroit, se montrer plus consciencieuse que ses collègues, voire parfois plus compétente, pour avoir droit non pas aux promotions mais à un simple traitement d'égalité et, *en même temps*, il lui faudra donner l'illusion de la fragilité et de la dépendance sous peine d'être jugée trop « masculine » et ne jamais cesser d'être douce, compréhensive, humble et réservée pour ne pas être « menaçante ». Son assurance, pourtant si durement acquise, elle devra se la faire pardonner tout comme d'ailleurs sa seule présence dans cet

142

univers où elle sent bien au fond qu'elle est entrée en transgressant des interdits. Aussi lui sera-t-il difficile de conserver d'elle-même une image stable et précise car celle que lui renvoie son milieu de travail est toujours déformée, axée sur un aspect unique de sa personne. On l'étiquettera « cérébrale » ou « émotive », « sexy » ou « inaccessible », « femme de tête » ou « femme de cœur »... alors que c'est justement le propre de toute personne que d'avoir à la fois une tête et un cœur, et qu'un être humain normal est fait de diverses facettes qui s'interpénètrent et se confondent.

Les doubles standards

C'est dès la première étape — l'embauche ou la nomination — que se manifeste le double standard. On évalue une femme différemment, c'est-à-dire qu'on est plus exigeant à son endroit. Cela va beaucoup plus loin que les traditionnelles questions sur le statut marital et la maternité. Pour qu'une femme soit considérée, il faut qu'elle fasse preuve de plus de sérieux qu'un candidat masculin, que son dossier soit impeccable et que rien n'accroche dans son « style » : qu'elle ne soit ni trop laide ni trop jolie, ni trop autoritaire ni trop molle, ni trop souriante ni trop revêche, qu'elle plaise sans aguicher, qu'elle en impose sans par ailleurs représenter une menace.

Même les femmes reproduisent ces attitudes et exigent davantage d'une femme. Je me souviens d'une conversation que j'ai eue avec une employée du Conseil du statut de la femme. Il était question de la nomination d'une nouvelle présidente, en remplacement de Mme Champigny-Robillard qui avait terminé son mandat. Mon interlocutrice mentionne le nom d'une candidate possible, qui avait alors 31 ans. Je m'étonne : « Est-ce qu'elle ne serait pas trop jeune pour une fonction pareille ? Est-ce qu'elle aurait assez d'autorité ? »... Et mon interlocutrice de répliquer : « Et Pierre-Marc Johnson, quand il a été nommé ministre, n'avait-il pas le même âge ? Le trouviez-vous trop jeune ? Et Robert Bourassa, n'avait-il pas 36 ans quand il est devenu premier ministre ? Qui s'est demandé s'il était trop jeune ? »

Il y a aussi cet autre phénomène qu'on a observé partout à l'endroit des minorités : on embauche qui vous ressemble. C'est une discrimination inconsciente qui vient du réflexe naturel de s'entourer de ses pareils. Sur un autre plan, les Canadiens français en ont longtemps été victimes dans les grandes entreprises anglophones, où les nominations aux postes de cadre se faisaient par la cooptation de gens qui avaient fait leurs études aux mêmes endroits, qui pratiquaient les mêmes sports, fréquentaient les mêmes restaurants, riaient aux mêmes blagues, portaient le même genre de complet, etc. Avec un candidat qui vous ressemble et vit à peu près de la même façon que vous, on sait mieux à quoi s'en tenir, l'évaluation est plus facile, l'analyse du dossier et des références aussi. Le phénomène inverse se produit lorsqu'un homme — le patron qui embauche — fait face à une candidate féminine : il est désarçonné, il ne sait pas comment l'évaluer, il attachera de l'importance à des détails qui n'en n'ont pas.

C'est pourquoi il est si important que des femmes occupent des fonctions de direction où elles puissent à leur tour participer à l'embauche. Elles peuvent mieux que les hommes rétablir un minimum de justice dans l'évaluation des candidates et contribuer à la constitution de ces « réseaux » sans lesquels une minorité reste toujours exclue des fonctions d'autorité. Il y a, on le sait, de multiples *old boys' networks* — anciens compagnons de collège ou de sport, anciens collègues de travail, etc. —, qui restent en contact, qui se réfèrent des candidats. Les *old girls' networks* n'en sont, eux, qu'à leurs débuts... et encore, seulement dans les secteurs où les femmes ont fait plus ou moins leurs marques. Dans tous les secteurs — comme la haute administration, la finance et les affaires — d'où les femmes ont toujours été systématiquement absentes, tout reste à faire car le manque de formation, d'expertise et d'expérience rend difficile le recrutement de compétences féminines. C'est le fameux cercle vicieux que les jeunes connaissent si bien en périodes de chômage : pas d'expérience, pas d'emploi... pas d'emploi, pas d'expérience.

Une fois passée cette première étape qui constitue souvent le premier obstacle et le premier blocage, la femme en milieu de travail masculin continuera d'être jugée en fonction d'un double standard.

Un homme frappe la table du poing au cours d'une réunion : c'est normal, il s'affirme, il a des convictions, de l'énergie. Une femme fait la même chose : quelle horreur, elle est mal élevée, elle est coléreuse, voire hystérique. Si par contre elle manifeste ses sentiments à sa façon, en laissant par exemple les larmes lui monter aux yeux, c'est encore pire : elle est émotive, trop émotive, voire hystérique. C'est normal qu'elle pleure — c'est une femme —, mais cela prouve bien qu'on ne peut pas lui confier, qu'on ne peut pas « leur » confier de responsabilités.

Un homme est affecté à telle fonction. Mauvais rendement, faible productivité, échec. Entend-on jamais dire alors : « La prochaine fois, on ne nommera pas un homme à ce poste-là. Après un échec pareil, finis les hommes ! » Une femme est affectée à la même fonction. Mauvais rendement, faible productivité, échec. Combien de fois n'entend-on pas, alors : « La prochaine fois, on ne nommera pas une femme à ce poste-là. Après un échec pareil... » Et lorsque, deux ans plus tard, il sera question d'une candidature féminine : « On a déjà eu une femme à ce poste-là et ça n'a pas marché... »

« Faire ses preuves, dit Maryse, 33 ans, économiste, faire ses preuves... Prouver d'une part qu'on est aussi efficace que ses collègues masculins et d'autre part qu'on est une vraie femme. Comment veux-tu à la fois prouver tout cela à l'intérieur des standards traditionnels ? Pour être « efficace » au travail, il faut adopter des comportements définis comme masculins, et pour être une vraie femme, faire exactement l'inverse... C'est un jeu auquel on perd à tout coup. »

Seules des femmes extrêmement subtiles, habiles à se conformer, selon les moments, aux diverses images qu'on attend d'elles, peuvent s'en tirer sans trop d'égratignures : « Je travaillais autant — et mieux — qu'un homme, dit Catherine, une sociologue de 45 ans, mais je faisais semblant d'avoir besoin de « leurs » conseils. Je les écoutais avec de grands yeux, je me confondais en remerciements, je redevenais la petite femme dépendante et fragile... C'est comme cela que je me suis fait pardonner mes succès professionnels. Mais j'ai souvent eu l'impression d'être un caméléon ! » Ce comportement de « caméléon » s'acquiert d'autant plus facilement que les femmes sont entraînées par leur éducation à jouer sur plusieurs tableaux, à s'adapter tour à tour à divers interlocuteurs et à se conformer aux attentes des autres — des hommes en particulier — à leur endroit. Tout cela fait partie des techniques habituelles de la séduction.

On peut se demander ce qu'il adviendra des petites filles élevées par des mères féministes qui auront refusé de leur apprendre l'art subtil de séduire et de se conformer tout en en faisant à sa tête. Ne risquent-elles pas de se retrouver un jour totalement sans défense, comme des chats dégriffés lâchés dans la jungle?

Les doubles standards sont partout: un homme arrive au travail avec un mal de bloc: il a « pris une brosse » la veille au soir. Ça va, ça passe, c'est normal, c'est humain, tout le monde est complice. Une femme arrive au travail avec un mal de tête: serait-elle menstruée? Problème... Aurait-elle trop bu la veille au soir? Scandale... Un homme est en retard: il a veillé trop tard, il a « pris un coup » il a rencontré une fille... Normal. Humain. Une femme est en retard: son enfant était malade, elle est allée à l'hôpital... Problème, problème: le problème avec les femmes c'est qu'elles ne sont pas disponibles. Les choses changent cependant. Un homme est en retard: son enfant était malade, il est allé à l'hôpital... Merveille, merveille! C'est le Père-Héros qu'on applaudit et qui soulève tout la sympathie du groupe. Une femme est en retard: son enfant était malade, elle est allée à l'hôpital... Normal, normal. Pas d'applaudissement ni de sympathie. Aller à l'hôpital avec un enfant malade, ça fait partie de sa définition de tâches.

Double standard: la femme au travail voit ses collègues comme elle voit les être humains en général, comme autant d'individus complexes, chacun avec ses caractéristiques propres. L'homme voit les femmes qui travaillent avec lui à la lumière des stéréotypes culturels, « transposant, comme dit Colette Carisse, l'attitude apprise dans son enfance (et ayant) peine à percevoir une femme comme partenaire égale [16]. » C. Carisse poursuit en citant des propos qui font écho à ce qu'on entend couramment dans bien des milieux de travail: « Mes confrères respectent mon travail mais ne voudraient pas que leur femme soit comme moi. » (Cela, toutefois, commence à changer quelque peu. Dans les milieux de l'information, par exemple, où les femmes sont plus nombreuses que dans d'autres secteurs à prédominance masculine, les stéréotypes se sont affaiblis dans la même proportion. Beaucoup de journalistes masculins, par ailleurs,

---

16. *Les femmes innovatrices, op. cit.*

sont mariés avec des femmes qui se sont affirmées à un titre ou à un autre. Il est en général plus facile de travailler avec un homme qui vit une relation égalitaire avec sa femme.)

Le dernier refuge des hommes, dit-on, est la taverne. C'est dans un phénomène de même nature que loge le dernier obstacle que rencontrera la femme au travail. À supposer que tous les autres aient été plus ou moins levés, il restera toujours, semble-t-il, un lieu où la femme pourra difficilement pénétrer, et c'est l'univers fluide et multiforme des relations de travail informelles, là précisément où se prennent souvent les décisions clés, où se décident les orientations, où se nouent les contacts et les alliances qui guideront par la suite les « plans de carrière ».

Toute les femmes que j'ai rencontrées ou interviewées dans le cadre de mon travail m'ont dit que c'était là que s'arrêtait leur trajectoire. D'une part, en effet, les hommes préfèrent se retrouver entre eux hors des heures de travail, même si, lorsqu'ils sont entre collègues, leur travail se poursuit dans une certaine mesure au bar ou au restaurant. Soit que la présence d'une femme qui est leur égale (ou pire, leur supérieure) au travail les empêche de « relaxer » ou de draguer à leur guise, mais dans tous les cas, elle dérange. D'autre part, la plupart des femmes hésitent à entrer seules dans les bars où se retrouvent leurs propres collègues. Toute l'organisation sociale, d'ailleurs, est axée soit sur les hommes, soit sur le couple. Une femme seule n'est bienvenue nulle part. Un homme seul, au contraire, est toujours sollicité : voici, ô merveille, un *eligible bachelor* ! Dans un bar, la femme la plus réservée aura l'air de chercher l'aventure. Un homme seul aura simplement l'air d'apprécier la solitude, de nourrir de profondes pensées, d'être absorbé par un grand projet ou de ruminer des soucis professionnels. Un groupe de femmes au restaurant est là pour placoter, un groupe d'hommes, pour un dîner d'affaires. Un homme est au travail pour « gagner sa vie », une femme, pour s'épanouir. Comme une fleur. Une fleur c'est joli mais pas tellement sérieux.

Un homme s'affirme, il a des idées, des projets et il est capable de les défendre : on dira que c'est là un homme « déterminé ». Une femme fait la même chose : elle est « agressive ».

Un homme a de l'ambition et l'exprime. Normal. On ne va quand même pas s'attendre à ce qu'il accepte de piétiner et de faire du « sur place » toute sa vie dans la même fonction, non ? Qu'une femme fasse la même chose, non seulement sera-t-elle impitoyablement jugée — égoïste, sans scrupule, prête à « marcher sur la tête » de tout un chacun pour réussir, etc. — mais elle sera tôt ou tard « remise à sa place ». De fait, il est extrêmement rare, dans quelque milieu de travail que ce soit, qu'une femme manifeste clairement de l'ambition, soit qu'elle n'en ait guère, ce qui est courant car la plupart des femmes sont habituées dès l'enfance à réprimer toute velléité en ce sens, ou qu'elle la camoufle pour ne pas soulever l'hostilité de ses confrères.

Dans une récente conférence, Francine Harel-Giasson, MBA et professeur aux HEC, expliquait fort bien le profil de carrière classique de la femme au sein des entreprises : « les femmes, dit-elle, sont le groupe par excellence auquel ne s'applique pas le principe de Peter. Alors qu'un homme compétent « montera » dans l'entreprise jusqu'à son seuil d'incompétence où il restera figé à jamais, la femme compétente, elle, restera au même niveau.

« Une femme est-elle très compétente dans sa tâche, très utile à son patron et à ses collègues, le risque est grand qu'elle demeure figée dans le marbre de cette fonction jusqu'à l'heure de sa retraite. Meilleure elle est, moins grandes sont les chances qu'on voudra la déplacer. C'est le principe de Peter à l'envers. L'ascension hiérarchique bloque non pas au niveau d'incompétence mais à un niveau de grande compétence.

« Observons bien autour de nous, poursuit Mme Harel-Giasson. Tous nous pouvons nommer de ces femmes « irremplaçables », c'est-à-dire qui ne recevront vraisemblablement pas les promotions qu'elles méritent. Bien souvent, elles sont irremplaçables parce qu'elles assurent la permanence dans un service où les patrons, eux, ne font qu'un séjour temporaire en route vers d'autres sommets. Grâce à elles, ils peuvent exceller rapidement dans leur tâche. On s'inquièterait de laisser si longtemps à ce poste un homme doué des mêmes qualités ; comme il s'agit d'un femme, on fait l'hypothèse que cela lui convient...

« Comment les femmes pourraient-elles s'identifier facilement aux fonctions de direction ? demande Mme Harel-Giasson. Pas un seul manuel scolaire au Québec ne présente une femme exerçant la fonction d'administrateur. Pour la jeune caissière de banque qui souvent n'a jamais vu de sa vie une femme à la tête d'une succursale, comment s'imaginer elle-même dans cette fonction? Encore maintenant, il existe fort peu de modèles féminins stimulants dans le domaine de la gestion.

« De plus, les femmes sont concentrées dans des postes peu propices à l'avancement. Qui dira que la fonction de secrétaire, même celle de secrétaire de direction, se trouve sur la voie royale? Or, le poste occupé s'avère souvent la clé du succès. Le jeu des promotions hiérarchiques, en plus de prendre en compte les qualités personnelles des candidats, obéit à des lois structurelles qui font que tel poste mène normalement à tel autre. Parmi les fonctions majoritairement féminines de l'entreprise, très peu ont la réputation de conduire à la vice-présidence.

« De leur côté, les femmes posent un "problème" supplémentaire. Elles croient à la compétence, elles y croient trop, elles y croient trop exclusivement.

« Les femmes des générations actuelles n'ont pas pu apprendre de leur mère l'art de monter dans une organisation. Peu familiarisées avec la culture de l'entreprise, du moins à ses échelons élevés, les femmes en connaissent mal les règles du jeu. Par ailleurs, elles ont merveilleusement bien assimilé le langage officiel de l'entreprise : chacun est jugé selon sa compétence, le poste sera accordé au plus compétent.

« Et voilà donc les femmes ambitieuses misant sur la compétence : je serai deux fois plus compétente que les autres et alors quelqu'un finira bien par me remarquer. On admettra que ce n'est pas là un langage de vieux routier. À côté de ses éléments officiels, l'organisation constitue en effet un corps social et politique obéissant à un code informel qui, pour ne pas être écrit, n'en est pas moins réel. Les réseaux d'information, les appuis, les relations d'affaires sont autant d'éléments de cette vie informelle de l'entreprise auxquels les femmes n'ont pas l'habitude de recourir. »

« Tant que la société considérera que l'homme doit être le pourvoyeur, me disait une femme qui occupe un emploi supérieur dans la fonction publique, une femme aura toujours l'impression

de « voler » une promotion à un collègue qui en aurait plus
besoin... Il y a plus : il est insupportable pour la plupart des
hommes de se voir dépassés dans la hiérarchie par une collègue
féminine. Il n'y a rien de plus insultant pour un homme que de se
voir écarté au profit d'une femme [17].

De fait, c'est la réaction contraire que la nomination d'une
femme à un poste d'autorité devrait susciter, car si elle a été
choisie, sans doute est-ce parce qu'elle est exceptionnellement
compétente, d'où la difficulté, même pour des candidats de
valeur, de se mesurer à elle... ; cela dit, évidemment, dans les cas
où la nomination n'est pas tributaire d'un programme d'action
positive. Dans ces cas, il y a moins de raisons de croire que la
femme aura été choisie en vertu d'une compétence exceptionnelle
puisqu'on avait déjà décidé de recruter une femme et que toute
candidate jouissait donc au départ d'un préjugé favorable.

Le tableau se complique aussi par l'attitude du mari ou des
hommes « en tant qu'hommes », c'est-à-dire de ceux à qui l'on
veut plaire. Une femme qui « réussit trop » risque de devenir
moins attirante et de « faire peur » aux hommes. La plupart des
conjoints n'accepteront jamais que leur femme ait un statut
social plus élevé ou qu'elle ait un salaire supérieur (et même égal)
au leur.

J'ai entendu, à propos de femmes que je connaissais plus ou
moins personnellement, les jugements les plus aberrants, tant
l'on est peu habitué à voir des femmes occuper des fonctions
importantes. L'une était « une femme de tête, une hyper-
rationnelle », l'autre « une ambitieuse à tout crin », une troisième
« une dure, à qui rien ne résiste », etc. Ces jugements n'avaient
rien à voir avec la réalité de ces femmes. Je les percevais,
quant à moi, comme étant assez équilibrées, à la fois sensibles et intelligentes. L'une d'elles, celle précisément qu'on
disait être « dure », était au contraire une femme tendre et
vulnérable, et il me semblait que cela était très apparent, sous le
mince vernis qui lui servait à s'imposer et à se protéger dans une
fonction traditionnellement masculine. Comment se faisait-il
que ce qui me paraissait, à moi, si évident, restait caché aux yeux
des hommes ? De toute évidence, mon regard était différent :
d'une part, n'étant pas un homme, je ne me sentais pas menacée

_____
17. « Les femmes c'est pas pareil », *op. cit.*

par ces femmes qui tranchaient avec les stéréotypes de la femme soumise et passive. D'autre part, comme je travaillais moi-même en milieu masculin, une partie de moi se reconnaissait en elles et je pouvais facilement déceler, au-delà des apparences, les sentiments qui les habitaient.

Les choix mutilants

Mais a-t-on songé à ce qu'éprouve une femme sans cesse confrontée dans le regard des autres à une image d'elle-même qui n'a rien à voir avec ce qu'elle est et qui a pour effet de la nier en tant que femme ? S'est-on déjà demandé pourquoi un homme pourrait facilement tout concilier (travail, carrière, mariage et paternité) alors que la femme, elle, devrait choisir au risque de se laisser amputer d'une part essentielle d'elle-même ?

Dans tous les cas où une femme s'est profondément engagée dans une carrière, elle risque d'être acculée à des choix mutilants. Ce qu'un homme en effet peut harmonieusement concilier en vertu de la traditionnelle division des tâches, la société ne permet pas facilement qu'une femme en jouisse simultanément ; l'on semble même trouver normal qu'elle en vienne à sacrifier soit la poursuite d'un travail exigeant, soit de larges pans de sa vie affective, ce qui, dans les deux cas, équivaut à une renonciation injuste, à une mutilation.

Des études [18] réalisées aux États-Unis confirment l'observation courante : les femmes ont des attentes moins élevées par rapport à leur avenir professionnel, limitent leurs ambitions, préfèrent des emplois moins visibles et moins exposés, les fonctions de recherche et de conseil « dans l'ombre », plutôt que les fonctions de gérance et d'autorité. Elles ont même tendance, là où des programmes d'action positive ont été implantés, à résister aux chances de perfectionnement ou de promotion qui leur sont offertes. Elles manifestent une « peur du succès » caractérisée... peur qui s'accroît d'ailleurs en fonction de leurs chances de réussir. Le succès comporte une part de risque et une part de compétition ; or, le risque et la compétition font partie de l'ordre

---

18. C. DOWLING, *The Cinderella Complex, op. cit.*

des valeurs masculines, et le succès isole dès lors qu'il se produit dans un domaine d'activité peu ouvert aux femmes.

Si d'aventure la réussite survient, les femmes auront tendance à l'attribuer à « la chance », ce qui est une façon de nier leur propre participation à leur succès. À ce propos, Colette Dowling cite Katherine Graham, l'éditrice du Washington Post : « Je n'arrive pas, dit-elle, à croire que le journal est vraiment à moi... Je pense que c'est seulement une question de chance. Je sais que ça a l'air enfantin de dire ça... »

Ou alors elles s'en sortiront en développant un « blocage » quelconque. Colette Dowling cite le cas d'une journaliste new-yorkaise de grand talent qui devient incapable de produire dès que ses revenus risquent de dépasser le montant requis pour payer le strict nécessaire — le loyer, l'électricité, l'épicerie, etc. : « Travailler pour survivre d'un mois à l'autre, dit-elle, ça va... Mais travailler d'une façon continue, comme si c'était là le sort qui m'attendait pour toute la vie... Non, je ne peux m'y résoudre. Je sais que c'est névrotique et infantile mais au fond de moi, je ne veux pas être responsable de moi-même, je veux que quelqu'un d'autre me prenne en charge... »

Telle est Cendrillon projetée dans l'univers du travail et qui aspire à retourner à l'ancien ordre pour lequel elle a été formée : dès que la pratique de son métier semble prendre la forme d'une carrière, elle fige devant la page blanche et « rate » systématiquement tous ses *deadline* — conduite d'échec caractérisée.

Il y a même des cas où une femme sur le point d'atteindre un sommet professionnel ou de « dépasser » ses collègues masculins — ou pire, son mari ou les hommes avec lesquels elle pourrait entrer en relation — en vient à n'être plus capable, techniquement, d'exercer sa profession. Un peu, disons, comme un peintre qui développerait une inexplicable paralysie de la main, un chanteur qui perdrait la voix ou un écrivain qui ne saurait plus écrire. Ces cas d'autorépression — l'incapacité s'installant graduellement, à l'insu de cette femme affolée par son propre talent et qui refuse inconsciemment de s'engager plus avant sur la pente glissante de la réussite —, les psychothérapies classiques n'arrivent généralement pas à y remédier parce qu'elles ne tiennent pas compte, dans l'analyse du problème, des facteurs liés à la condition féminine. Quel atroce gaspillage de talents et d'énergie! Colette Dowling a bien raison de qualifier ce phénomène de *brain drain*. Ce petit Mozart assassiné dont on a tant parlé, c'était une fille.

Il y a des femmes qui ont accepté la réussite. Dans presque tous les cas, c'est qu'elles n'ont pas été acculées à des choix déchirants et parce que leur vie affective pouvait se combiner avec leur engagement professionnel. En général, elles ont eu dans leur vie des hommes qui non seulement toléraient qu'elles investissent une partie de leur énergie dans le travail, mais qui les encourageaient et les supportaient. Ou alors, elles étaient seules et n'envisageaient pas de changement dans leur vie.

Mais nulle n'échappe à l'angoisse. Des psychologues commencent à découvrir qu'une femme qui s'est très fortement affirmée risque de glisser dans l'anxiété et d'être agitée par des sentiments de culpabilité qui sont de prime abord inexplicables. Cela tiendrait-il à la rupture trop brutale avec les images stéréotypées de la féminité? À la rupture avec la mère, incarnant le modèle à suivre? À cette terreur qu'éprouvent les femmes à l'idée d'exercer un pouvoir quelconque dans la société et à la certitude d'avoir ainsi dévié de la voie qui devait être la leur et d'encourir de ce fait un risque effrayant, le risque d'être punies, rejetées, de n'être plus aimées? On en revient toujours à la question fondamentale : l'affirmation de soi et la réussite sont des valeurs masculines et, pour être aimée, la femme ne doit pas trop transgresser les images classiques de la féminité. Entre ces anciens stéréotypes et un univers où les femmes et les hommes seraient libres d'affirmer leurs qualités propres indépendamment des modèles qui ne correspondent pas aux réalités individuelles, la période de transition est et sera longue... et l'évolution des femmes, dans les divers milieux de travail, nécessairement marquée par l'ambivalence.

C'est pourquoi l'attitude des hommes envers le travail de la femme est-elle si déterminante. Eux seuls peuvent lui dire et lui montrer qu'elle peut être aimée sans nécessairement se conformer à tous les stéréotypes. Le premier homme, dans la vie d'une femme, c'est son père. J'ai compris, avec les années, à quel point il avait été important pour moi d'avoir eu sous les yeux, durant toute mon enfance, l'image d'un homme qui valorisait l'intelligence chez les femmes, chez la sienne en premier lieu. Sans doute, compte tenu des règles de son époque, n'aurait-il pas aimé que ma mère mène une carrière indépendante de la sienne, mais elle était associée à son travail et il sollicitait constamment son opinion. Mais pour une petite fille, le modèle d'une femme intelligente et énergique ne suffit pas. Encore faut-il que sa mère soit aussi une femme aimée, pour qu'elle ne soit jamais tentée, par la suite, de dissocier l'intelligence de la féminité et d'opposer l'amour et le travail. Or, ma mère était une femme aimée.

La présence d'un homme aimant, aux diverses étapes de la vie d'une femme, est un facteur d'épanouissement capital, non seulement sous l'angle émotionnel mais également sur le plan professionnel. J'ai vu trop de femmes souffrir de la solitude et du conflit permanent entre les images et la réalité pour ne pas en être absolument convaincue. Cet homme aimant, cela va de soi, ne peut être qu'un homme intelligent et « mature », dans la mesure où seul un homme qui a confiance en lui peut accepter une égale à ses côtés, qui ne soit ni sa mère ni sa poupée. Déjà, j'anticipe sur la seconde partie de ce livre... avec raison sans doute, tout étant lié et rien n'étant dissociable.

L'avenir

On commence à percevoir, chez les jeunes, des changements considérables dans les valeurs reliées au travail. Comme pour rétablir l'équilibre, et les femmes et les hommes quittent les pôles extrêmes où ils se situaient naguère, les premières tenant au travail comme à la prunelle de leurs yeux parce qu'il est le symbole et le principal outil de leur nouvelle indépendance économique, et les seconds s'en détachant de plus en plus, rejetant la vieille maladie du *workcoholism*, dans le désir de faire plus large place à la vie culturelle et affective.

Voici par exemple ce qu'en disait dans le *Globe and Mail* le chroniqueur Alan Stewart : « Rien d'étonnant à ce que les femmes veuillent quelques-unes des choses que les hommes ont si longtemps détenues, mais c'est étonnant qu'elles le manifestent au moment même où nombre d'hommes commencent à penser que ces choses-là coûtent trop cher pour ce qu'elles valent. Je suis plus heureux, quant à moi, depuis que j'ai quitté un poste que j'avais pris avec enthousiasme et ambition. Je fais maintenant un certain nombre de travaux à temps partiel, qui m'apportent moins d'argent, un statut social moins élevé et aucune chance d'avancement. C'est moins facile de répondre aux gens qui vous demandent, dans les cocktails, ce que vous faites dans la vie, mais tout le reste par contre est plus facile. Il y a de pires choses, dans la vie, que de ne pas savoir quoi écrire dans l'espace marqué « occupation ». Toutes les femmes ne seront pas d'accord, je le sais. L'une d'elles est une ancienne ménagère qui postule précisément la fonction que j'ai laissée. C'est un bon emploi, j'en conviens, mais la vie qu'il me forçait à mener était accaparante et bien moins plaisante que celle que je mène maintenant. Je passe aujourd'hui, comme elle le faisait naguère, beaucoup de temps à la maison et c'est à son tour de vouloir fuir la maison... »

Ce qu'Alan Stewart n'a pas bien compris, c'est que seuls les riches peuvent s'offrir le luxe de mépriser l'argent, comme seuls les gens instruits peuvent dire que les doctorats ne valent pas le papier sur lequel ils sont imprimés. Il est vrai que les valeurs du monde du travail sont souvent aliénantes mais pour l'heure, c'est le travail — le travail surtout — qui permet à la femme de sortir de la dépendance, de prendre confiance en elle et d'accéder à l'autonomie.

D'ailleurs, de plus en plus d'emplois s'ouvrent tout naturellement aux femmes. Presque tous les emplois exigeant une force musculaire particulière ont été éliminés par la mécanisation, et l'évolution technologique peut elle aussi être très profitable aux femmes. Dans la mesure où les risques qu'ils présentent pour la santé et la grossesse sont pris en compte par la loi et les conventions collectives, les nouveaux équipements sont propres, faciles à manier, et n'ont rien qui soit susceptible d'aller à l'encontre de l'expérience de travail traditionnelle des femmes, au contraire... sinon — détail capital — qu'ils reposent sur une approche mathématique et que les femmes doivent faire l'effort de se recycler dans ces domaines où elles n'ont jamais été encouragées à exploiter leur potentiel.

Myrna Gopnik raconte comment on l'a empêchée, il y a une trentaine d'années, de poursuivre des études avancées en mathématiques : « Le Dr Klein m'expliqua gentiment que les femmes n'avaient tout simplement pas des esprits créateurs en mathématiques. Je lui répondis que j'avais toujours été la meilleure en maths et que j'avais toujours dépassé les garçons. Ah, convint-il, c'est possible parce qu'à ce stade il s'agit d'opérations routinières et cela les femmes peuvent le faire. Mais au niveau universitaire, il faut être capable de faire une contribution originale aux mathématiques et ça, malheureusement, les femmes n'en sont pas capables. Il me demanda de lui nommer trois grandes mathématiciennes. Je n'en connaissais pas. Cela prouvait donc que les femmes ne seraient jamais de grandes mathématiciennes, dans l'avenir pas plus que dans le passé. Donc, je ne pouvais pas être acceptée dans un programme de maths avancées. Je n'ai pas protesté. Je suis allée en philosophie avec une spécialisation en logique mathématique, c'est ce qui se rapprochait le plus des mathématiques... Ce qui, avec le recul, est remarquable, c'est que tous ces problèmes, je les voyais comme des problèmes personnels, individuels. Je me débrouillais comme je le pouvais, gagnant ici, perdant là, sans jamais rien placer dans le contexte général de la condition des femmes... [19] » Cela se passait à l'Université de Pennsylvanie, mais on sait bien que la même chose aurait pu se produire ici.

Aujourd'hui, comme pour faire mentir encore plus les stéréotypes, Mme Gopnik constate que ce sont ses filles — et non ses fils, qui sont tous deux dans le domaine artistique — qui ont hérité de son talent pour les maths. L'une d'elles poursuit des études en génie environnemental et l'autre, en archéologie. Les choses changent ? Oui... et non. Cette dernière vient de se faire dire par un professeur que pas une femme ne peut faire carrière en archéologie : « Comment une jeune fille délicate comme vous pourrait-elle participer à des fouilles ? Et si vous vous mariez, si vous avez des enfants ? »

Tout ne change pas mais il y a des changements. Ainsi, de plus en plus d'hommes, dans les entreprises, les bureaux, partout, sont mariés à des femmes qui travaillent. D'autres sont divorcés et, parmi eux, il y en a de plus en plus qui ont la garde de leurs enfants. Tous ces hommes qui assument à divers degrés

---

19. *A Fair Shake*, à paraître chez Eden Press, Montréal.

des responsabilités parentales veulent à leur tour des garderies, pensent à leur tour aux horaires flexibles ou à réduire le temps consacré aux réunions fastidieuses. Autant d'eau au moulin... (Dans mon propre milieu de travail, les jeunes pères sont maintenant les premiers à réclamer des garderies. Ils sont plus habitués que les femmes à revendiquer et, eux, ils ne feront pas comme les mères au travail qui prenaient sur leurs épaules tout le fardeau social du travail et de la maternité sans rien demander, entraînées qu'elles étaient à se dévouer, à se sacrifier, à régler les problèmes en payant de leur personne au lieu de réclamer des solutions collectives.)

Il est évident, par ailleurs, que l'entrée massive de femmes dans un secteur de travail donné ne peut pas ne pas avoir, à la longue, un impact sur tout ce milieu, tant sous l'angle des relations interpersonnelles que sous celui de l'organisation du travail, voire des modes de gestion , comme l'esquisse Francine Harel-Giasson.

« Les femmes, écrit-elle, se demandent si les entreprises ne continuent pas à se comporter comme si rien n'avait changé. Les femmes se demandent si les politiques de gestion des ressources humaines ne continuent pas à s'élaborer avec l'hypothèse implicite que les employés n'appartiennent qu'à deux catégories : des hommes mariés pour la vie à une épouse, gardienne du foyer et entièrement dévouée à la carrière de son époux, ou des femmes célibataires en attente du jour où elles ne seront plus obligées de travailler. Les femmes s'interrogent aussi face aux produits et services que les entreprises mettent en marché. Pourquoi est-il si difficile de faire réparer un appareil ménager en dehors des heures où le mari et la femme sont au travail ? Se pourrait-il que les entreprises ne sachent pas que, de nos jours, une maison sur deux est vide entre 8 h 30 et 17 h 30 ? Les femmes sont perplexes quand elles entendent les manufacturiers de mode annoncer triomphalement le retour des tissus qui demandent du repassage alors qu'elles sont débordées par leur double tâche... Des entreprises qui ne répondent pas aux besoins nouveaux de leur environnement pourront-elles être rentables longtemps ?[20] »

---

20. *Femmes, Travail et Entreprises*, HEC, 1982.

Parlant ensuite des défis que pose aux entreprises la présence des femmes sur le marché du travail, Mme Harel-Giasson s'étonne de ce que « les chefs d'entreprise ne se félicitent pas de vivre à une époque où ils peuvent avoir accès à une banque additionnelle de ressources de qualité. Tout se passe comme si les femmes n'apportaient que des ennuis... Pourtant, la présence des femmes constitue une chance pour les entreprises. Elle leur enlève une contrainte de ressources, celle de devoir se limiter aux seuls talents des hommes...

« Pourquoi, en plus, se priver des richesses de la culture féminine, sous prétexte qu'elles n'ont pas été développées au sein des entreprises et des universités ? Il existe en effet des compétences transmises de mère en fille, dont pourraient profiter les entreprises. J'en donne deux exemples : Les femmes sont depuis des siècles les grandes spécialistes de la qualité de la vie ; c'est pour elles une préoccupation quotidienne dans laquelle elles ont développé des compétences certaines. Comme il serait irrationnel de se priver de leur apport dans l'amélioration de la qualité de la vie au travail qui constitue l'un des projets de l'heure dans plusieurs organisations ! Les femmes, nous le savons aussi, sont passées maîtres dans la gestion de la pénurie. Apprêter les restes, raccommoder, rapiécer, faire du neuf avec du vieux, voilà un champ où les femmes excellent. Qui pourrait dire que l'entreprise peut actuellement se passer de telles compétences ? »

Le deuxième défi, c'est la définition de nouveaux modèles d'avancement et de temps de travail : « Pourquoi une femme, un homme, ne pourraient-ils pas choisir de faire des apprentissages plus variés, de passer plus de temps dans des fonctions qui conviennent mieux à leurs responsabilités familiales à certaines périodes de leur vie, de gravir des échelons, certains dans la trentaine, d'autres dans la cinquantaine ?... Il en va de même pour l'aménagement du temps de travail... » qu'on doit, selon Mme Harel-Giasson, réaménager en dehors du modèle rigide imposé à tous, qui fait à chacun l'obligation d'avoir un *curriculum vitae* sans « trou » et de se soumettre à des horaires uniformes. Plus de flexibilité permettrait à l'organisation du travail de s'ajuster à la diversité des styles de vie.

Troisième défi : l'urgence, pour les entreprises, de donner à son personnel féminin, « le plus rapidement possible, des occasions de diriger des subordonnés... Le leadership est une habileté qui s'apprend en la pratiquant.

« J'aimerais, poursuit-elle, attirer votre attention sur le fait que la première sainte canadienne, Marguerite Bourgeoys, fut une femme gestionnaire. L'organisation fondée par cette femme a vu le jour quinze ans avant la Compagnie de la Baie d'Hudson. Contrairement à d'autres, elle a encore son siège social à Montréal et des ramifications en plusieurs points du globe, dont le Japon. En plus d'avoir été échevin de Ville-Marie, Marguerite Bourgeoys a dirigé les travaux d'érection de la première chapelle de Bonsecours et de la seconde croix du Mont-Royal et a fondé quinze établissements le long du fleuve Saint-Laurent. Courageuse, elle a résisté aux pressions des autorités religieuses qui favorisaient une fusion de sa communauté avec une autre et elle n'a pas hésité à retourner en France, dans des conditions de voyage extrêmement difficiles, pour recruter du personnel.

« Je ne puis m'empêcher de me demander ce qui serait arrivé à cette femme extraordinaire si elle avait dû s'intégrer, par la filière normale, à l'une ou l'autre de nos organisations ? Il semble évident qu'une entreprise qui n'aurait pas relevé les trois défis que je viens d'exposer aurait contraint Marguerite Bourgeoys à la médiocrité. »

7

LA POLITIQUE
Le pouvoir :
à prendre ou à laisser
... ou à partager ?

« ... Il faudra demander aux mères de famille, aux femmes respec-
tueuses, aux honnêtes femmes, aux vraies femmes, de descendre
dans le ruisseau électoral et d'aller voter afin de faire contrepoids à
l'influence des suffragettes de profession... Nos politiciens ont déjà
saboté assez de choses... Allons-nous, sans mot dire, leur permettre
de s'attaquer jusqu'à la sainteté de nos foyers, jusqu'à la dignité de
nos femmes ? »

Henri Bourassa,
contre le suffrage des femmes, 1918.

« S'il n'y avait en cause que les pécores du féminisme, les dévoyées
de l'égalité sexuelle ou les perruches huppées qu'on est convenu
d'appeler les *society women*... Mais il y a encore parmi nous un
certain nombre de gens qui ont eu une mère, une vraie mère, qui
ont eu une femme, une vraie femme, qui ont des filles dont ils
veulent faire de vraies mères et de vraies femmes. Ceux-là n'ont pas
le droit de laisser une bande de politiciens en quête de malsaine
popularité avilir leurs mères, leurs sœurs, leurs femmes et leurs
filles au contact des détraquées et des émancipées qui ont entrepris
de consommer la déchéance morale de la femme et la désorgani-
sation de l'ordre social. »

Le même auteur, l'année suivante.

« À supposer en effet qu'elle consacre le même temps que nous à la
politique, ou qu'elle cherche hors de son foyer les occasions de
s'instruire, la femme négligera forcément le rôle que la nature lui
avait assigné ; sauf exception, elle sera mère d'autant plus distraite,
épouse d'autant moins attentive, qu'elle sera citoyen plus cons-
ciencieux... En outre, quelque temps qu'elle consacre à la politique,

la femme n'y apportera jamais qu'une intelligence relativement inférieure. La femme nous est supérieure par les qualités de cœur et par certaines qualités de l'esprit ; elle nous est inférieure sous d'autres rapports... Ce phénomène s'explique uniquement par certaines infériorités congénitales, identiques à l'inégalité de taille dont souffre la femelle du haut en bas du règne animal. »

Olivar ASSELIN, 1922.

Le monde politique est comme une pyramide. À la base s'activent d'innombrables femmes qui forment le corps anonyme des militants et des travailleurs d'élection. Plus on s'élève, d'un échelon à l'autre de la pyramide, moins il y en a. Tout en haut, à la pointe du triangle, là où se trouve le siège du pouvoir, les femmes sont si peu nombreuses qu'elles sont toutes très connues, trop connues, très exposées, trop exposées, et dans cet univers essentiellement masculin, elles vivent dans une solitude d'autant plus lourde qu'elles s'y trouvent toujours sur la corde raide, sachant que la moindre gaffe, le plus petit faux pas, ne leur sera jamais pardonné.

D'un parti politique à l'autre, quels que soient les programmes et les orientations idéologiques, que le parti soit à droite ou à gauche, il n'y a pas de différences significatives à cet égard. À la Chambre des communes, il y a actuellement treize femmes députés, trois au NPD, trois chez les conservateurs et sept chez les libéraux, dont trois ministres : Judy Erola (Condition féminine et Mines), Monique Bégin (Santé et Bien-être social) et Céline Hervieux-Payette (ministre d'État à la Santé et au Sport amateur). À l'Assemblée nationale du Québec, on compte deux femmes chez les libéraux et cinq chez les péquistes, dont deux ministres : Pauline Marois (Condition féminine) et Denise Leblanc-Bantey (Fonction publique) [1].

Et encore cette timide entrée des femmes au parlement ne date-t-elle, pour ce qui est du Québec, que de 1961, lorsque Claire Kirkland-Casgrain succédait à son père comme député du comté de Marguerite-Bourgeoys, l'unique autre femme qui ait siégé à Québec avant l'élection de 1976 ayant été Lise Bacon.

---

1. Ces données étaient valables au moment de mettre sous presse.

L'élection de la première femme député se produisait donc 20 ans après que le Parlement québécois eût octroyé, après autant d'années d'efforts infructueux de la part d'une poignée de femmes progressistes, le droit de vote aux Québécoises. De 20 ans en 20 ans... les changements sont plus lents en ce domaine qu'en tout autre, exception faite du milieu des affaires, d'où les femmes sont encore plus absentes qu'en politique.

Mais attention, les femmes sont présentes au bas de la pyramide, là précisément où se fait le dur travail de la politique quotidienne, là où se gagnent et se perdent les élections, c'est-à-dire au niveau des comtés, dans les locaux où le travail est modeste, obscur et nécessaire : le porte à porte, le « collage » des enveloppes, les longues soirées passées à recopier un message au stencil, les sondages par téléphone, le pointage, le café qu'il faut préparer, les listes de membres, les listes d'électeurs, la préparation des assemblées, des campagnes de financement... tout cela c'est l'affaire des femmes.

Jusqu'à tout récemment, les femmes étaient en général plus militantes que les hommes au sein des partis politiques, en partie sans doute parce que, pour celles qui n'avaient pas d'emploi à l'extérieur du foyer, l'engagement politique constituait une évasion et un moyen de jouer un rôle actif dans la société. C'était particulièrement le cas à la « belle époque » du Parti québécois, quand celui-ci charriait un idéal et un « projet collectif » qui n'avaient pas encore été soumis aux compromissions du pouvoir ; l'engagement politique était alors synonyme d'abnégation et d'altruisme, et les femmes s'y dévouaient consciencieusement, préposées dans presque tous les cas aux fonctions les plus ingrates et les moins visibles.

Je me demande parfois si la désaffection notoire dont souffrent aujourd'hui les partis politiques — et le PQ en particulier — ne tient pas en partie au fait que leur main-d'œuvre féminine bénévole les a quelque peu abandonnés. D'innombrables femmes, naguère militantes, sont désabusées de la politique et cela, me semble-t-il, dans une proportion plus élevée que les hommes. Est-ce parce qu'elles savent qu'elles ne peuvent pas espérer grand-chose en retour de leur travail bénévole, ou parce que la poussée du mouvement féministe les a orientées vers d'autres engagements et d'autres avenues de réflexion ?

Chose certaine, la place des femmes, au sein des partis, est exactement le reflet de celle qu'elles occupent dans l'ensemble de la société ou sur le marché du travail : elles forment l'infrastructure et les plus énergiques occupent certains postes clés aux échelons intermédiaires, mais l'essentiel du pouvoir est entre les mains des hommes. Les exceptions sont si rares et si visibles — « la rareté les isole », écrivait la sociologue Colette Carisse à propos des « femmes innovatrices » — qu'on peut toutes les nommer de mémoire : Iona Campagnolo à la présidence des libéraux fédéraux, Louise Robic à la tête des libéraux provinciaux et quelques autres... Le NPD a dû recourir à une formule de « discrimination à rebours » pour faire en sorte que la moitié des postes de direction soient dévolus à des femmes. Dans tous les congrès politiques sans exception, les femmes sont toujours beaucoup moins nombreuses que les hommes à prendre la parole au micro. Les changements des dernières années ont surtout été de nature cosmétique : de plus en plus, les politiciens s'efforcent de parler des « hommes-et-des-femmes, des-Canadiens-et-des-Canadiennes, des Québécois-et-des-Québécoises », on voit à confier la présidence de l'assemblée ou du congrès à un « couple » homme-femme, ou à un homme et à une femme en alternance, on vote presque machinalement et souvent sans discussion des déclarations d'intention concernant l'égalité des sexes ou la lutte au sexisme, mais si le pouvoir a été ébranlé par la montée des revendications féministes et s'il a répondu à celles de ces revendications qui n'exigeaient ni budget considérable ni réaménagement profond des structures sociales, il n'en a pas été transformé. Le pouvoir reste assumé par des hommes et les rares femmes qui s'y aventurent sont soumises à des exigences presque inhumaines.

La perle rare

Le scénario est classique. Partout, les mouvements politiques utilisent abondamment les femmes aux niveaux inférieurs, mais les écartent des postes de direction ou, dans les pays où la culture patriarcale est plus forte qu'ici, les renvoient tout bonnement à la maison lorsque les temps sont moins durs. Ainsi, pendant la guerre d'Algérie, le Front de Libération nationale a joyeusement dérogé aux lois coraniques : les femmes couraient les rues, portant sous leurs longs voiles des grenades et des messages codés, et elles faisaient la guerre comme les hommes. Après la victoire, les dirigeants et les cadres du nouvel État, tous des hommes évidemment, les renvoyèrent à leurs chaudrons et les femmes reprirent le voile mais cette fois pour se masquer. Même quand elles ne le portent plus, comme Dalila Maschino, elles doivent se soumettre à la loi du chef de famille. On a vu comment [2].

Théoriquement, au Québec, les femmes ont tous les droits, notamment celui d'être candidate aux postes dirigeants d'un parti ou à une élection générale. Mais elles s'en prévalent fort peu. Manque de confiance en soi, responsabilités domestiques, opposition du mari ou crainte d'avoir à exercer son autorité sur des hommes et de se trouver par le fait même menacée de perdre son charme à leurs yeux, telles sont bien sûr les raisons classiques qui écartent les femmes de la vie politique. Mais il y en a d'autres, plus difficiles à cerner mais très présentes.

« Une femme candidate, dira tout homme politique interrogé sur la question, mais c'est une fort bonne idée... à condition bien sûr qu'elle soit compétente. » C'est là que commence, subtile, la discrimination. Car on n'évalue jamais de la même manière la compétence d'un homme et celle d'une femme. Les députés qu'ont vu passer les murs du Parlement n'étaient pas tous compétents ; pour dire les choses franchement, il y en avait et il y en a encore de carrément minables. Mais quand les dirigeants d'un parti soupèsent la possibilité que Madame Unetelle soit candidate, alors les exigences sont infiniment plus fortes.

Il faudrait que cette perle rare, pour être agréée, ait un physique attrayant sans être trop jolie (ça ne ferait pas sérieux), qu'elle soit ni trop jeune ni trop vieille, qu'elle soit extrêmement intelligente — beaucoup plus que la moyenne —, qu'elle ait un

2. On se rappellera que Mme Maschino avait été enlevée à Montréal par son frère aîné qui n'acceptait pas qu'elle ait épousé un Européen ; on lui imposa ensuite un mariage avec un Algérien choisi par la famille. Mme Maschino allait finalement réussir à s'enfuir.

166

passé politique et professionnel remarquable, qu'elle ait à la fois
le sens de l'organisation et des relations humaines, qu'elle sache
bien parler en public, qu'elle soit à la fois dotée d'une rationalité
à toute épreuve et d'une grande intuition, qu'elle ait du flair
politique et en même temps la capacité innée de diriger un
ministère... Dites-moi franchement : a-t-on exigé tout cela de
votre député avant qu'il soit élu à la convention de son parti ?

La seule voie que les femmes ont trouvée pour échapper à
l'exigence de la double compétence est celle qui passe par
l'obligation d'être deux fois plus actives et deux fois plus
dévouées : ainsi, ces dernières années, quelques « secrétaires de
comtés » qui avaient longtemps assumé dans l'ombre l'essentiel
des responsabilités des députés ont réussi à obtenir l'investiture
de leur parti. (C'est de cette façon que Flora MacDonald s'est
fait connaître au sein de son parti où elle est encore réputée pour
ses qualités de « dévouement » et de « loyauté ».)

Il est frappant de constater que depuis 1945, au Québec, le
nombre de candidates aux élections a augmenté considérablement (on en comptait deux en 1945, 90 lors des élections
fédérales de 1980 et 82 lors des élections provinciales de 1981) ;
toutefois, le nombre de candidates élues n'a pas du tout
augmenté dans la même proportion[3]. La faible proportion de
femmes élues s'explique en grande partie par le fait que ce sont
les « moins bons comtés » qu'un parti politique offre aux
femmes. Pour obtenir l'investiture dans un comté où la victoire
est assurée, une femme doit faire des prodiges d'organisation ou
avoir à son crédit des réalisations extraordinaires.

Examinons le cas de quelques femmes qui ont fait leur
marque en politique au cours des dernières années. On verra
que, dans tous les cas, elles ont été triées sur le volet, qu'elles
disposaient d'atouts très particuliers et qu'en ce sens il s'agissait
de femmes exceptionnelles, ce qui est anormal dans la mesure où
les députés masculins, eux, n'ont généralement aucune caractéristique exceptionnelle.

Mme Kirkland-Casgrain était avocate, ce qui en soi, était
exceptionnel pour l'époque. Elle venait d'une famille favorisée :

3. Collectif Clio, *L'histoire des femmes au Québec*, Éd. Quinze, 1983.

son père avait été médecin et il était député dans le comté de Marguerite-Bourgeoys où elle lui a succédé. Son mari, avocat lui aussi, était également actif au sein du même parti. Comme elle fut la première de toutes, c'est pour elle que ce fut le plus difficile. Même avec le recul, c'est les larmes aux yeux que Mme Kirkland-Casgrain parle de cette expérience qui engloutit une partie de sa jeunesse de même que son mariage. « Quand j'ai été élue, me disait-elle au cours d'une interview, ma priorité c'était la reconnaissance de la capacité juridique de la femme mariée. J'avais vu, comme avocate, tant d'injustices envers les femmes... Il m'a fallu trois ans pour convaincre mes collègues de la nécessité du bill 16. Au Conseil des ministres, il fallait que je me surveille de près. Car là, une femme qui parlerait à la légère serait cent fois plus mal jugée qu'un homme, on dirait qu'elle est "trop émotive". Il faut être ultra-diplomate et cacher ses sentiments. C'était d'autant plus dur que ma famille était restée à Montréal et que je savais qu'on ne me pardonnerait pas la moindre absence, pas le moindre retard... Je me disais toujours : si j'échoue, cela va nuire à toutes les femmes. J'avais l'impression d'avoir sur les épaules une terrible responsabilité [4]. »

C'était l'époque où toute femme en vue — à plus forte raison en politique — était la cible de sarcasmes effrayants. L'époque où l'on disait d'une femme en proie à la plus légère saute d'humeur : « Elle voit rouge » ou : « Elle doit être dans ses mauvais jours... » Durant les quelques jours où elle remplaça le premier ministre Lesage en voyage à l'étranger, Mme Kirkland-Casgrain eut l'idée de modifier légèrement le décor du bureau du « P.M. »... et la naïveté de le dire à quelqu'un. Tout de suite, la nouvelle se répandit et les journaux en firent grand état, sur un ton et dans un style qui montraient bien à quel point les femmes restent frivoles quand on leur confie des responsabilités.

Thérèse Casgrain ne siégea jamais au Parlement — vraisemblablement parce qu'elle se présenta sous la bannière impopulaire de la CCF, l'ancêtre du NPD. Mais elle joua toute sa vie un rôle clé en politique. Elle aussi était privilégiée : fille de la grande bourgeoisie, mariée à un député libéral, assurée d'une bonne aisance financière... Elle devint veuve assez jeune et ne se

---

4. « Les femmes, c'est pas pareil », *La Presse*, 1976.

remaria jamais. Elle était donc, théoriquement, aussi libre qu'un homme.

Et pourtant, « mon entrée en politique, écrivait-elle, ne pouvait que soulever une foule de préjugés... Mes adversaires avaient ceci de commun qu'ils ne voulaient, sous aucun prétexte, permettre à une femme de triompher... Je m'aperçus bien vite que les chefs du Parti libéral, tant fédéral que provincial, ne voulaient pas de moi comme député...[5] ».

Exclue du pouvoir, elle le restera jusqu'à la fin. Lorsque le premier ministre Trudeau la nomma sénatrice, elle approchait de l'âge de la retraite obligatoire pour les sénateurs (75 ans). En ce sens, sa carrière politique s'est déroulée sur le même mode — très féminin — que celui des « bénévoles » les plus obscurs des partis politiques : se consacrant à des tâches d'animation pour des causes auxquelles elle adhérait par conviction profonde, Mme Casgrain ne reçut rien en échange, ni emploi ni fonction de responsabilité, et ne participa jamais à l'exercice du pouvoir même si elle côtoya tous ceux qui y accédèrent durant les 40 dernières années.

Lise Bacon, qui fut ministre sous le gouvernement Bourassa (et qui est revenue ces dernières années en politique comme député du comté de Chomedey), ne venait pas d'un milieu privilégié et n'avait pas fait d'études prolongées, mais elle avait une ténacité et une motivation remarquables donc exception-nelles. En outre, elle n'était pas mariée, ce qui lui laissait une disponibilité égale à ses collègues. Même après avoir milité bénévolement et sans relâche pour le Parti libéral depuis sa toute première jeunesse, elle allait devoir franchir bien des barrages. En 1970, le parti lui refusa la possibilité d'être candidate dans son comté natal de Trois-Rivières où elle avait milité d'arrache-pied, lui préférant son propre frère, qui pourtant avait travaillé beaucoup moins qu'elle au sein de l'organisation libérale. (Guy Bacon ne fut jamais nommé ministre mais sa sœur allait plus tard cumuler deux ministères, double responsabilité qu'on ne lui aurait jamais confiée si elle n'avait pas été compétente au-delà de tout doute.) Aux élections de 1973, après s'être hissée jusqu'au poste de présidente du parti, elle réussit à remporter l'investiture

5. *Une femme chez les hommes*, Éd. du Jour, 1971.

du parti dans le comté de Bourrassa, mais ce comté était loin d'être acquis aux libéraux. Elle devait d'ailleurs le perdre en 1976 sous l'effet de la vague péquiste.

Dix ans après Mme Kirkland-Casgrain, Mme Bacon allait se retrouver à son tour dans la position difficile d'être la seule femme au parlement. Elle aussi s'est « sentie obligée de travailler plus fort que les autres (ministres), de défendre mes dossiers de la manière la plus rigoureuse possible...[6] »

Flora et Joe,
Thérèse et Claude

Flora MacDonald, on l'a dit, a elle aussi fait son chemin à la manière d'une fourmi, dans les coulisses du Parti conservateur. Elle allait être candidate au congrès de leadership en 1976, dont Joe Clark allait sortir vainqueur de justesse. Or, aux premiers jours de scrutin, Mme MacDonald avait obtenu davantage de voix que M. Clark, qui était alors pratiquement inconnu. C'est pourtant en grande partie grâce aux voix de Flora MacDonald qu'il allait être élu. Comment se fait-il que le transfert de voix se fit vers celui des deux candidats qui au départ partait perdant? Pourquoi était-il devenu évident, aux yeux de Flora MacDonald elle-même et de ses organisateurs, qu'elle devait céder la place (et ses appuis) à Joe Clark? Quelle supériorité avait-il sur elle?

Il venait, comme elle, des coulisses et des arrière-salles du parti. Il n'avait, comme elle, aucune formation professionnelle particulière, aucune réalisation d'ordre intellectuel à son crédit. Ni l'un ni l'autre n'était considéré comme un très grand cerveau mais tous deux passaient pour être de loyaux serviteurs du parti. Ils appartenaient à la même tendance idéologique, celle des *Red Tories*, et rien ne les distinguait clairement sous l'angle des options et du programme. À qualifications (ou à manque de qualifications) égales, c'était elle, sans aucun doute, qui avait le plus d'expérience, puisqu'elle avait près de quinze ans de plus que lui. Pour ce qui est du charisme, Clark en manquait de toute évidence et en public, elle faisait meilleure figure que lui, parlait

---

6. « Les femmes, c'est pas pareil », *op. cit.*

avec plus d'assurance et d'ardeur. Quelle était donc la différence qui allait faire pencher la balance en faveur de Joe Clark? Tout bien considéré, tout bien pesé, il ne peut y en avoir eu qu'une, une seule: Joe Clark était un homme et elle était une femme.

Avant d'entrer en politique, il n'y a pas une femme qui n'ait dû faire ses preuves à un titre ou à un autre. Jeanne Sauvé, l'actuelle présidente des Communes, a été, comme Lise Payette et Solange Chaput-Rolland, une journaliste très connue. Toutes les trois avaient, à leur entrée en politique, passé l'âge où une femme doit concilier le travail et la maternité, de même d'ailleurs que Thérèse Lavoie-Roux et Joan Dougherty qui avaient également un passé professionnel fort brillant, ayant chacune présidé de main de maître une importante commission scolaire (respectivement la CECM et le PSBGM).

Thérèse Lavoie-Roux a la réputation d'être l'un des députés les plus compétents de l'Assemblée nationale. Elle est bien documentée, consciencieuse, honnête et inspire confiance. Eût-elle été un homme, il est évident que son parti l'aurait sollicitée pour succéder à Robert Bourassa après la défaite de 1976, alors que les libéraux cherchaient désespérément à refaire leur image.

Mme Lavoie-Roux fut parmi ceux qui sollicitèrent la candidature de Claude Ryan (et l'une des rares à lui rester loyale jusqu'à la fin), mais en réalité, elle avait autant d'atouts et moins de handicaps que lui. Elle avait peu d'expérience parlementaire mais il en avait encore moins. Elle avait, comme lui, une forte capacité de travail, des qualités de rigueur intellectuelle peu communes, une honnêteté à toute épreuve et un passé moralement impeccable, ainsi qu'une aptitude à diriger qu'elle avait fort bien démontrée à la tête de la plus grande commission scolaire de la province et, qui plus est, durant des périodes politiquement agitées. Idéologiquement, elle se situait plus ou moins dans la même ligne que M. Ryan (nationalisme modéré, forte convictions sociales, etc.). Pour ce qui est du charisme, des dons d'orateur et des qualités télégéniques, ni l'un ni l'autre n'était spécialement doué, encore que Mme Lavoie-Roux pouvait projeter une image sympathique et maternelle, tandis que celle de M. Ryan était plutôt revêche. Différence capitale, toutefois, Mme Lavoie-Roux avait prouvé qu'elle pouvait exercer l'autorité dans un cadre collégial, en déléguant des pouvoirs, en faisant confiance à ses collaborateurs et en s'attachant la loyauté de ses subalternes. C'est cette carence qui allait constituer le talon d'Achille de M. Ryan. Mme Lavoie-Roux ne fut pas sollicitée pour le leadership et d'ailleurs elle n'y aspirait pas. Même après la démission de M. Ryan, alors que, de nouveau, le parti se cherchait un chef, il n'a jamais été question de Mme Lavoie-Roux. Pierre Paradis aurait-il recueilli les mêmes appuis s'il avait été une femme ? Une femme de 33 ans, peu connue, sans mérite particulier ? Et Robert Bourassa, à 36 ans, qui lui non plus n'avait jamais été ministre, qu'en aurait-on dit à la veille de la campagne au leadership de 1970 s'il s'était appelé Roberte ? Question : si Mme Lavoie-Roux avait été un homme, n'aurait-elle pas été davantage portée à aspirer au leadership de son parti et à prendre les moyens pour y accéder ?

Les deux ministres senior du cabinet Trudeau sont également des femmes exceptionnelles : Monique Bégin est une sociologue d'un dynamisme considérable et Judy Erola est une *self-made woman* qui s'est toujours multipliée. Toutes deux avaient un degré de motivation peu commun, analogue à celui qui a permis à Iona Campagnolo de faire son chemin jusqu'au Conseil des ministres, puis à la présidence du Parti libéral fédéral, à partir d'une enfance passée dans un obscur village de pêcheurs de la Colombie britannique. Mariage, deux enfants, cours du soir, petits emplois..., Mme Campagnolo se retrouve gérante des ventes dans un poste de radio de Prince-Rupert : « Je préférais travailler à commission, dit-elle, car alors on ne risque pas de subir quelque discrimination que ce soit : on est payé en fonction de son travail [7]. » Parce qu'elle a fait ce qui, chez un homme, déclencherait beaucoup d'admiration — c'est-à-dire se fabriquer une carrière et un avenir à la force du poignet, sans que rien ne lui ait été donné au départ —, Iona Campagnolo passe pour être une femme très « dure ». Ce jugement, comme tant de jugements qu'on porte sur les femmes, m'étonne et ne correspond pas à l'impression que m'ont laissée deux longues rencontres-interviews avec elle.

Je l'ai au contraire vue, lors de la campagne électorale de 1979, travailler avec une ardeur et un zèle que j'ai très rarement

7. *La Presse*, juin 1979.

observés chez les hommes députés. Elle sillonnait en tous sens un immense comté aride et montagneux (Skeena), accompagnée d'un seul collaborateur, et consultait sans cesse un fichier rempli de données sur les multiples problèmes qui affectaient ce comté de pêcheurs et de travailleurs du bois et de l'acier. Elle était extraordinairement bien renseignée et répondait à toutes les questions des électeurs avec sérieux et attention. On la dit également très ambitieuse. Sans doute l'est-elle. Et pourquoi pas? Qui va en politique sans l'être?... mais pourquoi le remarque-t-on si peu quand l'ambition est le fait d'un homme? Parce que, chez un homme, c'est normal?

La vie privée

La vie privée constitue, pour les femmes politiques, un facteur dont on ne peut négliger l'importance. Les hommes politiques peuvent concilier, même si c'est parfois difficile, vie familiale et vie politique, mais leurs consœurs, elles, n'ont pas cet avantage. Différence révélatrice de l'inégalité des deux conditions: beaucoup d'hommes s'engagent en politique malgré l'opposition de leur femme... et celle-ci finit par s'y résigner. Mais l'inverse est impossible: aucune femme mariée ne s'est engagée en politique sans s'assurer au départ non seulement de l'accord, mais aussi de l'appui de son conjoint. Et même alors, il est si difficile à un homme de supporter que sa femme s'absente fréquemment et qu'en outre elle soit plus connue que lui, que plusieurs ménages n'y ont pas résisté. Aussi, parmi le petit nombre de femmes qui se sont engagées en politique ces dix dernières années, y a-t-il une proportion remarquable de divorcées et une proportion tout aussi remarquable de femmes seules.

Flora MacDonald est célibataire, comme le fut en son temps cette autre pionnière de la carrière politique, Judy LaMarsh, comme le sont Monique Bégin, Pauline Jewett, Lise Bacon. Judy Erola est veuve et l'était déjà quand sa carrière politique a débuté. Iona Campagnolo, divorcée depuis longtemps, ne s'est jamais remariée « pour ne pas imposer pareil genre de vie à un homme ». Mmes Sauvé, Chaput-Rolland et Lavoie-Roux bénéficiaient toutes de l'appui d'un conjoint capable de s'adapter aux contraintes de leur carrière politique.

L'entrée en politique est toujours plus conflictuelle pour les jeunes femmes, parce qu'elles ont l'âge d'avoir de jeunes enfants et que leur vie sentimentale est plus prenante. Aussi le fait d'être mariée à un homme plus âgé qu'elle, capable d'envisager avec maturité ce style de vie, peut-il être vu comme l'un des facteurs qui ont permis à Denise Leblanc-Bantey d'exercer deux mandats à l'Assemblée nationale tout en ayant un tout petit enfant. Pauline Marois était enceinte au moment de sa première campagne électorale, en 1981, et elle a eu ensuite un autre enfant. Louise Harel a une fille ; déjà une vieille habituée des assemblées politiques, celle-ci est visiblement une enfant épanouie. Mais ce cumul de rôles, dans une société qui l'admet mal et qui le facilite si peu, et dans un univers qui, telle la politique, fonctionne exclusivement selon des valeurs masculines, exige de la part des jeunes mères une somme inouïe d'efforts.

Ce n'est pas la seule considération qui rende la politique plus difficile aux jeunes femmes qu'à leurs aînées. D'une part, on leur fait moins confiance : Louise Harel a deux diplômes universitaires, est à la fois sociologue et avocate, et a fait ses preuves en politique en gravissant un à un tous les échelons du parti jusqu'à la vice-présidence, mais elle piétine encore à la porte du Conseil des ministres... où sont entrés sans effort bien des hommes sans envergure.

D'autre part, les conflits entre l'image traditionnelle de la femme et le rôle politique sont toujours plus vifs lorsqu'il s'agit d'une jeune femme. « Si les femmes abordent le pouvoir avec la circonspection des gourmandes qui ont peur de grossir en face d'une crème au chocolat, dit Françoise Giroud, c'est parce qu'il ajoute à la séduction des hommes alors qu'il retranche à celle des femmes [8]. »

Les femmes acceptent volontiers de vivre « dans l'ombre » des hommes de pouvoir, mais c'est un statut que la plupart des hommes n'acceptent pas, à moins qu'ils n'aient beaucoup de maturité et de confiance en soi. Même dans les rapports les plus superficiels, le pouvoir isole la femme. Une femme me confiait qu'à l'époque où elle était ministre, elle se retrouvait souvent dans la situation ironique de l'héroïne de la fête qui cependant

8. *La comédie du pouvoir*, Éd. Fayard, Paris, 1977.

fait tapisserie : « J'assistais à toutes sortes de manifestations sociales... Aucun homme, jamais, ne m'invitait à danser. C'était à moi de faire les premiers pas. » Cette femme — jolie, sociable, le sourire engageant — n'aurait pas fait tapisserie si elle avait été, disons, vendeuse ou speakerine. Mais ministre... tous les hommes étaient trop intimidés par son statut social. Une autre femme me confiait que depuis qu'elle s'était engagée à fond en politique, elle n'avait pas reçu une seule invitation de la part d'un homme, exception faite des invitations se rapportant à sa fonction. Il s'agit, notons-le, d'une femme charmante qui auparavant se trouvait au contraire souvent sollicitée. Qu'est-ce qui avait changé ? Une seule chose : son statut social.

Oriana Fallaci a interviewé les plus « grands » de ce monde. Dans *Entretiens avec l'histoire* [9], elle décrit admirablement la dimension humaine de femmes telles que Golda Meir, l'ancien premier ministre israélien que tant de gens ont décrit comme « le seul homme du gouvernement Ben Gourion »... Sous la plume d'une femme journaliste, Golda Meir apparaît non seulement comme une femme capable en effet de diriger un pays, mais aussi comme une femme tendre, qui fut amoureuse, qui eut des enfants, qui vit partir un mari aimé incapable de supporter son engagement politique... Cette interview émouvante, déchirante, et en même temps fort pudique, aurait-elle pu être faite par un homme ? Chose certaine en tout cas, Fallaci fut la seule à transmettre de Golda Meir autre chose que l'image stéréotypée, amputée et inhumaine de la femme virile et vaguement dénaturée à qui l'on croit faire plaisir en lui disant qu'elle se conduit comme un « vrai homme ». (Ce genre de langage évoque les propos supposément louangeurs qu'ont souvent les hommes au sujet des femmes qui font preuve de courage : « Elle "en" a... (des couilles). » Quel compliment équivoque et empoisonné que celui qui consiste à nier l'identité sexuelle de la personne qu'on veut célébrer !).

On a si peu l'habitude de voir des femmes jouer des rôles clés en ce domaine que les hommes, en effet, sont désemparés et ne savent pas comment « traiter » la femme politique. Ceux qui sont d'arrière-garde vont la critiquer impitoyablement, faire des

---

9. Éd. Flammarion, Paris, 1975.

remarques disgracieuses sur son aspect physique et ne lui pardonneront pas la moindre erreur. Ceux qui sont progressistes croiront qu'il faut lui réserver un traitement égal... si égal qu'ils refuseront de tenir compte de ses caractéristiques féminines.

Deux incidents mineurs mais significatifs : Lorsque j'étais correspondante parlementaire à Québec, j'avais un jour « couvert » une tournée électorale de Louise Beaudoin, qui était candidate péquiste à une élection partielle dans le comté de Jean-Talon. J'avais noté, dans mon compte rendu, qu'elle était habillée d'un tailleur élégant. Un renseignement comme un autre, qu'il me paraissait naturel de signaler, en incidence ; (d'ailleurs je décris souvent comment les hommes sont habillés, description qui s'ajoute aux renseignements concernant le style oratoire, la voix, le geste, l'allure générale, etc.). Mes confrères ont été fort surpris de lire sous ma plume une allusion à « l'élégance » de Mme Beaudoin. « Nous autres, s'exclamèrent-ils, on n'aurait jamais osé écrire ça, on aurait passé pour sexistes ! »

Plus récemment, à un congrès libéral où Iona Campagnolo était candidate à la présidence du parti, je fais en passant, au cours d'une conversation avec mes confrères, une remarque sur sa beauté. (Mme Campagnolo est en effet très belle et c'est un détail qui saute aux yeux, qu'on ne peut pas ne pas mentionner.) Mes collègues étaient ébahis : « Hé bien, si tu n'en avais pas parlé toi-même, on n'aurait rien dit là-dessus, c'est sûr. Dans notre bouche à nous ça passerait pour une remarque sexiste. »

Je comprends cette attitude chez mes confrères et il se peut d'ailleurs que mes propres réactions s'écartent d'une certaine orthodoxie féministe qui considère toute allusion à l'aspect physique d'une femme comme sexiste. Ce n'est pas mon avis : l'aspect physique, chez un homme comme chez une femme, fait partie de la personnalité. Chez les hommes aussi, la beauté et le charme sont des atouts en politique. Le sexisme survient lorsqu'on réduit la personne à son apparence et qu'on n'en parle que sous cet angle, ou lorsqu'on exige d'une femme qu'elle soit belle et attirante, mais qu'on pense que cela n'a pas d'importance chez un homme.

Faire ses preuves...

Toutes les femmes politiques sans exception le diront, et Mme Payette l'a fort bien expliqué dans *Le pouvoir ? connais pas !* [10] : même la femme la plus expérimentée, appuyée par un passé professionnel brillant, doit chaque jour faire ses preuves. Lorsqu'elle était ministre, cette ancienne « star » de la télévision trouvait à peine le temps de passer chez le coiffeur ou de se maquiller. Elle se sentait obligée — et d'ailleurs elle l'était implicitement — de connaître jusque dans les moindres détails le projet d'assurance-automobile qu'elle devait piloter, pour se faire prendre au sérieux au Conseil des ministres. (Mme Bacon, qui l'avait précédée au même ministère, avait d'ailleurs eu la même attitude ultra-consciencieuse).

C'est seulement lorsqu'elle eut prouvé hors de tout doute sa compétence dans des domaines dits « sérieux » que Mme Payette a pu faire avancer dans une certaine mesure le dossier de la condition féminine.

Voilà d'ailleurs une incongruité fort révélatrice : qui dit sérieux dit masculin. Le dossier de la condition féminine, au sein d'un gouvernement, devrait pourtant apparaître, normalement, comme plus intéressant, plus multidimensionnel, plus novateur, plus dense et plus captivant intellectuellement, que des ministères d'intendance comme la Voirie ou les Travaux publics. Mais pas du tout. Les questions concernant les femmes ont toujours été si dévalorisées (parce que les femmes elles-mêmes l'ont toujours été) que n'importe quoi — l'ouverture d'un tronçon d'autoroute, le problème de la patate ou la couleur des sacs d'ordures du ministère des Travaux publics — est jugé plus intéressant et plus « sérieux » que « les affaires de femmes ».

Aussi est-il toujours dangereux qu'une femme obtienne au départ le ministère (ou le dossier) de la Condition féminine, car elle n'a, a priori, aucune crédibilité et sera tout de suite jugée au sein du Conseil des ministres comme une « achalante » à « idées fixes ». (D'ailleurs, ces messieurs ne connaissent-ils pas eux-mêmes tout ce qui concerne les femmes et les enfants, puisqu'ils en ont à la maison ?). Ainsi, Mme Marois, qui était plus jeune et

---

10. Éd. Québec-Amérique, 1982.

n'avait pas le poids politique de Mme Payette, a-t-elle été écartée
— sans d'ailleurs que personne ne s'en rende compte sur le coup,
tant cet aspect de la vie politique est jugé sans importance — du
comité des priorités à la faveur d'un remaniement ministériel.
De la même façon, et également sans qu'on s'en aperçoive
immédiatement tant c'était peu digne d'intérêt, les droits des
femmes avaient été sacrifiés lors du premier accord constitu-
tionnel de novembre 1981, quand l'égalité entre les sexes avait
été jetée machinalement, par les négociateurs tous masculins du
fédéral et des provinces, dans le paquet des droits pouvant être
niés par les législatures provinciales.

L'affaire des « Yvettes »

La politique est un domaine où le risque d'erreur est fort
élevé : il y a la nécessité de plaire, de séduire, qui peut mener à la
démagogie et susciter des initiatives purement électoralistes, et il
y a le fait que les ministres ne peuvent pas s'improviser grands
spécialistes quand le premier ministre leur impose d'autorité un
ministère où ils ne connaissent rien. C'est aussi un domaine où la
part de stress est très élevée et où l'on ne peut pas « enterrer » ses
erreurs : la plupart sont publiques puisque le politicien vit sous
l'éclairage des projecteurs.

En règle générale, les femmes politiques font moins de gaffes
et d'erreurs que les hommes. D'une part parce qu'elles sont
presque toutes exceptionnellement consciencieuses (sinon elles
ne seraient pas là), d'autre part parce qu'elles se surveillent
constamment (autrement on aurait tôt fait de les prendre en
défaut). Aussi est-il intéressant d'analyser les répercussions de
deux « gaffes » célèbres, pratiquement les seules en fait qu'on
puisse attribuer à des femmes politiques au Canada ces dernières
années.

D'abord l'affaire des « Yvettes ». Ce qui aurait pu n'être
qu'un incident est devenu l'événement marquant de la campagne
référendaire de 1980. Emportée par son propre discours parti-
san, Mme Payette allait s'en prendre à l'épouse du chef des
forces du « non », en affirmant que « M. Ryan était marié avec
une Yvette », Yvette étant le personnage féminin stéréotypé d'un
manuel scolaire. Dans un cinglant éditorial, Lise Bissonnette du

178

Devoir mit en lumière ce qui aurait pu passer relativement inaperçu (il n'y avait qu'un seul reporter sur les lieux) et les libéraux eurent tôt fait d'exploiter l'affaire habilement.

Ainsi, celle qui devait être, dans les plans péquistes, l'oratrice-vedette de la campagne référendaire, l'unique porte-parole féminine du camp du « oui », venait de faillir misérablement à sa mission. Cette gaffe montrait à quel point « les femmes de carrière » méprisaient « les femmes au foyer » et procurait aux partisans du « non » un excellent cheval de bataille ainsi qu'un thème émotionnel à exploiter, dans une campagne où ils avaient été réduits, au départ, à jouer surtout sur des thèmes de « raisonnabilité » économique.

En réalité, cette gaffe et ses effets n'ont probablement pas modifié la tournure de la campagne référendaire et, avec ou sans l'affaire des « Yvettes », le PQ était sans doute perdant de toute façon. Mais Mme Payette allait devenir le bouc émissaire de la défaite. Partout, dans les coulisses du parti, on murmurait — on : les hommes surtout et avec un enthousiasme suspect — qu'en effet le PQ avait poussé trop loin ses engagements féministes, qu'il fallait faire marche arrière, etc. Et Mme Payette, à qui sa notoriété et ses réalisations ministérielles avaient assuré une certaine influence au sein du Conseil des ministres, allait perdre d'un seul coup la crédibilité qu'elle avait mis plus de 20 ans à bâtir. Elle mit fin l'année suivante à sa carrière politique et démissionna soi-disant pour « faire la promotion de l'indépendance » avec plus de liberté... Mais on ne la revit jamais aux assemblées péquistes.

Le phénomène des « Yvettes » a donné lieu à plusieurs interprétations [11]. Plusieurs commentateurs y ont vu la réaction viscérale de « femmes au foyer » pouvant enfin exprimer leur révolte contre un mouvement féministe qui les « méprisait ». Je me suis toujours demandé s'il ne s'était pas agi là d'une sorte de *wishful thinking*, ces commentateurs projetant sur des femmes anonymes leurs propres désirs et leurs propres irritations par rapport au féminisme. Personne, bien sûr, n'a mentionné que les quelques avantages que les femmes au foyer ont obtenus ces dernières années (des allocations familiales jusqu'à la réforme du

11. Voir à ce sujet *Femmes et politique*, Le Jour éditeur, 1981.

Code civil, en passant par de légères améliorations au statut de la femme collaboratrice du mari, etc.) sont dus exclusivement à l'action du mouvement féministe et que de toute façon toutes les « femmes de carrière » sont également des « femmes au foyer », à cette différence près qu'elles assument deux tâches au lieu d'une.

Mais il y a plus : ces commentateurs, pourtant bien au fait du fonctionnement de la machinerie politique, ont choisi de mettre l'accent sur la « division » des femmes entre elles, même si cette dimension était loin d'être si importante à en juger par ce qu'on pouvait percevoir de la réaction du public et même si elle était presque absente de l'exploitation qu'en ont faite les libéraux.

La gaffe de Mme Payette s'est trouvée récupérée en effet par le camp du « non », mais on en a très tôt évacué le contenu anti-féministe au profit de thèmes pro-fédéralistes. Ce sont des organisateurs professionnels, et non des « femmes ordinaires en colère », qui ont convoqué et encadré les grands ralliements d'« Yvettes » à Québec, Montréal et ailleurs ; il fallait analyser le contenu des discours et observer l'auditoire pour constater que tout cela n'avait rien à voir avec l'exaltation de la femme traditionnelle ni avec une quelconque campagne anti-féministe, mais que le battage se faisait autour de l'argumentation anti-indépendantiste, à laquelle toutefois l'irruption d'un thème « féminin » procurait le souffle émotionnel qui jusque-là avait manqué à la campagne du « non ». Des femmes venaient l'une après l'autre dire que ce pays que leurs ancêtres avaient fondé devait être légué intact à leurs enfants, etc.

Toutes ces oratrices, sans exception, étaient féministes à un degré ou un autre et certaines avaient même été aux premières lignes de l'engagement féministe : Thérèse Casgrain, Monique Bégin, Yvette Rousseau, Sheila Finestone, etc.

Durant la longue soirée qu'a duré le ralliement des « Yvettes » au Forum de Montréal, je n'ai pas entendu une seule oratrice critiquer Lise Payette ni même faire directement allusion à ses propos. (Seule la sénatrice Renaude Lapointe l'a attaquée explicitement et cela n'a pas provoqué d'applaudissements.) Les oratrices, donc, se sont bien gardées d'exploiter l'affaire dans le sens d'un ressac anti-féministe ou d'une querelle « entre femmes » et elles reprenaient l'une après l'autre, mais sur un mode plus émotionnel, plus « féminin » et plus maternel, les grands thèmes de la propagande du « non ».

Par ailleurs, on voyait dans l'assemblée, dans cet auditoire supposément constitué d'« Yvettes », toutes sortes de femmes y compris des femmes au travail et des femmes de carrière, dont certaines — je le sais pour en avoir personnellement rencontrées — étaient même engagées dans des entreprises et des réflexions qui se situaient à la pointe de l'engagement féministe. Tout ce qu'elles avaient en commun, c'était d'être fédéralistes.

Néanmoins, l'opération était ambiguë et exploitée dans le sens de l'anti-féminisme par la majorité des commentateurs. Aussi, dès le premier succès obtenu et dès que le Parti libéral eut prouvé qu'on pouvait remplir le Forum avec des pancartes du « non » et une foule enthousiaste, les animatrices de l'« opération Yvette » mirent-elles la pédale douce et l'affaire retomba très rapidement. Peu après le référendum, les mêmes organisatrices — dont Louise Robic, devenue depuis présidente du parti — utilisèrent les listes de noms obtenus dans le cadre de l'« opération Yvette » pour faire un sondage sur les aspirations des femmes quant à l'avortement, les garderies, le recyclage, l'éducation, la fiscalité, etc., et les réponses obtenues dans la mouvance des « Yvettes » ressemblaient de très près à celles que le PQ aurait recueillies de son côté ; elles s'inscrivaient dans la ligne du féminisme modéré.

Cette constatation est confirmée par des études [12] qui ont été faites aux États-Unis en 1979 chez des femmes de classe moyenne. On a découvert qu'elles avaient toutes, à des degrés variables, intégré l'idéologie féministe. Les unes tenaient davantage aux valeurs familiales traditionnelles, les autres étaient plus revendicatrices, mais chacune avait en elle « des morceaux, des parties, des deux systèmes idéologiques ». En définitive, même si, dans l'arène politique, l'idéologie familiale traditionnelle semblait en conflit avec l'idéologie féministe, dans la pratique, les femmes ne pouvaient être étiquetées selon ces lignes.

L'autre gaffe célèbre, encore qu'elle fut moins retentissante, est celle de Judy Erola qui eut un jour le tort de s'interroger

---

12. *The Second Stage*, Betty Friedan, Summit Books, New York, 1981, p. 220. Ce livre a été traduit en français sous le titre *Le Second Souffle*.

publiquement sur l'opportunité d'abolir l'exemption fiscale destinée au mari de la « personne à charge » (au profit évidemment d'autres programmes susceptibles d'apporter une aide directe aux femmes). Scandale et hauts cris. Comme dans l'affaire des « Yvettes », ce sont les propres collègues de Mme Erola qui furent les plus vindicatifs. Certains, lors d'une réunion des parlementaires libéraux, allèrent jusqu'à la sommer de se rétracter publiquement ! On dit que les vagues ambitions que Mme Erola aurait pu entretenir, par rapport au leadership libéral, furent d'un seul coup balayées.

Qu'une seule gaffe puisse affecter ainsi des carrières aussi prometteuses a de quoi faire réfléchir compte tenu de la façon dont tant d'hommes politiques réussissent à se sortir de situations autrement plus embarrassantes. Gilles Grégoire, par exemple, a été ramené au parlement sous la bannière péquiste et rétabli dans un poste d'adjoint parlementaire après avoir été jugé coupable, en 1980, de deux détournements de mineures devant le Tribunal de la jeunesse. L'ex-ministre Claude Charron raconte dans son récit *Désobéir* que le premier ministre aurait été tenté — n'eût été de la peur de l'opinion publique — de le réintroduire au Conseil des ministres quelques mois seulement après sa retentissante condamnation pour vol à l'étalage. Et lorsque M. Charron publia son livre, au printemps 83, tout le personnel politique du PQ, ministres, directeurs de cabinets, députés, etc., se fit un point d'honneur d'assister au lancement et de célébrer le retour de l'enfant prodigue.

D'autres erreurs, de type professionnel celles-là, ne semblent pas laisser non plus de traces bien profondes quand elles sont le fait de politiciens masculins : qu'on pense au budget raté d'Allan MacEachen en 1981, aux fausses prévisions financières de l'ex-premier ministre Bourassa ou du ministre Parizeau, aux outrances verbales de René Lévesque, aux gestes obscènes de Pierre Trudeau, etc., et qu'on se demande ce qui serait arrivé dans chacun de ces cas si l'erreur ou la gaffe avait été le fait d'une femme.

Un univers masculin

Tout l'univers politique baigne dans des valeurs « typiquement » masculines : compétition forcenée, agressivité, luttes de pouvoir, sacrifice de la vie privée au profit de la vie publique, etc. (Il est d'ailleurs significatif de l'influence grandissante de l'idéologie féministe dans la société que de plus en plus d'hommes refusent aujourd'hui de s'engager en politique parce qu'ils ne veulent pas subordonner toute leur vie affective et familiale à la lutte pour le pouvoir.) Dans cet univers masculin, les femmes sont privées d'appuis comme de réseaux d'entraide et isolées jusque dans l'exercice de leurs fonctions. Même ministre, la femme sera entourée de collaborateurs et de subordonnés masculins.

Au gouvernement fédéral, à l'été 1983, on ne comptait qu'une femme sous-ministre, Huguette Labelle au sous-secrétariat d'État. À part l'Agence canadienne de développement international et (évidemment!) le Conseil consultatif de la situation de la femme, les grands organismes d'État et sociétés de la couronne étaient tous dirigés par des hommes.

Voici comment le journaliste Louis Falardeau évaluait par ailleurs, en janvier de la même année, la performance du gouvernement québécois en ce domaine :

« Après six ans de gouvernement Lévesque, les femmes sont encore presque absentes des hautes sphères du pouvoir.

« C'est ce qui ressort d'une compilation faite par *La Presse* des personnes occupant actuellement les fonctions où se concentre l'essentiel du pouvoir politique, c'est-à-dire celles de ministre, de sous-ministre et de directeur de cabinet, et d'une comparaison avec la situation qui existait en février 1977, trois mois après l'élection d'un gouvernement péquiste.

« Dans chaque cas, c'est la "Liste de la direction des ministères", établie par le cabinet du premier ministre, qui a servi de point de référence.

« On y découvre que les femmes n'occupent que 13 de ces 180 postes stratégiques, c'est-à-dire à peine plus de 7 pour cent. La situation s'est quand même améliorée depuis 1977, alors qu'elles n'étaient que cinq sur 147, ou 3,4 pour cent.

« Il s'agit d'une augmentation théoriquement importante, leur pourcentage ayant plus que doublé ; mais il faut tenir compte du fait qu'elles partaient de presque rien et garder en mémoire qu'elles forment plus de 50 pour cent de la population québécoise.

« C'est ainsi que de dire que le nombre de femmes ministres a doublé en six ans ne signifie pas grand-chose quand on sait qu'il est passé d'un à deux (sur 25 et 27 respectivement) ! Si encore l'importance des portefeuilles qu'on leur confie s'était accrue dans la même proportion, on pourrait commencer à pavoiser. Mais il n'en est rien, puisque les ministères qui ont été attribués à Mmes Marois et Leblanc-Bantey ne leur valent pas encore de siéger au comité des priorités.

« La situation est à peu près la même au niveau des directeurs de cabinet. D'une directrice sur 25 en 1977, on est passé à deux sur 28. Il s'agit de Mmes Nicole Boily, à la Condition féminine, et Nicole René, aux Relations avec les citoyens. Compte tenu qu'il est assez naturel qu'une femme occupe le premier poste, et sans vouloir blesser le Dr Lazure, il faut bien reconnaître qu'encore là le petit nombre n'est pas compensé par l'importance stratégique des fonctions.

« Ce qui étonne d'abord quand on arrive au niveau des sous-ministres, c'est de constater que leur nombre a crû considérablement, passant de 97 à 125, pour une augmentation de près de 30 pour cent. Mais il ne faut pas croire pour autant que le gouvernement a profité de cette forte croissance pour améliorer sensiblement la place des femmes.

« Leur nombre a bien triplé, mais il n'est que de neuf, contre trois en 1977. Elles peuvent espérer atteindre bientôt la dizaine, puisque le poste est vacant à la Condition féminine et qu'il est certain qu'il sera comblé par une femme.

« Mais alors qu'en 1977, les femmes sous-ministres occupaient toutes des postes subalternes (sous-ministre associée ou adjointe), on trouve maintenant deux sous-ministres en titre de sexe féminin. Il s'agit de Mmes Paule Leduc, aux Affaires intergouvernementales, et Juliette Barcelo, aux Communautés culturelles et à l'Immigration. Ce n'est pas encore les Finances, l'Éducation ou les Affaires sociales, mais ça reste un début !

« On constate, en étudiant la liste, qu'aucun ministère ne compte plus d'une femme sous-ministre (même pas la Fonction publique de Mme Leblanc-Bantey), alors qu'il y a parfois jusqu'à neuf de ces postes par ministère. Ce qui pourrait amener les chercheurs de poux et autres pessimistes à dire (mais ces gens-là disent n'importe quoi...) que les neuf élues jouent le rôle de "femmes de service".

« Il serait trop long de faire la liste des ministères qui ne comptent pas de femmes sous-chefs. Nous ne citerons donc que ceux qui

possèdent cinq sous-ministres ou plus, en ajoutant entre paren-
thèses le nombre de ces sous-chefs : Agriculture (6), Conseil
exécutif (7), Énergie et Ressources (8), Finances (5), Industrie,
Commerce et Tourisme (7), Main-d'œuvre et Sécurité du revenu
(5), Revenu (5) et Transports (7).

« Et puisqu'il est encore possible de le faire sans prendre trop
d'espace, ajoutons la liste des sept sous-cheffes (sic) que nous
n'avons pas déjà nommées : Nicole-P. Gendreau (Conseil du
trésor), Nicole Martin (Affaires culturelles), Louise Thibault-
Robert (Affaires municipales), Jeanne-d'Arc Vaillant (Affaires
sociales), Michèle Fortin (Éducation), Michelle Lejeune (Fonction
publique) et Christine Tourigny (Justice) [13]. »

Les arguments qu'on apporte en général pour justifier cet
état de fait sont les suivants : les femmes ne postulent pas, les
bonnes candidates sont rares et, cercle vicieux, peu de femmes
ont l'expérience de l'administration. Pour ce qui est des hauts
postes de la fonction publique, ces arguments ont du vrai. Peu de
femmes ont été formées à l'administration, encore que tous les
emplois supérieurs dans ce domaine n'exigent pas une compétence particulière en la matière et que la motivation, la poly-
valence et le bon sens puissent souvent suppléer à une formation
plus rigoureuse. Mais pour ce qui est des postes politiques, au
sein des cabinets, ces arguments ne tiennent pas : les ministres
ont embauché nombre de jeunes hommes sans qualifications
remarquables et sans expérience administrative. Encore une fois,
on a des critères d'évaluation plus stricts et plus sévères dans le
cas des femmes.

Ce qui est vrai toutefois, c'est que les femmes ont tendance à
attendre qu'« on » vienne les chercher et qu'elles ont besoin,
pour « foncer » plus avant, de beaucoup plus d'encouragement
qu'un homme. Les milieux politiques et ceux de la fonction
publique sont des milieux très durs, qui vivent sous le règne de la
compétition, et qui sont le lieu de multiples conflits, de
mesquineries et d'ambitions dévorantes. Une femme qui n'a pas
une détermination à toute épreuve ne peut pas entrer en
concurrence avec tous ces jeunes loups qui ont déjà, à 25 ans,
tracé leur « plan de carrière », ni faire son chemin à travers tant

---

13. *La Presse*, 11 janvier 1983.

d'embûches, d'intrigues et de préjugés sexistes... à plus forte raison, évidemment, si elle a de jeunes enfants.

La ministre Denise Leblanc-Bantey a bien exprimé cette contrainte lors d'une entrevue avec la *Presse canadienne* : « Pour s'imposer dans ce monde d'hommes, confiait-elle, il faut agir comme eux et, notamment, accepter de se réunir à n'importe quelle heure du jour et de discuter quatre heures durant quand tout pourrait être dit en deux heures. »

« Depuis un an et demi que je suis ministre, disait-elle encore lors des dernières négociations du secteur public auxquelles elle participait comme ministre de la Fonction publique, j'avais presque toujours réussi à me réserver l'heure du souper ou l'heure du coucher de ma fille mais là, ça n'est plus possible... Si tu veux "suivre", il faut te couper de tout. C'est une autre planète, peuplée à 95 pour cent de gars qui ont été libérés de leurs responsabilités familiales quotidiennes. Si, par exemple, une réunion est prévue pour huit heures le soir, les gars vont arriver à neuf heures parce qu'ils ont pris le temps d'aller manger étant donné que personne ne les attendait à la maison. À mon avis, c'est le genre d'habitudes qui va changer quand il y aura 50 pour cent de femmes en politique ou alors lorsque les hommes et les femmes se préoccuperont également des respon-sabilités parentales. »

On dit d'ailleurs que le premier ministre Trudeau, depuis qu'il a la garde de ses trois fils, s'abstient de tout engagement entre six et huit heures du soir pour pouvoir passer au moins deux heures chaque jour avec eux.

Le pouvoir : pourquoi ?

« Beaucoup de femmes sérieuses, écrivait Hélène Pelletier-Baillargeon, doutent d'elles-mêmes à cause de leur soi-disant manque de préparation, sans se donner la peine d'observer qu'un grand nombre de nos représentants élus, non seulement sont d'une ignorance crasse dans tous ces domaines (économie, sciences politiques, droit, administration, etc.) mais encore joignent à leur pauvreté intellectuelle une prétention et une suffisance sans borne qui leur font négliger de s'entourer de conseillers compétents et éclairés pour compenser leurs propres

186

lacunes. Mesure pourtant bien essentielle et que la première ménagère élue député s'empresserait au contraire de prendre [14]. »

On peut, comme le font beaucoup de féministes et pas seulement les plus radicales [15], s'interroger sur l'utilité, pour les femmes, de continuer à vouloir partager une partie du pouvoir politique. On peut décider que cet univers, fondé sur des valeurs autoritaires et répressives, est à rejeter ou à ignorer. Mais cet univers existe, il a une importance capitale et c'est de là que viennent les lois et les règles qui orientent dans une très large mesure nos vies quotidiennes. Personnellement, je crois que les femmes n'ont pas le choix et qu'elles doivent non seulement s'y intéresser mais continuer à y pénétrer, ce qui en soi ne peut pas ne pas avoir à long terme une influence sur les valeurs véhiculées par les formations politiques et l'appareil d'État.

Le grand problème des femmes par rapport au pouvoir tient à leur isolement. C'est parce qu'elles y sont en minorité qu'elles ne peuvent s'appuyer sur des réseaux et « faire passer » des réformes ou de nouveaux programmes en faveur des femmes, c'est parce qu'elles y sont en minorité que rien n'est fait pour alléger le fardeau traditionnel de la double tâche, c'est parce qu'elles y sont en minorité qu'elles s'y trouvent soumises à des jugements déformants, à des exigences inhumaines et renvoyées à de fausses images d'elles-mêmes.

L'entrée d'un plus grand nombre de femmes en politique et aux postes stratégiques de la fonction publique changerait-elle les valeurs de la société et de l'univers politique lui-même ? On ne le sait pas vraiment, car il n'y a aucun précédent en ce sens dans l'histoire humaine. Il y a eu des femmes au pouvoir suprême — Meir, Gandhi, Thatcher, sans compter les quelques reines et impératrices de l'histoire ancienne —, mais elles étaient toujours isolées et entourées de conseillers et d'exécutants masculins, dans une société dominée par la culture patriarcale. L'actualité contemporaine nous montre plusieurs types de femmes au pouvoir : elles peuvent être, comme Margaret Thatcher, des

14. *Maintenant*, n⁰ 140, novembre 1974.
15. Voir *Le pouvoir ? connais pas !* de Lise Payette et « Réflexions désordonnant les femmes du pouvoir » de Yolande Cohen, dans *Femmes et politique, op. cit.*

femmes de droite, mais elles sont souvent plus progressistes que la moyenne des hommes de leur propre parti. C'est le cas de la plupart des femmes politiques qui siègent actuellement à Ottawa et à Québec, notamment de Monique Bégin, Judy Erola, Pauline Marois, Louise Harel, Denise Leblanc-Bantey, Thérèse Lavoie-Roux et Flora MacDonald.

Les exemples sont relativement nombreux de femmes qui, comme Monique Bégin, accordent une priorité absolue aux programmes sociaux et aux mesures concernant les laissés-pour-compte de l'ordre social existant. Elles semblent également plus sensibles aux problèmes qui concernent les minorités en général... Mais toute généralisation est dangereuse, car il est également vrai que souvent les femmes ont tendance à être plus « zélées », plus conformistes que les hommes une fois qu'elles ont accédé à ce pouvoir vers lequel le chemin a été si dur.

Les femmes exercent-elles le pouvoir différemment des hommes ? D'une manière plus « humaine », plus collégiale, moins hiérarchique ? Une fois encore, impossible de généraliser. Les femmes qui sont dans des fonctions d'autorité sont trop peu nombreuses pour qu'on puisse établir quelque constante que ce soit à ce propos. Pour l'instant, la seule chose qu'on sache, c'est que là où il y a eu, de la part des femmes, refus du pouvoir hiérarchique, c'était toujours au sein d'organisations ou d'associations relativement marginales, contre-culturelles, socialisantes ou anarchisantes (au sens idéologique du terme qui implique le refus de l'autorité et de l'État), ou alors dans des milieux très fermés où la notion de « sonorité » (la fratrie au féminin) tenait lieu d'idéologie globale.

Faute d'expériences concrètes (pas seulement au Québec mais ailleurs aussi), on ne sait pas ce qui se produirait si une majorité de femmes avait à administrer un gros budget et à gérer des programmes destinés à l'ensemble de la population. L'hypo-thèse la plus pessimiste, c'est que... ça ne pourrait pas être pire !

Les femmes sont-elles moins portées à s'engager dans des luttes de pouvoir ? Sont-elles plus naturellement solidaires les unes des autres ? Ce que l'on constate, c'est que les ..mmes en politique — ou dans des fonctions de pouvoir analogues — ont tendance à se protéger mutuellement, ou du moins à ne pas s'attaquer ouvertement, et à faire passer les questions de « fond » avant les questions strictement partisanes.

Ainsi en fut-il de l'attitude des femmes du « non » envers Lise Payette et les tenantes du « oui », ainsi que des rapports entre Pauline Marois et Judy Erola qui ont été relativement harmonieux compte tenu des conflits de juridiction entre Québec et Ottawa. C'est à regret, aurait-on dit, que la première s'est dissociée des initiatives pan-canadiennes concernant la condition féminine, au moment où tous les ministres québécois devaient boycotter ce qui venait du fédéral. Par ailleurs, au parlement, les femmes ne se livrent jamais à des envolées *ad feminem* et s'abstiennent en général de s'attaquer directement d'un parti à l'autre. Mais il s'agit peut-être là d'un comportement de minoritaire qui ne résisterait pas à l'entrée massive des femmes en politique.

Un vieux préjugé, enfin, veut que les femmes soient plus « conservatrices » que les hommes. C'est le cas, selon les sondages, de celles qui n'ont aucune activité sociale hors du foyer. Mais toutes les enquêtes montrent qu'à participation égale aux activités socio-économiques, il n'y a pas de différence significative entre les femmes et les hommes à ce sujet.

Leur engagement politique pourra cependant prendre des formes spécifiques, notamment au niveau du langage et des priorités. Les femmes tiennent en général un discours moins agressif, elles évitent les luttes de pouvoir affirmées et les affrontements, et accordent plus d'importance aux objectifs humains, concrets, à teneur sociale et culturelle. Mais cela est-il dû à une différence de nature entre les hommes et les femmes ou à une différence de culture, d'éducation et de socialisation ? Je connais pour ma part bien des hommes qui, face à la politique, seraient portés à réagir « comme des femmes » et qui cherchent des solutions de remplacement au jeu classique du pouvoir et de l'affrontement. Tout le courant contre-culturel des années 60, d'ailleurs, s'inspirait de ce refus de la politique traditionnelle et il était le fait des hommes autant que des femmes.

Les femmes et le syndicalisme

Le syndicalisme est un autre lieu où s'exerce la volonté de pouvoir sur le mode de l'affrontement et même s'il fait partie de la réalité quotidienne d'un grand nombre de femmes au travail, on constate que celles-ci sont absentes des rôles de leadership même là où, comme à la Centrale de l'enseignement du Québec, elles forment la majorité des effectifs de base.

Non seulement d'ailleurs sont-elles absentes des exécutifs, des postes de permanence et des principales équipes de négociation, mais elles participent moins aux assemblées, s'abstiennent en général de prendre la parole au micro et de briguer des fonctions de responsabilité. À la CSN, qui compte 42 pour cent de femmes, elles ne se retrouvent dans les instances décisionnelles que dans des proportions de 18 à 28 pour cent et il n'y en a pas une à l'exécutif [16]. À la Fédération des Affaires sociales, qui compte 75 pour cent de femmes, les trois quarts des négociateurs sont des hommes. À la FTQ, centrale encore plus « masculine » dans la mesure où elle est très présente dans des secteurs comme la construction, la métallurgie et l'industrie automobile, ces tendances sont encore plus marquées.

« Les femmes qui s'activent aux divers échelons de la CSN, écrivent les membres du comité de la condition féminine de la centrale, ne sont pas représentatives de l'ensemble des syndiquées. Elles sont plus jeunes, gagnent un salaire supérieur et sont généralement célibataires. Plus on monte dans la hiérarchie syndicale, plus ces caractéristiques se confirment. On constate le contraire chez les hommes. Le militant moyen est marié, a des enfants et est plus vieux ; ces particularités s'accentuent aux niveaux plus élevés.

« En voulant examiner les causes de l'absence des femmes, poursuivent-elles, force nous fut de nous questionner sur les effets, pour leur militantisme, des enfants et d'un conjoint. Dans nos réunions... un élément qui n'apparaît pas dans les statistiques est ressorti très clairement : les femmes ne militent pas

---

16. Rapport du comité de la condition féminine au 51e congrès de la CSN, Québec, mai 1982.

parce qu'elles rejettent le syndicalisme pratiqué présentement dans la centrale et qui pourrait être qualifié de "syndicalisme au masculin". »

Les résultats du sondage effectué par ce comité étaient on ne peut plus clairs à cet égard. Les femmes membres d'exécutifs locaux étaient, en 1980, au nombre de 248. Plus de la moitié avait moins de 30 ans et presque toutes (85,7 pour cent), moins de 40. Trente-six pour cent étaient célibataires et 56 pour cent n'avaient pas d'enfant. (Les autres n'avaient en général qu'un ou deux enfants). Ces chiffres prennent plus de relief encore quand on sait que 57 pour cent des travailleuses québécoises sont mariées et que 87,1 pour cent ont des enfants.

Pour la mère de famille au travail, l'engagement syndical est une tâche qui s'additionne aux deux autres (ses responsabilités familiale et professionnelle). Qui veut donc du fardeau de la triple tâche ? Le même sondage révèle d'intéressantes disparités dans la façon dont les militants de la CSN voient leurs fonctions parentales selon qu'ils sont hommes ou femmes. Interrogées sur les raisons de leur non-participation aux activités syndicales, 35 pour cent des femmes disent que c'est à cause des enfants et de la famille, 21 pour cent, à cause des horaires, 15 pour cent, à cause du conjoint et 12 pour cent, à cause du ménage. Seulement 10 pour cent disent que c'est par manque d'intérêt, 7 pour cent, par manque de confiance et 5 pour cent, par manque de connaissance. Par ailleurs, 41,2 pour cent des militantes affirment que la garde des enfants leur impose des contraintes quant à la régularité de leur travail, mais tous les hommes sans exception se déclarent satisfaits à ce chapitre ; 81,8 pour cent des femmes se sentent à cause de cela limitées dans leur militantisme, ce qui n'est le cas que de 33,3 pour cent des hommes. Les femmes sont également plus nombreuses (11 pour cent) que les hommes (1 pour cent) à se sentir coupables lorsqu'elles s'absentent. Autre disparité révélatrice : 53,8 pour cent des militantes se disent satisfaites du partage des tâches avec leur conjoint, mais 77,8 pour cent des hommes ont la même réponse... ; 38,5 pour cent des femmes sont « peu satisfaites » ou carrément insatisfaites à cet égard tandis que ce n'est le cas que de 11 pour cent des hommes. Enfin, parmi toute une liste de clauses à négocier pour la prochaine convention, ce sont des clauses familiales (garderies

et horaires flexibles) qui récoltaient la majorité des voix féminines (44 pour cent) tandis que ces thèmes n'intéressaient que
15 pour cent des hommes.

« Les syndiquées, poursuivent les auteurs du rapport, semblent
hésitantes à parler du rôle du conjoint. Une femme nous a
mentionné son divorce précipité par sa participation à une ligne
de piquetage. Une autre fut "mise à la porte" par son conjoint
après quinze ans de mariage parce qu'elle était allée à une
réunion du comité de la condition féminine de son conseil
central. Moins dramatique mais tout aussi épuisante est la
désapprobation subtile mais continue de la part de certains
maris. Ceux-ci, lorsqu'il y a des enfants, vont même jusqu'à
camoufler leur désaccord en prétendant que les enfants souffrent
de l'absence de leur mère. D'autres conjoints ridiculisent carrément l'implication syndicale des femmes. Finalement, rares sont
ceux qui ne seraient pas heureux et soulagés de voir leur femme
quitter leurs activités syndicales. »

Ici encore, il y a conflit d'images. La femme qui se bat, qui
revendique, qui manifeste, qui porte une pancarte, qui milite
coude à coude avec des camarades, est-elle une « vraie femme » ?

L'univers du militantisme syndical est en outre peu accueil-
lant pour les femmes et rares sont celles qui s'y sentent vraiment
à l'aise. C'est un univers d'hommes en lutte, perpétuellement
engagés dans des « rapports de force » (le rapport de force est le
credo de l'action syndicale), où les affrontements et les luttes de
pouvoir sont d'autant plus vifs que personne n'y assume les
responsabilités qui d'ordinaire accompagnent l'exercice du pouvoir. Le langage et la pratique syndicaux conviennent mal à la
façon dont la femme a été élevée et socialisée. Une femme,
d'ailleurs, n'arrive jamais à s'y initier sans avoir l'air d'une
fanatique : les mots sont trop crus, les gestes trop violents, les
rapports interpersonnels trop froids et trop brutaux.

J'ai constaté, dans mon milieu de travail syndiqué, que ces
barrières ne tombent que dans des « cas d'urgence », lorsque les
conflits de travail ont atteint une acuité telle que l'unité se fait
naturellement, presque organiquement, du côté syndical, au-
delà des styles et des nuances. Autrement, dans le cours ordinaire
de la vie d'un syndicat, il y a, très clairement, dichotomie.

Presque toujours, les femmes ont tendance à voter dans le sens de la modération. C'est aussi le cas de beaucoup d'hommes, bien sûr, mais la différence réside dans le fait que les femmes votent en bloc dans le même sens alors que les hommes votent dans des sens souvent opposés, selon leurs tempéraments, leurs intérêts et leurs convictions. Or, ces femmes ne sont pas plus conservatrices que leurs collègues masculins, au contraire. Elles seraient même, en général, plus ouvertes aux nouveaux courants de pensée, plus portées à favoriser des mesures sociales progressistes, moins « bourgeoises » dans leur style de vie.

Alors ? Qu'y a-t-il dans cette forme de militantisme qui semble les rebuter ? Il y a, comme je l'ai dit plus haut, le style, le langage, le comportement systématiquement fondé sur l'antagonisme et le rapport de force, alors que les femmes, elles, ont été habituées à contourner les obstacles et à négocier leur statut.

J'ai également la conviction profonde que les femmes n'envisagent pas leur travail comme les hommes. Elles se satisfont en général de moins et éprouvent moins de frustrations si leurs ambitions sont limitées par quelque décision patronale, pour l'excellente raison qu'elles ont (été entraînées à avoir) moins d'ambition que les hommes. Les femmes qui ont un emploi convenable sont en général fort heureuses de l'avoir et se considèrent privilégiées, justement parce qu'elles n'auraient jamais cru, dans leur adolescence, qu'elles se rendraient « jusquelà. » Les hommes, au contraire, ont toujours eu des aspirations professionnelles plus élevées. Dès que quelque chose accroche, ils sont plus portés à se révolter et le militantisme syndical est souvent, pour eux, une façon d'exercer un leadership qu'ils mettraient en pratique sur le plan professionnel si l'occasion leur en était donnée. (Effectivement, nombreux sont les patrons de presse qui furent auparavant d'actifs leaders syndicaux.)

Mais il y a autre chose — et qui est capital — dans le militantisme syndical : le chambardement des horaires, la triple tâche.

Madeleine, 34 ans, enseignante, ex-secrétaire de son syndicat : « Nous étions cinq à l'exécutif : Pierre, Marc, Louis, Jean et moi. Durant toute l'année, les votes ont été polarisés : trois à deux, Jean et moi votant toujours du même côté. Mais il y avait d'autres différences. Pierre a 32 ans, il est célibataire. Marc a à peu près le même âge et il est divorcé. Louis est plus vieux et marié mais libre comme l'air. Deux d'entre eux ont des enfants, mais ils ne les voient pas souvent. Moi, par contre, j'ai un mari et un fils qui s'attendent à ce que je sois à la maison le soir. Et Jean a deux enfants, une femme qui travaille et tous deux partagent les tâches. Il veut, comme moi, rentrer à une heure décente à la maison et ne pas passer toutes ses soirées, encore moins ses week-ends, en réunions qui n'en finissent plus. Alors, tu vois le portrait : les trois autres trouvaient toujours le moyen de convoquer des assemblées à la fin de la journée et ils les poursuivaient le soir au restaurant, puis dans les bars. C'est là que tout se décidait : les orientations, les stratégies, les tactiques... Un jour je me suis dit : Ça suffit. J'ai ma famille, mon travail et pourquoi en plus faudrait-il que je me fasse c... par ces trois mecs qui n'ont rien d'autre à faire dans la vie, une fois leurs heures de travail finies, que de traîner dans les bars ? »

Les militantes de la CSN qui ont écrit le rapport cité plus haut disent la même chose : « Pour les militantes qui ont réussi à s'introduire dans ce monde autoritaire, macho et sectaire, la désillusion a souvent été très amère. Elles se sentent manipulées par les hommes. Plusieurs femmes ont raconté ainsi l'histoire de leur arrivée sur la scène syndicale : "Il y avait une équipe d'hommes et à la dernière minute ils ont cherché une femme pour le poste de secrétaire ou de déléguée au poste de la condition féminine. Ils ont fait le tour de toutes les filles qui semblaient dociles. Les filles ont refusé et finalement j'ai décidé d'essayer. Mais quand j'ai commencé à comprendre leur fonctionnement et à donner mon opinion, ils ont commencé à dire que je nuisais au travail de l'équipe, que je n'étais pas assez disponible et ils m'ont suggéré de démissionner..." »

Une autre femme, Denise Beaudoin, ex-membre d'un comité de négociation de chargés de cours à l'université, raconte ainsi son expérience : « J'étais la seule femme au comité... Quand la pression a commencé à se faire sentir, les trois gars passaient par-dessus des choses importantes, comme les repas. On était complètement déconnectés du monde. Souvent, à trois heures du matin, on attendait encore la réponse patronale... On se couchait à cinq heures du matin et on se relevait à dix heures.

« Mais, demande-t-elle, est-ce qu'une négociation doit être basée sur la forme physique, sur la capacité de "toffer" jusqu'à trois heures du matin ? On jouait sur l'horaire pour faire lâcher les morceaux. C'est très "gars", c'est un jeu d'échec : mettre l'autre en position de faiblesse et frapper. Ça devient un affrontement d'individu à individu. C'est stupide. Je n'ai pas à défendre ma force physique mais le groupe que je représente... Mais je ne connais pas d'autre modèle de négociation... Souvent, je sentais que mon point de vue n'était pas aussi valorisé que celui des autres. Avant que ma position soit acceptée, il fallait qu'elle soit endossée par quelqu'un d'autre. Quand le conseiller syndical arrivait et disait la même chose que moi, alors les gars changeaient d'attitude. »

8

LE FÉMINISME
Ou l'histoire qui se fait

Ironie du sort : ce sont deux hommes qui les premiers m'ont parlé du féminisme. Et ils portaient le même prénom ! L'un s'appelait Mark, c'était un socialiste anglophone, l'autre s'appelait Marc, c'était un indépendantiste francophone.

1969 : l'université McGill, comme l'ensemble des campus, est agitée par un mouvement de contestation étudiante. Je couvre ces événements pour *La Presse*. Un soir que je m'attarde dans les locaux du *McGill Daily*, le journal des étudiants de l'institution, l'un de ses rédacteurs m'interroge : « Du côté francophone, dites-moi, y a-t-il des mouvements féministes ? »

La question me surprend. Je hausse les épaules, réprimant un geste d'agacement : « Le féminisme ? Vous voulez dire les histoires de suffragettes ? Ah non, c'est fini tout ça, personne n'en parle. Ce qui compte parmi les francophones, c'est la question nationale et les problèmes sociaux... Les femmes sont sur un pied d'égalité. Le féminisme ? Mais pourquoi le féminisme ? »

Il insiste : « Aux États-Unis, c'est un mouvement qui monte... Et chez nous, à Montréal, en milieu anglophone en tout cas, c'est un gros sujet de débat. Au *McGill Daily*, par exemple, et dans les groupes d'étudiants radicaux, les filles commencent à se plaindre d'être reléguées dans des fonctions secondaires. Elles disent qu'elles en ont marre de faire du café, de recopier nos textes, d'obéir aux mots d'ordre définis par les gars et d'être traitées comme des femmes objets, comme des objets sexuels... »

J'éclate de rire. Un peu plus et je lui répondrais que tout cela n'a à voir qu'avec le puritanisme anglo-saxon et que nous, les

Latins, nous ne sommes pas comme ça. « Mais qu'est-ce qu'elles veulent, vos camarades ? Qu'on les traite comme si elles étaient des hommes ? Qu'est-ce qu'elles ont contre le flirt ? »

Je confondais tout. Issue d'une société qui avait été la dernière en Amérique à consentir aux femmes des mesures d'égalité aussi élémentaires que le droit de vote et l'accès à l'instruction supérieure, obnubilée par la question nationale qui mobilisait à l'époque toutes les énergies des jeunes et des intellectuels, je n'avais pas vu venir ce mouvement, je ne l'avais même pas senti émerger, parce qu'autour de moi personne n'en parlait et que j'étais moi-même profondément ignorante de l'histoire passée et présente des femmes. On savait vaguement qu'il y avait des « hystériques » américaines qui avaient brûlé leurs soutiens-gorge sur la place publique et c'était tout. Les femmes que je connaissais parlaient entre elles de leur travail, de leurs études, de leurs amours, mais jamais d'elles-mêmes en tant que femmes, jamais de ce qu'on appelle aujourd'hui la condition féminine.

Encore une fois le Québec francophone faisait figure d'îlot : car à la même époque, l'idéologie néo-féministe avait commencé à pénétrer tous les milieux progressistes nord-américains et partout les femmes entreprenaient cette longue réflexion qui allait les mener hors des sentiers battus.

C'est vers la même époque que l'autre Marc, un vieux copain que je voyais de temps à autre, allait aborder le sujet. Je m'en souviens encore : nous étions en auto, boulevard Dorchester...

— Qu'est-ce que tu penses du féminisme ? demande-t-il à brûle-pourpoint.

— Très peu pour moi, mon cher. Je n'ai rien contre les hommes !

— Mais ça n'a rien à voir. C'est contre la discrimination que les féministes en ont.

— La discrimination ? Quelle discrimination ? Une femme compétente peut avoir exactement la même chose qu'un homme, le même travail, le même salaire, les mêmes avantages. Et les injustices sociales touchent autant les hommes que les femmes ; il y a des hommes sous-payés et exploités, je ne vois pas pourquoi il faudrait aborder la question différemment quand il s'agit des femmes. Ce qu'il faut, ce sont des changements politiques qui touchent tout le monde.

Il insiste : « Mais toi, tu n'as jamais senti quelque chose qui ressemblerait à de la discrimination, même subtile ? »

J'évite la question : « Aujourd'hui en tout cas, je n'ai pas de problèmes. Pas du tout. Alors si moi je suis capable d'être journaliste, comme un homme, je ne vois pas pourquoi les autres ne pourraient pas faire la même chose. »

Marc sourit : « C'est bizarre de t'entendre parler comme ça. Tu réagis exactement comme ces Canadiens français qui ont "réussi" à Ottawa ou dans les affaires et qui disent : "Il n'y a pas de problème national, il n'y a pas de discrimination contre les francophones, prenez mon cas, moi j'ai réussi alors..." »

Je reste bouche bée. Là, il m'a eue... et, imperturbable, il continue : « Tu serais la première à dire que ces gens-là réagissent comme des individualistes inconscients, comme des colonisés. Mais sur la question des femmes, tu reprends mot pour mot les arguments de la parfaite colonisée ! »

Cette conversation me trottait dans la tête. Je ne pouvais pas ne pas voir que Marc avait raison et que quelque chose me retenait de me rendre à ses arguments. Quelque chose qui devait être très profond, qui devait venir de très loin et qui devait ressembler à une sorte de peur.

On ne renverse pas facilement les résultats d'un conditionnement séculaire, car chacun porte en soi, transmise par l'éducation et les mass média, l'idéologie des générations antérieures ; je portais donc en moi les attitudes de toutes les femmes qui m'avaient précédée. Toutes sortes de choses objectivement anormales m'apparaissaient, à moi, normales : pour rester « féminine » et digne d'être aimée, une femme devait adopter ces comportements appris dès l'enfance : la passivité, la coquetterie, la dépendance. Et si d'aventure elle avait une profession, elle devait s'arranger pour qu'on l'oublie, histoire de se faire pardonner cet accroc à la norme de la féminité. Elle ne devait jamais s'attendre à un traitement égal, elle ne serait jamais prise au sérieux autant qu'un homme... encore chanceuse si, comme moi, elle bénéficiait de la parité de salaire et avait réussi à se tailler une petite place dans un milieu de travail.

Quelque part en moi il y avait cette certitude irrépressible qu'une femme n'est jamais, jamais aussi compétente qu'un homme sauf dans les matières qui lui ont été dévolues, les soins aux enfants, le travail ménager, le domaine de la tendresse. J'avais beau savoir que ma mère était aussi intelligente et aussi active que mon père, j'avais beau être moi-même engagée dans un métier que j'aimais beaucoup, je ne pouvais pas me dégager de ce sentiment d'infériorité qui me portait à nourrir envers les femmes, et donc envers moi-même, les préjugés des hommes.

Les féministes? Elles criaient pour rien. Et ces cris-là risquaient de « monter » les hommes contre nous. Ce qui comptait dans la vie, c'était l'amour d'un homme et il fallait, pour l'obtenir ou le garder, se conformer aux normes apprises.

J'allais apprendre avec le temps qu'en réalité on est bien mieux aimé quand on a appris à s'aimer soi-même et qu'on aime d'autant mieux qu'on est soi-même autonome, mais à l'époque...

L'autre jour, en faisant le ménage dans mes vieux papiers, j'ai trouvé un petit texte que j'avais écrit vers l'âge de 16 ou 17 ans. Je le transcris ici textuellement, dans toute sa kétainerie et à ma plus grande honte, car je pense qu'il est révélateur de tout un état d'esprit fort répandu à l'époque chez les filles de ma génération.

Le titre était : « Cet être qu'on appelle encore la femme... », et j'écrivais : « Elle a coupé ses cheveux, retroussé ses manches et s'est écriée : "À nous l'égalité, à nous la liberté, à nous le monde moderne !" Et, d'autorité, elle s'est dressée, gesticulante, sur la tribune électorale, elle a saisi le scalpel du chirurgien, elle a coiffé sa jolie tête du casque du policier et elle est entrée dans le laboratoire du chimiste en s'écriant : "Me voici ! Je viens sacrifier à la Science mon charme et ma féminité !" Résultat : le monde ne va pas mieux, les ménages non plus, car la femme a oublié qu'elle était avant tout une *femme*, dont la tâche est d'aimer et d'être aimée et d'apporter dans le monde un souffle de délicatesse, de bonté et de féminité. Et tout ça parce qu'elle ne s'est pas encore rendu compte que, si la dignité de la femme est bien égale à celle de l'homme, la femme ne peut être considérée sur le même plan que lui : la femme n'est ni inférieure, ni supérieure à l'homme, elle en est tout simplement différente... et c'est cela qui fait tout son charme. »

Un peu plus tard, vers 20 ans sans doute, j'ai écrit un autre texte... que je ne retrouve plus. Celui-là était pire que le premier, parce qu'il avait été « commis » plus tard et publié dans *Cité Libre*. C'était une espèce de pamphlet très polémique où je répondais à une femme qui avait posé, dans un numéro précédent de la revue, le problème de la condition féminine. En quels termes, je ne m'en souviens pas, mais elle tenait un discours féministe. Je lui avais vivement répliqué, du haut de ma grande expérience de la vie (!), que la femme était « la femme », etc. J'ai oublié les mots et les phrases, mais je sais que le ton était emporté et assez racoleur. Je me rappelle aussi qu'après la publication de mon article, j'avais rencontré cette femme dans un lancement de livres. Elle avait certainement de 10 à 20 ans de plus que moi. Quelqu'un nous a présentées l'une à l'autre. Elle s'est contentée de me serrer la main avec un petit signe de tête, sans dire un mot. Je me suis vite esquivée. Je ne l'ai jamais revue. J'ai d'ailleurs oublié son nom. Peut-être a-t-elle pensé qu'avec le temps je comprendrais. Hé bien oui, madame, avec le temps j'ai compris.

J'ai même compris assez vite, compte tenu du fait que je partais, comme on l'a vu, de fort loin...

C'est en lisant un livre après l'autre, que j'ai appris à me familiariser avec cette idéologie qui me faisait si peur et que je connaissais si mal. Ce fut un apprentissage facile, simple, naturel : les auteurs féministes, tant anglophones que francophones, parlaient un langage que je comprenais d'instinct et mes réserves tombaient l'une après l'autre comme des fruits mûris à point, parce que ce qu'elles disaient correspondait généralement dans une large mesure à mes propres expériences, à ce que j'avais vécu sans vraiment m'en rendre compte.

J'ai commencé à lire *La femme mystifiée* de Betty Friedan avec un stylo et un calepin, histoire d'écrire un article contre ce livre. J'étais sûre, au départ, que je serais contre ! À la troisième page, j'avais laissé tomber et le stylo et le calepin. Je n'avais plus rien à dire, elle avait raison. Et dans ce livre qui parlait des ménagères des banlieues américaines, je me reconnaissais à chaque ligne. Je reconnaissais ce que je serais devenue si le sort en avait voulu autrement, je reconnaissais ici une partie de moi, là une autre partie de moi... Ce livre parlait des femmes et j'en étais une.

Si je parle de moi, c'est parce que je crois que mon histoire n'a rien d'exceptionnel et que j'ai suivi, grosso modo, le même cheminement, et à peu près au même rythme, que beaucoup de femmes de ma génération. J'en ai d'ailleurs la preuve autour de moi : je ne connais pas une seule femme qui ne se sente à un degré ou un autre concernée par les débats sur la condition féminine et, dans presque tous les cas, cet intérêt s'est manifesté graduellement, presque insensiblement, vers les débuts des années 70, au moment où le Québec allait s'ouvrir à son tour aux courants néo-féministes.

Il n'y a pas de génération spontanée : le mouvement féministe des années 60 se situait dans le prolongement d'un courant qui trouve ses origines dans des écrits isolés et parsemés tout au long de l'Histoire (ainsi, Platon écrivait qu'il n'y a pas, entre les femmes et les hommes, de différence de « nature » mais des différences de « culture » ; si l'éducation les y préparait, arguait-il, elles pourraient être elles aussi aux postes de commande de la Cité idéale).

Au début du siècle, partout en Occident, des femmes avaient lutté pour obtenir ces droits fondamentaux dont nous avons parlés (le vote et l'instruction) ou pour tenter de soulager un tant soit peu la misère des ouvrières qui, dans les villes en expansion, se tuaient au travail tout en portant le fardeau de la reproduction des sociétés. Mais ces premiers coups portés à l'ordre établi, aussi modérés semblent-ils aujourd'hui, étaient trop subversifs. C'est par le ridicule qu'on tua le mouvement. Ces femmes étaient des « viragos », des « précieuses ridicules », des folles, des hystériques, les sorcières du XXᵉ siècle. Puis, elles sombrèrent dans un long silence, comme si l'Histoire officielle avait voulu effacer jusqu'à leur souvenir. Au Québec, les plus connues s'appelaient Marie Gérin-Lajoie, Idola Saint-Jean, Thérèse Casgrain. Sait-on que, parmi la génération des femmes qui ont aujourd'hui plus de 70 ans, un certain nombre étaient féministes avant la lettre ? La mère du ministre Jacques Parizeau, par exemple, luttait aux côtés de Mme Casgrain dans les années 30 pour faire reconnaître le droit de vote des femmes aux élections provinciales.

Par la suite, d'autres femmes devaient, mais plus discrètement et sur un mode plus conservateur, entretenir le débat. Il s'agissait surtout alors de revendiquer des normes minimales d'égalité — dans les salaires par exemple — et de promouvoir l'accès de certaines femmes, plus ou moins exceptionnelles, à divers postes. Mais on ne s'attaquait pas aux structures de la société, à celles qui fondent l'organisation du travail et l'organisation familiale, on ne remettait pas en cause la division des rôles et des tâches selon le sexe, et aucune recherche un peu poussée, aucune étude théorique ne venait alimenter les discussions.

Le deuxième sexe, publié après la guerre, constituait à peu près le seul cadre de référence accessible aux francophones québécoises, mais la minorité qui l'avait lu n'en parlait pas trop, tant l'agressivité qu'avait suscitée ce livre était forte et menaçante. Le verdict était simple : Simone de Beauvoir était une folle et même pas une vraie femme, n'ayant pas eu d'enfant et cohabitant avec un philosophe subversif.

La renaissance du féminisme allait, ici comme ailleurs, coïncider avec une période d'expansion économique et intellectuelle. Ce fut, pour ce qui est du Québec, le fruit le plus tardif de la Révolution tranquille.

Les remises en question

1965 : Thérèse Casgrain n'a rien perdu de sa combativité et fonde avec d'autres la Fédération des femmes du Québec qui regroupe une trentaine d'associations et revendique, notamment, la formation d'une Commission royale d'enquête sur le statut de la femme. La commission Bird commence à siéger deux ans plus tard. Bien des injustices y seront révélées, mais cela n'aboutira qu'à la création d'autres organismes : des conseils consultatifs auprès des gouvernements fédéral et provinciaux, chargés à leur tour de poursuivre les études et de faire des recommandations aux gouvernements.

D'étude en étude et d'une recommandation à l'autre, le sujet reste dans l'air mais rien ne change vraiment. Peu à peu, le

mouvement des femmes devient plus actif, s'élargit et se sub-
divise en divers courants, qui constituent aujourd'hui un éventail assez large, allant d'un progressisme modéré au radicalisme.

La FFQ, étant une fédération d'associations, reste forcée
d'adopter des positions qui la situent, pourrait-on dire, au
centre, quoiqu'elle abrite en son sein une grande diversité
d'opinions.

D'autres associations, comme l'AFEAS, qui se situent dans
un courant plus conservateur, continuent à s'occuper patiem-
ment de problèmes concrets et essentiels comme le statut de la
femme collaboratrice du mari. Des associations de longue
tradition, le YWCA par exemple, ont eu un regain de vigueur
sous la poussée féministe.

Partout, le foisonnement d'associations, de groupes, d'initiatives et d'entreprises est phénoménal. Que ce soit dans les
centrales syndicales ou au sein des partis politiques, les femmes
ressentent le besoin de se regrouper dans des comités parallèles,
afin de mieux analyser et piloter des revendications qui autrement risqueraient de se « noyer » dans le cours habituel d'une
action surtout orientée par les hommes. C'est à la fois la prise de
parole et l'explosion : la montée du féminisme n'a pas fini de
secouer l'univers politique traditionnel, non seulement à droite
mais à gauche aussi. Ainsi est-ce en partie à cause du refus de
leurs militantes féministes de se conformer aux schémas classiques de l'analyse et de la pratique marxistes que des groupes
d'extrême-gauche ont éclaté. Au sein des mouvements nationalistes, qui reposaient largement jusque-là sur la participation des
femmes et sur une idéologie de type familial (on parle toujours
de la « langue maternelle », on dit que c'est la femme-mère qui
transmet les valeurs nationales), le mouvement féministe a
également eu un effet qui reste à étudier mais dont on peut déjà
dire qu'il a brisé les cloisons étanches de la nation et établi des
solidarités entre les Québécoises francophones et les autres
femmes nord-américaines. (Significativement, le livre que j'ai
souvent cité ici, *L'histoire des femmes au Québec*, écrit par quatre
historiennes réunies au sein du « collectif Clio », réserve deux
lignes à la conquête de 1760 qui, dans tout livre d'histoire
« ordinaire » serait l'un des événements marquants ; l'ouvrage

fait aussi grand état, rendant ainsi justice à l'histoire réelle, des réalisations des féministes anglo-québécoises.)

Sous l'influence conjuguée des conseils consultatifs fédéral et provinciaux, des militantes féministes des centrales syndicales et des partis politiques (au Parti québécois notamment) ainsi que de toutes ces associations préoccupées de la condition féminine, les gouvernements ont bougé.

Il y a eu des réformes. Des réformes incomplètes et insuffisantes mais réelles : libéralisation (relative) de la loi sur l'avortement, implantation d'un réseau de garderies, octroi de congés parentaux avantageux dans le secteur public et de congés de maternité minimaux pour toutes les travailleuses, réforme du système de perception des pensions alimentaires, légère (trop légère) amélioration du statut de la femme collaboratrice du mari, qui, théoriquement, a au moins le droit de recevoir un salaire, désexisation progressive des manuels scolaires et de la publicité, nomination de femmes à des postes d'autorité non traditionnels (ainsi le premier président de la Régie de l'assurance-automobile a-t-il été une présidente..., ce qui évidemment découle du fait que Mme Payette était alors ministre responsable de la Régie), éclatement des ghettos d'emplois, réforme complète du Code civil au chapitre du droit de la famille, etc.

Aujourd'hui, le Québec peut modestement se vanter d'avoir en un temps record rattrapé bien des retards historiques, puisqu'il est aujourd'hui plus avancé dans les réformes concernant les femmes et la famille que l'ensemble des provinces anglaises. Et s'il est en arrière des États-Unis dans des champs comme celui de l'*affirmative action* (action positive), il a depuis longtemps dépassé son puissant voisin dans bien des secteurs (congé de maternité, santé-sécurité au travail, etc.).

La récession économique de la fin des années 70, qui a brutalement réduit les nouveaux programmes et entravé l'entrée des femmes dans divers secteurs du marché du travail, a eu l'effet d'un barrage venant soudainement bloquer le cours d'une rivière qui chaque jour se gonflait de nouveaux affluents. Le courant réprimé s'est répandu un peu partout ; si le phénomène marque un recul dramatique, il a aussi un aspect positif : l'eau ainsi sortie du lit de la rivière peut maintenant irriguer la terre plus en profondeur et sur une plus grande surface.

Car l'influence du mouvement féministe va bien au-delà des changements législatifs.

Aucun secteur n'échappe aux remises en question suscitées par le féminisme : ni l'industrie des produits domestiques, qui repose sur l'enfermement de la femme, ni celles des cosmétiques, de la mode et de la publicité, basées sur l'idéal terrifiant de la jeunesse-beauté-minceur... terrifiant, car la plupart des femmes ne sont ni assez belles ni assez minces pour s'y conformer et que la jeunesse est un état temporaire, ni le système scolaire, qui véhicule la plupart des conditionnements, ni la médecine, ni le droit, ni la psychanalyse (qui a reçu du féminisme un flot continu d'informations sur ce « continent noir » que Freud et ses successeurs n'avaient pas été capables d'explorer).

L'industrie des mass média a vu naître, toujours sous la poussée du mouvement féministe, une foule de publications axées sur les nouveaux intérêts des femmes en même temps qu'une nouvelle sorte de publicité non sexiste, où l'on représente la femme au travail, en voyage, en situation d'autorité. Dans le monde de la recherche, l'idéologie féministe a fait partout sa marque, en suscitant la création de centres d'études axés sur les femmes (comme l'Institut Simone-de-Beauvoir à l'université Concordia) ou l'inclusion de l'approche féministe dans les cours, les travaux et plusieurs champs de réflexion. Une discipline comme la criminologie, par exemple, s'est transformée sous l'effet du féminisme : tandis que les travaux des dernières décennies portaient surtout sur le criminel, le délinquant — dont la criminologie progressiste voulait protéger les droits —, on commence maintenant à s'intéresser également aux victimes. C'est la réflexion sur le viol qui a déclenché cette révision.

L'approche féministe transforme le concept, sinon la réalité, de la maternité, remet en lumière le rapport de l'enfant au père et à la mère (et, notamment, la relation mère-fille tradition-nellement négligée par la psychologie) et modifie aussi peu à peu l'organisation du travail.

C'est le mouvement des femmes, plus que n'importe quel autre type d'action, qui est à l'origine d'initiatives comme les horaires flexibles, la redéfinition du temps de travail, la notion de l'éducation permanente, l'exploration de nouveaux modes de gestion fondés sur la collégialité davantage que sur l'autorité.

Les ghettos d'emplois évoluent aussi. Le mouvement est plus fort aux États-Unis, parce que c'est là qu'il est né, mais il se répercute ici aussi. Les femmes sont entrées dans la marine au long cours, dans la construction lourde (où la machinerie moderne requiert bien davantage le sens de la précision que la force musculaire), dans les corps de police et de pompier (on ne dit plus *policeman* mais *policeperson*, etc.). À Montréal, suivant en cela l'exemple de Paris où les femmes sont nombreuses dans ce métier, il y a de plus en plus de femmes au volant d'un taxi : « C'est un métier libre, me disait l'une d'elles, je travaille à mes heures, j'aime conduire et voir de nouveaux visages. Je préfère ça à un travail sédentaire de vendeuse ou de secrétaire. »

Il y a maintenant des femmes astronautes. En minorité bien sûr. Mais le simple fait qu'il y en ait une, deux ou trois dont la photo paraît partout va donner à des milliers de petites filles le désir de devenir astronaute, ou à défaut, pilote ou chauffeur d'autobus... Au sujet des chauffeurs d'autobus : j'ai assisté, lors des grèves du service de transport en commun montréalais au plus froid de l'hiver 1982, à une assemblée des chauffeurs de la CTCUM... 2 000 hommes dans un climat survolté. Il y avait parmi eux une infime minorité de femmes — moins de dix je crois. Durant la discussion où le mouvement de grève l'emportait de toute évidence, l'une d'elles s'est avancée au micro et, sous les huées, a déclaré qu'elle était contre la grève, parce que c'était inhumain pour les citoyens, surtout pour les plus vulnérables d'entre eux. Elle était, cette femme, si minoritaire — deux fois minoritaire — et en même temps si forte, car peu d'orateurs osaient aller à contre-courant du mouvement général, que c'est à peu près la seule image que j'ai gardée en tête de cette assemblée.

Bien sûr, beaucoup reste à faire, mais un peu partout des portes jusque-là fermées s'entrebâillent.

Ainsi, à la télévision, une annonce d'une école de métiers montre une fille, mince et superbe, cheveux au vent, jeans moulants, qui débute dans le métier d'électricien... sans avoir apparemment perdu une once de sa « féminité ».

Récemment, une jeune femme était admise à un cours de soudure au Centre de main-d'œuvre, avec l'appui de la Commission des droits de la personne et du Conseil du statut de la femme. « Ce n'est pas un métier pour une femme, s'était-elle fait dire, aucun employeur ne vous engagerait... Et puis vous n'avez pas la force physique nécessaire. »... Mais elle n'était pas d'accord : « On me parle de grosses bonbonnes à changer... mais on oublie que des bonbonnes, ça ne se porte pas comme un bébé. Elles sont sur des roulettes ! Pour le reste, une femme, même très délicate, peut être très compétente. »

À l'inverse, poussés par la nécessité économique, bien des jeunes gens entrent maintenant dans les ghettos féminins. On entend de plus en plus souvent des voix masculines au service d'assistance de la société Bell. Il y aura sans doute bientôt des hommes dans les emplois de secrétaires. Il y a déjà des hommes dans les emplois d'infirmières. Signalons à ce propos l'une des — nombreuses — incongruités du vocabulaire professionnel, qui montre bien à quel point l'homme valorise indûment tout ce qui le concerne : à l'époque où toutes les infirmières étaient des femmes, on réservait le titre « infirmier » à une fonction non pas équivalente mais subalterne, celle qu'on appelle maintenant « préposé aux malades ». Par ailleurs, dès l'instant où il y a eu des hommes infirmières, on s'est empressé de changer le nom des syndicats et associations en y ajoutant le terme « infirmier », comme l'avait fait l'ancienne corporation des « instituteurs et institutrices »... Mais quand un certain nombre de femmes pénètrent dans un ghetto masculin — chauffeurs d'autobus, policiers, menuisiers ou médecins —, on est moins pressé de transformer le sigle de l'association !

Les métiers féminins

Il ne faut pas tout confondre ni tout exagérer : ce n'est pas parce que le métier de policier est plus gratifiant et plus intéressant que celui d'infirmière qu'on se félicite de voir plus de femmes devenir policières ou plus d'hommes devenir infirmiers. La plupart des emplois des ghettos masculins ne sont pas plus utiles ni plus valorisants que ceux des ghettos féminins. Mais ils sont en général — parce que ce sont des hommes qui les ont occupés traditionnellement — mieux payés et syndiqués.

Dès le moment où les hommes commencent à entrer dans un ghetto d'emplois féminins, on peut prévoir que les conditions de travail s'y amélioreront. Par ailleurs, en pénétrant dans les ghettos masculins, les femmes ont plus de chances de bénéficier de la parité salariale. Le danger réside dans la formation de nouveaux ghettos féminins : ainsi en URSS, la médecine est devenue une profession très majoritairement féminine et le statut social des médecins a décru dans la même proportion, tant le travail des femmes reste dévalué quel que soit le domaine où il s'exerce. L'idéal en somme serait que dans chaque type d'emploi il y ait *et des hommes et des femmes.*

L'éclatement des ghettos d'emplois a un autre avantage. Celui de permettre à chaque individu d'avoir accès à un éventail plus large d'emplois susceptibles de convenir à sa personnalité et à ses aptitudes.

Beaucoup d'hommes pourraient avoir envie d'être secrétaires ou de soigner les malades si ces fonctions étaient considérées aussi « masculines » que « féminines » et si elles étaient aussi bien payées que les métiers « masculins » équivalents. À l'inverse, beaucoup de femmes s'épanouiraient bien davantage au travail si elles avaient pu choisir d'autres types d'emplois. Tout cela demeure une question de dispositions naturelles et individuelles : personnellement, je préférerais de beaucoup être secrétaire plutôt qu'électricienne ou chirurgienne, mais cela tient non pas au fait que je suis une femme mais à mes goûts et à mon tempérament. Il y a, par ailleurs, bien des femmes qui n'aiment pas taper à la machine ni passer la journée assise dans un bureau et qui seraient plus heureuses sur un chantier, si on leur avait donné la formation nécessaire.

Peut-être cet aspect de l'idéologie féministe a-t-il été mal compris faute d'explications. Je suis toujours consternée lorsque je rencontre des femmes qui semblent avoir honte d'exercer des métiers traditionnellement féminins. Ce sont pourtant de très beaux métiers. Il faut, pour être secrétaire, autant d'intelligence, de formation et de connaissances spécialisées que pour être comptable, et pour être secrétaire de direction, autant sinon plus de talents que pour être gérant ou administrateur. Enseigner aux petits enfants et soigner les malades sont les fonctions les plus fondamentales de toute société et devraient être les plus valorisées. Ce qui, à mon sens, a été mal compris, c'est que ces métiers féminins, loin d'être dévalués, doivent au contraire être revalorisés et aller de pair avec de meilleures conditions de travail ainsi qu'un statut social correspondant à leur importance objective.

Les mass média

Par osmose, et même si la plupart des revendications féministes n'ont pas abouti à des réformes complètes, le mouvement des femmes a influencé l'ensemble de la société à un degré insoupçonnable à première vue. C'est quand on compare avec le climat qui régnait il y a vingt ans, quinze ans, dix ans même, qu'on mesure le chemin parcouru.

Le sexisme reste profondément ancré dans les mentalités, mais ses manifestations les plus grossières sont maintenant mal vues, mal considérées socialement. Le qualificatif « sexiste » est perçu comme une insulte au même titre que celui de « raciste ». L'un des signes les plus révélateurs de cette évolution diffuse, qui a marqué toutes les couches de la société, se reflète dans l'approche publicitaire des industries de consommation de masse, qui reposent par définition sur l'opinion publique et le respect de la sensibilité populaire.

Les firmes publicitaires essaient de plus en plus de se réformer à ce chapitre, par peur de déplaire à un nombre grandissant de consommatrices. Les acteurs les plus populaires transmettent des images non stéréotypées et sont utilisés dans des rôles qui échappent également aux stéréotypes. L'actrice américaine la plus populaire à l'heure actuelle, Meryl Streep, est une femme belle, certes, mais qui respire l'intelligence et qui n'incarne que des personnages complexes et multidimensionnels. Les acteurs masculins les plus populaires ne répondent plus au stéréotype du conquérant dominateur : Robert Redford, Dustin Hoffman, Alan Alda, Woody Allen, etc., n'ont rien du macho ordinaire. Plus significativement encore, les acteurs les plus stéréotypés réclament maintenant de nouveaux rôles pour faire valoir d'autres aspects de leur personnalité et maintenir leur cote d'amour auprès d'une population dont les standards ont changé. Dans *Atlantic City*, Burt Lancaster jouait le rôle d'un homme usé, tendre et vulnérable. Clint Eastwood, le super-cowboy, se donne, dans ses propres films, des rôles tout à fait différents, beaucoup plus fantaisistes. Farah Fawcett-Majors, le prototype de la Blonde idiote, a obligé son gérant à lui trouver d'autres rôles, dont l'un dans une pièce de théâtre féministe.

Récupération, diront certains. Et ils auront raison. Mais pourquoi pas, si c'est pour transformer les mentalités et aider les femmes et les hommes à se libérer des vieux carcans rigides? Dans le vase clos de la marginalité, l'idéologie reste pure et non polluée, mais ce n'est pas en restant en marge de la majorité de la population qu'on change le cours des choses.

Les différentes facettes du mouvement féministe sont complémentaires : l'avant-garde est par définition marginale, mais elle est nécessaire parce que c'est elle qui ouvre les sentiers, qui défriche et explore de nouveaux champs. Le gros des troupes, marchant derrière, avance plus aisément dans des chemins éclaircis par les plus courageuses et répand un peu partout les fruits de la cueillette. Si en tombant, certains fruits s'abîment ou se déforment, ils engraissent tout de même la terre : c'est là le processus vivant de l'évolution, un processus lent mais efficace que je préfère, quant à moi, à la politique révolutionnaire de la terre brûlée.

La solidarité

Le féminisme est une idéologie, avec ses propres grilles d'analyse, ses axes de recherche, ses courants, ses tendances. Le féminisme est un mouvement, avec son avant-garde, son aile droite, son aile gauche et ses révisionnistes. Mais il ne faut pas voir le phénomène seulement sous l'angle organisationnel et collectif.

En dix ans seulement, le mouvement des femmes a débordé largement des cadres des organisations et des groupes constitués. Chaque femme a fait, pour elle-même, son propre cheminement, d'une manière peut-être plus individualiste ici qu'aux États-Unis, où les groupes de *Consciousness-Raising* — des femmes d'un même milieu se réunissant régulièrement pour réfléchir sur leur condition et pour s'entraider — ont été bien plus nombreux.

Au Québec le processus fut plus tranquille mais tout aussi réel : sans éclat, mine de rien, sous l'impulsion de l'idéologie féministe, les femmes ont remis leurs choix en question et, ce faisant, ont découvert la solidarité.

L'amitié entre femmes n'est pas une chose nouvelle. J'ai même l'impression qu'elle a toujours été plus facile et plus spontanée que l'amitié entre hommes, dans la mesure où les femmes abordent plus sereinement le domaine des émotions. Une femme se confiera facilement à une autre. Un homme, pour se confier à quiconque et même à son meilleur copain, aura souvent besoin d'un peu d'alcool, pour émousser ses réflexes d'autodéfense. (D'où l'utilité de la taverne).

Il est vrai que les femmes avaient été entraînées à se méfier les unes des autres : dans une vie tout axée sur l'homme, l'homme à conquérir et à garder, elles étaient toutes rivales... Mais dans la réalité, sitôt « casées », mariées et mères de famille, elles étaient souvent portées à nouer entre elles des relations très chaleureuses, d'autant plus qu'elles n'avaient pas tant à raconter à ce mari avec lequel elles avaient si peu en commun.

Ce qui a changé, c'est la tonalité de l'amitié entre femmes. Le mouvement féministe leur a permis de prendre confiance en elles et de revaloriser, à travers leur propre image, celle des autres femmes. Là où elles avaient souvent tendance à se réunir pour pallier l'absence de l'homme dans leur vie ou alors pour se plaindre de l'homme de leur vie, elles se réunissent aujourd'hui pour le plaisir d'être ensemble.

Quand j'avais 18 ans, rien n'était plus infamant, pour une fille, que d'être seule le samedi soir, seule c'est-à-dire sans avoir reçu d'invitation de la part d'un garçon. Rien n'était plus humiliant que d'en être réduite à passer la soirée du samedi avec une amie. N'importe quel garçon, le plus moche, le moins intéressant, valait encore mieux que la plus intelligente et la plus amusante de vos amies...

Pour moi, comme pour bien d'autres femmes de ma génération, l'une des dimensions les plus agréables et libératrices du féminisme fut d'échapper à ce terrorisme de « l'homme à tout prix » dont la seule présence vous valorisait, comme si, seule ou avec d'autres femmes, vous n'étiez jamais une personne complète. Aujourd'hui, les femmes passent leur samedi soir comme elles en ont envie et pas nécessairement avec un homme : au cinéma ou au restaurant avec des amies (le vendredi et le samedi, les restaurants du centre-ville sont remplis de femmes), ou alors bien calée dans un fauteuil avec des magazines, sans avoir l'impression d'être sur le carreau. En l'absence temporaire ou permanente d'un homme aimé dans sa vie, une femme ne se sent plus dévalorisée comme c'était le cas auparavant ; et elle préférera partager ses loisirs avec une amie ou des amies qu'avec un homme qui ne l'intéresse guère. Celles qui, par contre, vivent avec un homme tiendront à se garder du temps libre pour leurs amies. Comportement sain et équilibré, apparenté d'ailleurs à celui des hommes, qui ne se sentent pas dévalorisés durant les périodes où ils ne sont pas amoureux et qui se sont toujours réservé, parallèlement à leur vie amoureuse ou conjugale, de larges espaces pour l'amitié et le compagnonnage entre hommes.

La conjoncture particulière de notre époque a d'ailleurs rendu les femmes plus intéressantes, en moyenne, que les hommes, pour la simple raison qu'elles ont évolué bien davantage. Chaque fois que le hasard me fait rencontrer une ancienne « compagne de classe », je suis toujours étonnée de voir la facilité avec laquelle nous reprenons contact, comme si, au-delà de nos expériences respectives, qui sont parfois radicalement différentes, nous avions en commun le fait d'avoir vécu dans une période de transition fortement influencée par le mouvement des femmes et réfléchi, chacune de son côté, aux mêmes choses.

Et ces complicités spontanées débordent les générations. J'ai rencontré je ne sais combien de femmes âgées qui avaient une extraordinaire capacité de ressourcement intellectuel et affectif, qui étaient à l'écoute de toutes les nouveautés et encore capables, même à 70 ou 75 ans, de se remettre en question. En comparaison, leurs maris avaient vieilli précocement et s'étaient fermés au changement.

En peu d'années, les femmes ont été obligées de faire un tel cheminement qu'elles sont devenues des êtres plus complexes et plus innovateurs que les hommes. Ce cheminement est d'autant plus fructueux qu'il s'est toujours déroulé sur un mode concret et quotidien : la démarche féministe ne s'effectue pas d'abord sur le mode intellectuel, elle se nourrit d'expériences personnelles. C'est ce qui en fait une démarche bien intégrée à la personnalité, qui n'a rien à voir avec la « découverte » d'une nouvelle mode ou avec le phénomène de la « conversion » subite. Le processus est lent, graduel, concret et profond, parce qu'il s'abreuve jour après jour à même la vie quotidienne.

En outre, les femmes ont accumulé, à cause de leur double expérience au foyer et au travail, un éventail considérable de connaissances. Avec une femme, on peut parler de toutes sortes de choses : de choses abstraites et de choses concrètes, de choses qui se discutent sur le mode cérébral et de choses qui s'abordent sur le mode sensoriel ou émotionnel. On peut parler de politique, des enfants, des écoles, de cuisine, de musique, de santé, des élections, de délinquance, du temps qu'il fait, du boulot, des patrons, des collègues, de théâtre ou de roman, de l'amour et des sentiments, etc.

Une femme a des intérêts beaucoup plus diversifiés que l'homme traditionnel, cet être unidimensionnel, mal à l'aise dans le monde mouvant des émotions et de la vie concrète, que le système de la division des rôles a « spécialisé » dans des domaines restreints, qui souvent ne peut parler d'autre chose que de son métier, de sport ou d'autos, qui sera peu au fait du développement de ses enfants ou de l'organisation d'un foyer, et qui n'a ni le temps ni le goût de suivre l'actualité culturelle.

La solidarité est un vain mot si elle reste dans le domaine abstrait de l'idéologie et ne s'incarne pas dans des rapports chaleureux et amicaux. La nouvelle amitié des femmes entre elles est l'un des fruits les plus doux du mouvement féministe, en même temps que la base même de son évolution, puisque c'est souvent l'appui d'autres femmes qui permet à chacune de sortir des anciens conditionnements.

Sans doute est-ce l'une des choses que les hommes d'aujourd'hui envient aux femmes, que cette possibilité de réfléchir entre elles, à la lumière du cadre conceptuel que leur fournit tel ou tel courant de la pensée féministe.

Je suis convaincue que les hommes aussi éprouvent le besoin de faire, à leur façon, et sans nécessairement passer par des groupes de réflexion encadrés qui ont toujours quelque chose d'artificiel, un cheminement analogue. J'ai été frappée ces derniers temps par le nombre d'hommes, rencontrés dans le cours de mon travail, qui semblaient éprouver un impérieux besoin de parler d'eux-mêmes, de leurs rapports avec les femmes et les enfants, du changement qui s'était produit en eux sous l'influence du mouvement des femmes, etc. Plus d'une fois, une conversation très professionnelle, d'abord exclusivement dirigée sur le sujet précis de l'entrevue, allait dévier sur des sujets comme ceux-là, et ce, à l'initiative de mon interlocuteur, comme s'il profitait de la présence d'une femme journaliste pour s'engager sur ces terrains peu familiers.

Les images et la réalité

Que disent les féministes ?

D'abord, bien sûr, elles reconnaissent l'évidence : la femme n'est pas semblable à l'homme, elle en est différente biologiquement. Mais la biologie doit-elle constituer l'unique fondement de la vie humaine ? Que l'homme et la femme soient biologiquement différents et sexuellement complémentaires, chacun ayant un rôle bien déterminé dans la reproduction de l'espèce, cela implique-t-il que tout — l'éducation, les chances d'épanouissement, le degré d'autonomie, l'activité intellectuelle et sociale, la vie affective, etc. — doive être subordonné aux caractéristiques génitales de l'un et de l'autre ? Est-il normal que l'un occupe seul toutes les fonctions dominantes et que l'on perpétue, à une époque où la force musculaire est dissociée de la fonction de pourvoyeur d'une part et où la femme n'enfante plus tous les ans d'autre part, la division des rôles et des tâches que la nécessité de la survie avait imposée il y a des millénaires ?

Quant à savoir si la force musculaire est nécessairement l'apanage de l'homme, la question n'a pas encore été scientifiquement tranchée et plusieurs théories ont cours. L'une d'elles veut que l'éducation et le conditionnement pendant l'enfance soient des facteurs déterminants, mais il reste évident que le corps de la femme est « fait » pour abriter le fœtus durant neuf mois : bassin relativement plus large et résistance plus grande à l'effort soutenu, aux variations de température, etc. L'homme, par comparaison, est en général plus large d'épaules que de

216

hanches ; il peut se prêter à des efforts plus grands et plus ponctuels, comme si sa force était plus concentrée alors que celle de la femme serait plus diffuse. Quelle est, dans tout cela, la part du déterminisme biologique et celle de l'entraînement physique ? D'autres théories veulent que la femme et l'homme aient chacun des habiletés psychomotrices spécifiques. J'avoue que ces recherches évoquent pour moi ces soi-disant découvertes sur les « différences » de conformation entre le cerveau des Noirs et celui des Blancs... qui, on le sait, ont si souvent servi de fondement au racisme.

Quoi qu'il en soit de ces questions qui continuent de faire l'objet de bien des recherches, on peut s'entendre au moins sur la réalité des différences biologiques et sur le fait que l'antique division des rôles n'est plus nécessaire à la survie de l'espèce humaine. (Même dans les tribus les plus primitives d'ailleurs, ou dans les sociétés les plus misérables, les femmes héritent des tâches les plus dures physiquement et elles continuent d'enfanter.)

Laissons là la théorie et revenons à la réalité. Or, cette réalité, c'est la diversité : il y a des hommes qui sont, physiquement, moins forts que certaines femmes, comme il y a des femmes capables d'efforts musculaires plus concentrés. Cela n'est pas très fréquent, parce que la plupart des hommes ont appris, enfants, à faire du sport et à valoriser la force musculaire. Il y a, de la même façon, des différences de taille, de teint, de couleur d'yeux, de voix... Chaque homme et chaque femme, chaque être humain, a mille et une caractéristiques qui lui sont propres. C'est cette réalité que les féministes transposent à l'échelle de l'ensemble des activités humaines, à l'exception évidemment de l'activité génitale et de la reproduction.

Il n'y a pas « une » femme, « la » femme n'existe pas, il n'y a pas de « modèle » auquel il faudrait se conformer pour être une « vraie » femme. Il y a autant de femmes qu'il y a d'individus. Toute femme a d'ailleurs en elle une part de « masculin » (ou plus précisément de qualités et de caractéristiques qui étaient auparavant considérées comme typiquement masculines) ; cette part de « masculin » peut être réprimée ou non exploitée, mais elle existe. De la même façon, il n'y a pas « un » homme, l'homme éternel, bâti sur un modèle idéal, n'existe pas. Il y a autant d'hommes, tous différents les uns des autres, qu'il y a de mâles. Chacun a en lui des caractéristiques dites féminines, qu'il aura probablement, sous l'effet de son éducation et de la pression sociale, réprimées à un degré ou à un autre. (J'ai déjà lu, je ne sais où, que les hommes qui réunissaient toutes les caractéristiques de la virilité, sans aucune part de « féminin », répondaient au type même du criminel d'habitude, la violence et l'agressivité n'étant chez eux aucunement tempérées, et, par ailleurs, que les femmes qui correspondaient au portrait-robot de la « femme éternelle » étaient proches de l'état végétatif. Je n'ai jamais rencontré de gens comme ceux-là... heureusement !).

Je regarde autour de moi ou dans les paysages humains que j'ai traversés jusqu'à présent dans ma vie et je vois bien qu'il y a autant de « types » de femmes et d'hommes qu'il y a d'individus.

Il y a des femmes chez qui la pensée s'exerce surtout sur le mode cérébral comme il y a des hommes qui, contrairement au modèle abstrait des anciennes idéologies, appréhendent la réalité sur le mode intuitif et sensoriel. Ces hommes ne sont pas nécessairement des artistes ou des écrivains, ils peuvent être caissiers, comptables, chauffeurs de camion, fonctionnaires, enseignants...

Les hommes réels

Cela peut tenir au hasard mais prouve justement que la vraie vie n'est pas faite d'êtres stéréotypés : ce sont des hommes qui m'ont écrit les lettres les plus sensibles, celles où il entrait le plus de tact et de finesse. Je pense aux lettres personnelles, bien sûr, mais aussi à des écrits de lecteurs que je ne connais pas et qui avaient tout simplement envie d'écrire à l'auteur de tel ou tel article qui les avait frappés pour une raison ou pour une autre. Ces hommes-là n'étaient pas des écrivains professionnels, mais ils avaient une délicatesse de sentiment qui ne cadrait pas du tout avec le stéréotype de l'homme cérébral au cœur atrophié. (Je ne dis pas que dans leur vie privée et dans leurs rapports avec leur propre femme ces hommes n'étaient pas sexistes : rares sont les hommes qui ont échappé aux conditionnements et à l'influence de l'idéologie dominante ; cela est vrai tout autant pour les femmes qui sont souvent les premières à encourager chez les hommes, et en particulier chez leur mari, un comportement sexiste).

Les images ne correspondent pas toujours à la réalité. Contre l'image de l'homme-décideur, nous connaissons tous des hommes qui ne font pas autre chose que de se laisser porter par les événements. Contre l'image de la femme passive, nous connaissons tous des femmes qui prennent les choses en mains. (Une vieille boutade illustre d'ailleurs très bien la fausseté des stéréotypes, c'est celle de l'homme qui dit : « Chez nous, c'est moi qui prend les grosses décisions : faut-il ou non accepter les missiles Cruise, que penser du monétarisme ou des Sandinistes... Ma femme, elle, s'occupe des petites affaires : si l'on vend ou non la maison, où l'on va habiter, si les enfants iront au cégep... »).

Il y a bien sûr des cas où la réalité correspond à l'image : nous connaissons tous des femmes vraiment passives, des hommes vraiment déterminés et autoritaires.

L'important, c'est qu'il y ait d'innombrables exceptions, trop nombreuses pour qu'elles puissent encore être qualifiées d'exceptions. Il n'y a pas de règle, de norme, de modèle unique. Si l'on y souscrit, cette constatation est capitale, car c'est sur le principe de la norme, sur l'existence de stéréotypes correspondant à une « nature masculine » et à une « nature féminine » qu'est fondé tout le système de la division des rôles, qui exclut l'homme du foyer et la femme de la sphère politique et du marché du travail.

Non seulement n'y a-t-il pas de règle unique mais tous les êtres sont des exceptions, tous les êtres sont exceptionnels. Il y a des hommes qui sont plus « maternels », avec les enfants, que bien des femmes. Il y a des femmes plus douées pour la mécanique que bien des hommes. Et cela, malgré tous les conditionnements de leurs éducations respectives... Qu'en serait-il si tous les enfants pouvaient s'épanouir en fonction de leurs dispositions naturelles ?

La personne la plus intuitive que je connaisse, ce n'est pas une femme, c'est un homme. Un homme très « modèle courant », hétérosexuel, père de famille, qui gagne fort bien sa vie depuis 20 ans, qui aime le sport, qui est un peu coureur et un peu sexiste sur les bords et dont la seule caractéristique exceptionnelle est un don peu commun pour l'écriture.

Cet homme a l'intuition plus vive, plus fine, plus aiguisée, plus perçante, que la plus intuitive de mes amies. Il saisit je ne sais comment vos états d'âme ou vos secrets les plus intimes, ou même les sentiments que vous portent secrètement tel ou tel membre de votre entourage. Il sent les choses, les prévoit, les pressent, les devine. Qui a dit que l'intuition était « féminine » ?

La plupart des gens que je connais sont des gens très sensibles même si, comme on dit, « ça ne paraît pas ». (En fait, j'ai toujours eu la profonde conviction que tout le monde sans exception était sensible, mais que cela était plus ou moins bien caché, les manifestations ouvertes et explicites de la sensibilité variant selon le tempérament, l'origine sociale, l'éducation, les contraintes extérieures, le refoulement, etc.). Parmi tous les gens que je connais, hommes et femmes, je ne saurais dire qui est le ou la plus sensible. Je sais qu'Untel ou Unetelle serait plus sensible à ceci ou à cela, mais quant au reste je ne sais pas. Chose certaine, je connais des femmes très sensibles et des hommes qui le sont autant.

Ces derniers sont affectés au même titre que les femmes — encore davantage très souvent, car ils n'ont pas été habitués comme elles à évoluer avec aisance dans l'univers fluide et complexe des émotions — par les événements sentimentaux de leur vie : amour, mariage, divorce, paternité, solitude, etc. J'en ai connus qu'un chagrin d'amour jetait dans la dépression, ou qui pouvaient sacrifier bien des plaisirs — voire leur carrière — à une femme ou à leurs enfants, ou qu'un simple sourire, venu au bon moment, suffisait à ravir.

Dans l'intimité, les stéréotypes s'effacent encore davantage derrière l'être humain, qui est toujours unique, mais toujours plus vulnérable et capable de bien plus de tendresse que ne le veut le portrait inhumain du *superman* dressé par l'idéologie dominante. Les hommes réels ne sont ni John Wayne ni Jean-Paul Belmondo, ils ont leurs doutes et leurs insécurités ; d'ailleurs, il me semble parfois que l'imposition d'un stéréotype de la virilité leur est encore plus lourde à porter qu'aux femmes, à qui l'analyse féministe a donné plus de moyens de se défendre.

Je n'ai jamais envié les hommes. Petite fille, je n'étais pas attirée par leurs jeux et je me félicitais de n'être pas obligée d'aller me faire massacrer sur leurs patinoires de hockey et dans leurs champs de football. Je les envie encore moins aujourd'hui, eux qui doivent sans cesse faire la preuve de leur virilité ou qui du moins s'y croient tenus, qui s'interdisent toute défaillance, même la plus normale et la plus compréhensible, eux qui sont, comme tout être humain, envahis par les sentiments et les émotions à divers stades de leur vie, mais qui se défendent de les exprimer — qui hésitent même à s'en parler entre amis —, parce qu'« un vrai homme ne fait pas ça. »

Ainsi, un vrai homme ne pleure pas. Ils pleurent pourtant, dans la réalité, dans la vraie vie. Ils s'en défendent parce que « ça ne se fait pas », ils résistent jusqu'au dernier moment, mais parfois le barrage cède et ils pleurent.

Les émotions

Les larmes apaisent et expriment ce que les mots sont impuissants à dire. C'est un mode d'expression qui est familier aux femmes et qui fait partie de cet immense domaine — l'expression des émotions — qui a été l'objet de multiples répressions chez les hommes mais où les femmes, grâce à la culture ancestrale, ont pu évoluer en paix. C'est un atout précieux que bien des hommes d'ailleurs leur envient mais qui, hors de l'aire de la vie privée, devient vite piégé, car une femme reste toujours exposée au jugement péremptoire qui lui dira qu'elle est trop « émotive », comme si cette qualité en elle-même avait pour effet d'éclipser le reste de sa personnalité, comme si ce qui était bienvenu dans la vie privée, utile à l'éducation des enfants et aux rapports interpersonnels, devenait une calamité dès lors qu'elle s'exprime au travail ou dans l'activité sociale.

Tout être qui connaît l'univers du travail devrait pourtant l'avoir compris : il n'y a pas de pire collègue, il n'y a pas de pire patron, que celui ou celle qui résiste systématiquement à l'émotion, qui refoule et nie ses propres sentiments. Ce qui se produit toujours dans ces cas, c'est que l'émotion niée sous une forme réapparaît sous une autre, déguisée, indirecte et dangereuse : on devient agressif sans trop savoir pourquoi, on prend des décisions intempestives et irrationnelles, on se méfie de tout un chacun, on refuse de faire confiance et de déléguer ses responsabilités, on s'isole et les réseaux de communication s'effondrent, etc. Pour bien fonctionner dans l'univers du travail, il faut au contraire être capable de reconnaître ses émotions, les accepter et les dépasser en les assumant. C'est ainsi seulement qu'on peut avoir des communications harmonieuses avec son entourage.

Nul n'ignore les désastres auxquels mène, dans la vie privée, le refoulement des émotions, refoulement que les petits garçons sont entraînés très jeunes à pratiquer : c'est souvent parce qu'il n'y a pas de communication au sein du couple que les mariages se brisent. Mais on a trop tendance à oublier que la négation des émotions, dans l'univers du travail, est tout aussi catastrophique. Il va de soi que ces émotions doivent être maîtrisées et qu'il ne s'agit pas de passer son temps à exprimer ses états d'âme au travail. Mais pour être maîtrisées justement, les émotions doivent être reconnues et assumées. D'ailleurs les hommes paient chèrement le prix de l'autorépression des sentiments : les ulcères sont une maladie typiquement masculine.

Je connais beaucoup d'hommes qui ont réussi à se dégager des fausses images et qui peuvent donner libre cours à leurs sentiments. Ce sont soit des hommes jeunes, chez qui les conditionnements ont été moins profonds, soit des hommes de ma génération qui, avec la confiance en soi-même que donne la maturité, ont compris qu'un homme pouvait être aimé sans être le Héros qui porte le monde entier sur ses épaules, ou même des hommes plus âgés qu'un événement, une rencontre ou une expérience a secoué suffisamment pour que s'ouvrent les vannes et que tombent les plus anciens barrages. Dans presque tous les cas, c'est avec une femme ou grâce à une femme qu'ils ont changé. Je rencontre très souvent des hommes qui parlent de leur vie privée et racontent comment, poussés par leur femme, ils ont accepté, rarement sans heurt, mais tout compte fait pour le mieux, de transformer leurs rapports affectifs, l'organisation familiale et leur vision d'eux-mêmes.

Pourquoi parler des hommes, dans ce chapitre sur le féminisme ? C'est évidemment, comme je l'ai dit plus haut, parce que tout est lié et qu'on ne peut parler de féminisme sans parler d'eux aussi, à moins qu'on ne désire s'enfermer entre femmes en vase clos, une fois l'homme étiqueté, plus stéréotypé que jamais, comme le seul et unique responsable de l'oppression des femmes.

Radicales et modérées

Comme tous les mouvements politiques, le féminisme a une aile modérée et une aile radicale. Les modérées et les radicales sont d'accord sur le fait que les femmes sont — ont toujours été — victimes d'injustices et de discriminations. Mais leurs analyses, leurs stratégies et leur discours diffèrent à plus d'un égard.

Où réside la ligne de démarcation entre les deux tendances? Peut-être dans la façon dont on explique l'injustice et la discrimination.

La tendance modérée — qui est, on l'aura compris, celle dans laquelle je m'inscris — dit que la source première des inégalités se trouve dans la division des rôles et des tâches, et qu'en ouvrant le foyer aux hommes et le marché du travail aux femmes, ces dernières retrouveront leur dignité et leur autonomie. Cette démarche englobe les hommes et privilégie des objectifs comme le partage des tâches au foyer, l'éclatement des ghettos du travail et l'accès des femmes à des postes clés.

La tendance radicale repose sur une analyse qui est peut-être plus poussée et qui est d'ailleurs intellectuellement fort valable, mais qui, à mon sens, débouche en pratique sur un cul-de-sac et c'est pourquoi je n'y souscris pas, tout en y puisant cependant matière à réflexion : cette analyse se fonde sur le concept de l'oppression.

S'inspirant de la grille marxiste et des idéologies de la décolonisation, le féminisme radical voit le rapport homme-femme comme un rapport de dominant à dominée. Les féministes marxistes verront cette oppression comme la base de toutes les autres exploitations dont souffrent également les hommes. Les féministes « culturelles » iront plus loin ou, plus précisément, iront ailleurs, dans un univers apolitique, lyrique, d'où disparaît toute présence masculine. Par un curieux détour, elles se rapprocheront de l'idéologie traditionnelle qui exaltait les stéréotypes de la « féminité ». Elles attribueront aux femmes des caractéristiques spécifiques, naturelles, exalteront la « féminitude » et la supériorité de la femme, voueront un culte à l'image mythique de la déesse-mère et feront de la sororité la solidarité essentielle, voire exclusive, prioritaire en tout cas.

Évidemment, je schématise. Dans la réalité, les lignes de démarcation ne sont pas aussi tranchées. En toute féministe, il y a un peu de chacune de ces tendances, et moi-même, qui suis portée à écarter de mes analyses le concept de l'oppression, parce que cela ne correspond pas à mon expérience et me paraît relever d'une approche trop cérébrale et irréaliste, il m'arrive quand même d'y souscrire à propos de tel ou tel problème. Sans doute y a-t-il des liens entre l'excision (la mutilation sexuelle pratiquée sur les femmes dans certains pays musulmans), le viol, le phénomène des femmes battues, la porno à contenu sadomasochiste, l'exploitation du travail féminin, etc.

De la même façon, même si je ne souscris pas à l'approche mystique qui exalte la féminité, pour la simple raison que je ne conçois pas le monde autrement que comme un lieu où vivent ensemble des hommes et des femmes qui se valent mutuellement, il m'arrive de temps à autre de me sentir réconfortée dans un lieu purement féminin, où l'on parle de moi, de moi seulement, en tant que femme, et où je revis des relations symbiotiques avec de multiples images de ma mère, de ma sœur, de toutes pareilles à moi, tout comme il m'arrive également de penser que la culture féminine est supérieure à l'autre, dans la mesure où elle est plus proche de la vie. Mais peut-être est-ce une réaction narcissique et un baume dont les femmes ont besoin pour réparer tant de blessures encore fraîches, un peu comme les Noirs américains ont eu besoin d'exalter la négritude (*Black Is Beautiful*), durant la période de transition qui a suivi les grandes opérations de déségrégation dans le sud des États-Unis.

Je parle de moi faute d'autre instrument d'analyse, mais aussi parce que je crois qu'en réalité beaucoup de féministes sont à peu près comme moi et qu'elles empruntent à l'occasion à l'une ou à l'autre tendance idéologique.

Il y a problème — et affrontement — uniquement lorsque, telle ou telle tendance se fermant sur elle-même, apparaît le sectarisme.

Qu'il y ait du sectarisme au sein d'un mouvement nouveau, qui, ne l'oublions pas, s'est toujours trouvé de toutes parts férocement attaqué et impitoyablement ridiculisé parce qu'il chambardait l'ordre établi, il n'y a rien là de bien étonnant. C'est le propre des groupes minoritaires que de développer une mentalité d'assiégés.

Qu'il y ait des divisions, au sein du mouvement des femmes, n'a rien de surprenant non plus. Les femmes ne sont pas toutes bâties sur le même modèle et ne souscrivent pas davantage à une unique échelle de valeurs. Les hommes sont-ils d'accord entre eux pour l'unique raison qu'ils sont du même sexe ? Les Québécois sont-ils d'accord entre eux pour l'unique raison qu'ils ont des ancêtres communs ou qu'ils vivent sur le même territoire ? Pourquoi faudrait-il que les femmes soient toujours sur la même longueur d'ondes ? Pourquoi s'attendre à ce qu'il y ait un porte-parole unique pour toutes les féministes ?

Il y a problème si le discours public est monopolisé par une seule tendance ou quand les féministes, par crainte de « donner des armes à l'adversaire », refusent d'identifier les différences qui les séparent les unes des autres, privilégiant à tout prix — et même au prix de la survie du mouvement féministe — l'unité. Beaucoup de féministes en effet, restant en cela très proches du modèle traditionnel de la femme soucieuse d'« éviter les chicanes » et de rassembler tout le monde, recherchent des modes d'action et de pensée symbiotiques, d'où seraient gommées au départ les différences et les oppositions. (Cette recherche de l'unité à tout prix est également, faut-il dire, le propre de tous les groupes militants.) Ainsi voit-on des féministes occidentales adhérer respectueusement aux arguments de Musulmanes excisées et fières de l'être, des hétérosexuelles reprendre mot à mot le discours lesbien ou, encore, des majorités modérées laisser le monopole de la parole à des minorités « pures et dures ». Le discours radical est utile et nécessaire parce qu'exploratoire, mais pourquoi tiendrait-il lieu de discours commun ?

Ainsi le lesbianisme constitue-t-il un facteur de différenciation absolument capital que beaucoup de féministes cependant refusent de voir comme tel.

Au Québec comme aux États-Unis ou au Canada anglais, les féministes lesbiennes ont souvent été plus radicales et plus militantes que les autres, et donc souvent à l'avant-scène. Toutes les féministes radicales ne sont pas des lesbiennes, loin de là, et toutes les lesbiennes ne sont pas des féministes radicales ; sans doute d'ailleurs y a-t-il des lesbiennes qui ne sont pas féministes. Mais la présence de cette minorité militante au sein du mouvement est un fait qu'il faut prendre en compte, non pas pour le stigmatiser, mais pour expliquer tant l'évolution du mouvement féministe que les malaises ressentis par bien des féministes qui font partie de la majorité hétérosexuelle.

Il n'y a rien d'étonnant à ce que les féministes lesbiennes aient été plus disponibles à toute forme d'engagement féministe. Une femme vivant avec un homme réservera une partie de ses soirées, de ses week-ends, à son compagnon. Ce dernier, même s'il approuve les convictions de sa femme, ne la suivra pas dans les réunions ou les activités féministes. Si en plus cette femme a de jeunes enfants, et qu'elle travaille à l'extérieur, tout engagement féministe soutenu, au sein d'un groupe quelconque, représentera pour elle l'équivalent d'une troisième tâche.

Les féministes lesbiennes, au contraire, partagent leur vie avec des femmes ayant vraisemblablement les mêmes convictions qu'elles ; leur vie privée peut donc beaucoup mieux s'harmoniser avec l'activité politique.

Elles ont également moins de contradictions idéologiques à résoudre et peuvent avoir une vision bien plus radicale, moins complexe et moins nuancée, puisqu'elles ne sont pas liées aux hommes par un rapport amoureux. Elles ont en outre moins d'enfants ou pas d'enfants du tout, exception faite des cas — plus nombreux qu'on ne le croit — de mères de famille venues tard au lesbianisme. (Il y a aussi des lesbiennes qui se «font faire» un enfant mais cela reste probablement peu fréquent.)

Elles sont enfin relativement pauvres — bien plus pauvres que les *gais* masculins qui ont, eux, «deux salaires d'hommes» et qui sont souvent plus riches que la moyenne des couples. Deux «salaires de femmes», sauf exception, cela représente moins d'argent qu'un «salaire d'homme» s'ajoutant à un «salaire de femme». Privées du support et de la protection des hommes, elles sont aussi bien plus à l'écart du pouvoir établi que les autres femmes, qui peuvent bénéficier de ses retombées par l'intermédiaire du mari ou de l'amant. Elles affrontent moins que les

226

autres le fardeau de la double tâche, mais elles sont par contre plus souvent victimes du chômage ou des récessions économiques. Autant de facteurs qui feront des lesbiennes des féministes non seulement plus disponibles et plus militantes, mais également politiquement plus radicales.

Le phénomène n'a rien d'anormal, mais il faut le signaler pour expliquer pourquoi beaucoup de femmes se sentent mal à l'aise dans des lieux d'expression et de rencontre qui ne correspondent plus à ce qu'elles sont, ni à cette part essentielle de leur vie qui est le rapport amoureux avec l'homme. Certains groupes de femmes ont beau tenter de rationaliser la chose et prétendre que l'orientation sexuelle serait un élément contingent dont on peut facilement faire abstraction dans une action commune, je ne crois pas que la majorité des femmes voit la chose de cette façon.

L'approche féministe varie selon la nature des rapports qu'on a avec les hommes, et l'amour (qui englobe la sexualité mais ne s'y réduit pas) est un élément trop fondamental de la vie pour qu'on puisse le déposer comme un sac d'épicerie à l'entrée d'une salle de réunion pour le reprendre ensuite à la sortie.

Récemment, une revue féministe publiait un numéro spécial sur l'amour où personne n'avait semblé capable de parler autrement qu'en termes vagues et réticents — comme si c'était une difficulté à surmonter — de l'amour entre hommes et femmes. Bien qu'une partie des membres de l'équipe de rédaction soient des hétérosexuelles, l'essentiel du dossier portait sur l'amour lesbien.

Cela n'aurait que peu d'importance s'il y avait une multiplicité de foyers de réflexion et de lieux culturels où s'exprimaient diverses démarches et diverses options, dont celle, parfaitement respectable mais minoritaire, du lesbianisme. Mais c'est tout différent dans la mesure où le discours lesbien occupe, dans la littérature féministe, une place démesurée par rapport à l'importance objective du lesbianisme, qui n'est probablement le fait que de 10 ou 15 pour cent des femmes.

Or, il m'apparaît évident qu'une démarche féministe incapable d'intégrer l'amour homme-femme, cette dimension capitale de la vie de 85 ou 90 pour cent des femmes, est vouée à la marginalisation.

C'est un phénomène qui n'a pas échappé aux rédactrices de l'équipe mixte du *Temps fou*, qui s'interrogeaient à ce sujet en février-mars 1982 sous le titre : « Féminisme et hétérosexualité ? »... avec un point d'interrogation, comme si la question recouvrait une contradiction fondamentale ! Dans une table ronde peu concluante, les quatre rédactrices de l'équipe s'interrogeaient donc en tant qu'hétérosexuelles et, à défaut de solution, faisaient au moins état d'un malaise : « L'orientation sexuelle est un problème qui intervient très vite dans les discussions entre féministes, dit l'une, de façon explicite dans le meilleur des cas et souterraine dans le pire... Les milieux féministes n'échappent pas aux lois du contrôle social, il y a des normes à ne pas transgresser... »

« Au fond, arguait Véronique Dassas, ce qui est intolérable, c'est le sentiment d'avoir découvert avec le féminisme une dimension essentielle de nous-mêmes... mais d'avoir en partie perdu le bénéfice de cette découverte en caricaturant l'opposition homme-femme, en la rendant parfaitement invivable. C'est pour cela que le féminisme radical est pratiquement incompatible avec l'hétérosexualité. » Louise Vandelac, pour sa part, concluait : « Individuellement on peut espérer s'en sortir, peut-être, mais ce qui est effrayant c'est de ne pas avoir de lieu pour dire nos réalités. Je me sens dissidente du féminisme et je me sens isolée, comme s'il n'y avait pas moyen d'être ailleurs qu'enfermée dans le modèle féminin traditionnel, dans un bungalow à Brossard, ou bien féministe radicale. Il y a un problème d'orthodoxie dans le mouvement féministe, une sorte de terrorisme idéologique, comme s'il fallait simplifier, nier les contradictions pour être sûre d'être du bon bord... »

Les thèmes et les priorités

Durant ses premières années, vécues dans une période d'expansion économique, le mouvement féministe contemporain a fait porter ses revendications sur des thèmes qui s'inscrivaient dans la vie quotidienne de la plupart des femmes : le libre choix de la maternité, l'accès au travail et à l'indépendance économique et l'implantation de garderies, ces trois dimensions étant, comme on le sait, intimement liées.

Le droit à l'avortement, pour celles qui veulent s'en prévaloir, est l'une des clés essentielles de l'emprise qu'une femme doit pouvoir exercer sur son propre corps. Contrairement à ce que prétendent ceux qui en parlent dans le confort abstrait des idées reçues, aucune femme n'« utilise » l'avortement comme méthode contraceptive ou ne s'y résoud le cœur léger, comme si de rien n'était. L'avortement, même lorsqu'il est pratiqué dans les conditions les plus adéquates, reste une intervention médicale relativement désagréable et surtout moralement pénible, dans la mesure où la femme interrompt le développement de ce qui pourrait avec le temps devenir son enfant. Il faut singulièrement mépriser les femmes pour croire qu'elles se font avorter comme elles vont « acheter une bouteille d'aspirines à la pharmacie » (dixit un politicien célèbre) ou sans s'interroger, souvent dans l'angoisse, sur le bien-fondé de leur décision. L'avortement vient après l'échec des méthodes contraceptives, lesquelles comportent toutes un risque. (Il faut vivre dans la béatitude qu'engendre l'ignorance pour conseiller sérieusement aux femmes, comme le faisait en 1981 l'Assemblée des évêques, d'utiliser la méthode Ogino ou celle du thermomètre ! Et pourquoi pas les cycles de la lune ? !)

Le débat sur l'origine de la vie reste vain ne serait-ce que parce qu'il y a chaque année des femmes qui se font avorter dans les pires conditions et que la réalité montre que dans une situation où elle est incapable d'envisager la grossesse, une femme finira presque toujours, quelles que soient ses convictions religieuses, par recourir à l'avortement. C'est l'écrivain Maurice Clavel, grand catholique pratiquant, qui a eu à ce sujet le dernier mot. C'était à l'époque des grands débats sur la loi Veil, en France, et on sollicitait son opinion. Il était contre l'avortement, mais dans *Le Nouvel Observateur*, il écrivit cette belle phrase lourde de sens : « L'avortement, je parlerai contre... lorsqu'il sera libre. »

L'avortement, donc, touche au vécu quotidien de toutes les femmes. Non pas — heureusement ! — qu'elles aient toutes eu à y avoir recours, mais parce que sa possibilité reste présente dans la vie quotidienne de toutes celles qui ont des rapports hétérosexuels. Toute femme envisage l'éventualité d'une grossesse non désirée et toute femme qui n'a pas le désir de se retrouver enceinte s'inquiète lorsque ses menstruations retardent.

Les revendications concernant les garderies faisaient également partie de l'existence quotidienne d'une majorité de femmes : l'implantation d'un réseau adéquat de garderies et d'un système convenable de garde à l'école constituait — constitue encore — la clé essentielle du retour ou du maintien sur le marché du travail de la femme qui a de jeunes enfants. C'est si évident : c'est le problème numéro un d'innombrables femmes et de jeunes ménages. (On oublie souvent d'ailleurs que la fréquentation d'une garderie, à condition évidemment que le personnel y soit compétent et les séjours, limités, peut être utile au développement d'un enfant. Il n'est pas dit qu'un enfant s'épanouisse mieux à traîner devant la télévision familiale qu'à fréquenter un groupe de petits camarades où il apprend des choses tout en s'amusant.)

Aujourd'hui, le Québec est l'une des provinces les plus libérales dans l'administration de la loi fédérale sur l'avortement, encore que l'accès n'y soit pas garanti dans toutes les régions et que l'existence des comités thérapeutiques investis d'un pouvoir abusif sur le corps des femmes reste inadmissible. Le nombre des garderies a augmenté un peu, mais le réseau reste parfaitement insuffisant à tous égards et les revendications à ce sujet ont été contrecarrées par la crise économique et les restrictions budgétaires. Cette question est — devrait — pourtant rester au centre de l'action féministe, parce qu'elle présente deux dimensions fondamentales : d'une part elle s'inscrit dans les préoccupations quotidiennes et concrètes de la majorité des femmes, d'autre part elle conditionne l'accès des femmes au travail, l'accès au travail rémunéré étant la clé entre toutes de l'autonomie et de l'égalité.

La plupart des groupes féministes continuent de s'intéresser de près aux questions relatives à la formation et à l'accès au travail pour les jeunes femmes et celles du second âge, et à des régimes de retraite décents pour les plus âgées. C'est le cas, notamment, du Conseil du statut de la femme du Québec, du Conseil consultatif sur la situation de la femme à Ottawa, des comités de la condition féminine au sein des centrales syndicales, de la FFQ, de l'AFEAS et de groupes militants comme Action-Travail, Au bas de l'échelle, etc. À l'automne 83, le Conseil du statut de la femme relançait vigoureusement le débat sur l'indépendance économique et organisait, fin octobre, un grand colloque sur le travail féminin. Au même moment, le magazine *La vie en rose* publiait un important dossier intitulé « Apprivoiser l'informatique ».

Mais on a parfois l'impression que bien des féministes ont tendance à privilégier des thèmes d'ordre culturel se rapportant directement au corps et ayant une connotation sexuelle caractérisée : porno, viol, harcèlement sexuel, etc. Ce sont des thèmes qui captivent une bonne partie des jeunes féministes et qui, parce qu'ils sont plus spectaculaires sous certains aspects, sont davantage mis en relief dans les mass média. Ainsi la lutte féministe la plus visible de l'année 82 a-t-elle été celle qui revendiquait des mesures de censure à la télévision et au cinéma, à la faveur de l'implantation de la télévision payante et de la révision de la loi sur le cinéma. Les grandes manifestations féministes des dernières années ont également porté sur des thèmes analogues, tous reliés à la violence masculine, le viol par exemple. En outre, une très grande partie de la littérature et des recherches féministes s'inscrivent dans ce même courant.

En elles-mêmes, ces luttes sont toutes non seulement légitimes mais nécessaires : la porno est une réalité, il y a des femmes battues, il y a des femmes violées. Il faut continuer à réclamer plus de structures d'accueil pour les femmes et les enfants victimes de violence et ne pas cesser de combattre la porno à la source. (C'est-à-dire par l'éducation plutôt que par la censure. Sur ce point, je diverge d'opinion avec une partie des féministes. Je m'explique fort mal que tant de féministes semblent prêtes, au nom d'une lutte à court terme contre le sexisme, à rétablir un système de censure idéologique dont elles risquent pourtant, une fois l'engrenage des interdictions amorcé, de devenir les premières victimes. Je ne m'explique pas non plus leur sérénité devant les étranges alliés d'extrême-droite que leur amènent ces luttes anti-porno. Mais comme il n'entre pas dans mes intentions de faire un livre polémique, je ne reviendrai pas sur ce point particulier.)

Luttes légitimes, donc, et nécessaires. Mais pourquoi tant de féministes semblent-elles portées à donner la priorité à des réalités qui, aussi odieuses soient-elles, restent relativement secondaires par rapport aux problèmes réels qu'affrontent les femmes dans leur vie quotidienne ? La majorité des femmes (comme d'ailleurs une bonne partie des hommes) n'a jamais été en contact avec la porno, à moins qu'on ne donne à ce mot un sens exagérément large susceptible d'englober des revues comme *Playboy*, ce qui me paraît tout à fait excessif. Si, selon une statistique courante, une femme sur dix est battue par son conjoint, il est tout aussi vrai de dire que neuf femmes sur dix ne le sont pas. Et si le viol est un risque que court toute femme, indépendamment de son âge et de son comportement, il est loin d'être une réalité aussi présente dans la vie quotidienne que la maternité, le travail, l'insécurité financière ou la dépendance économique.

En pratique, d'ailleurs, c'est l'indépendance économique — et toutes les revendications reliées à l'élimination de la division traditionnelle des rôles — qui reste encore la meilleure façon de se soustraire à la violence masculine. Il y a moins de chances qu'une femme battue se résigne à son sort si elle a un salaire lui permettant de quitter son mari et si elle est parvenue à une certaine estime d'elle-même qui, souvent, découle de l'obtention d'un statut quelconque, aussi modeste soit-il, sur le marché du travail. (Les femmes battues ont en général une très mauvaise image d'elles-mêmes). Il y a moins de chances qu'une femme soit violée si elle a les moyens de se loger convenablement et de voyager en auto plutôt qu'à pied. Il y a moins de chances que l'industrie de la porno et de la prostitution continue à prospérer si l'on éduque autrement les garçons et les filles, etc.

Je me demande si le contexte économique n'est pas le grand responsable de cette orientation du mouvement féministe vers des thèmes reliés à la violence. Orientation qui n'est pas le fait de la majorité des groupes, mais qui, parce qu'elle touche à des thèmes plus faciles, moins austères, à connotation morale plutôt que politique et économique, et qu'en outre elle attire des intégristes catholiques et protestants qui, eux aussi, veulent « épurer » la société, occupe dans les débats publics une place démesurée par rapport à son importance objective.

Dans un contexte de récession économique et de morosité politique où la gauche est désaffectée à l'endroit des partis politiques, dans un contexte où croît le scepticisme face au peu de victoires réelles obtenues par rapport aux revendications classiques (travail, garderies, formation professionnelle, etc.) et où de plus en plus de femmes sont livrées au chômage, sans doute est-il normal que nombre d'entre elles se soient repliées sur le domaine plus connu, plus familier, du corps et de la maison. Cette attitude correspond également aux tendances de la *Me Generation* qui répugne à l'action collective et préfère les engagements concrets aux opérations politiques. Or, qu'y a-t-il de plus concret et de plus individuel que le corps?

On parle du travail domestique soit pour le revaloriser en tant que lieu d'expression des valeurs féminines ou pour en réclamer la rémunération, puisque c'est encore le seul travail accessible à un grand nombre de femmes; on revalorise aussi la maternité — lieu par excellence du pouvoir de la femme et le seul qui soit à l'abri des crises économiques —; on parle d'accouchement à domicile, de santé mentale ou physique, des jouissances propres aux femmes et des vertus éminemment féminines du pacifisme; on discute de surmédicalisation ou de toxicomanie, des femmes battues et d'obésité; on parle des sous-groupes qui font partie du répertoire classique de la gauche contemporaine — femmes autochtones, femmes prisonnières, femmes du tiers-monde, etc. —, mais ce faisant, et indépendamment de la valeur objective de chacune de ces causes, on s'isole. On s'isole soit dans le cercle féminin de la maison et du corps menacé ou violenté, soit dans le cercle abstrait d'un tiers-monde et d'un univers carcéral qu'en réalité on ne connaît guère.

Et ce faisant, le monde extérieur immédiat, celui qui conditionne toutes nos vies quotidiennes, l'univers du travail et de la politique, s'estompe de plus en plus, prenant les couleurs sombres d'un univers étranger, hostile, univers de violence et de harcèlement sexuel, univers masculin où on n'a même plus envie de pénétrer.

Dans tous les mouvements, ce sont souvent les jeunes qui sont les plus militants. Or, ce sont les jeunes féministes qui ont été le plus brutalement affectées par le chômage et par le brusque resserrement du marché du travail, resserrement qui s'est produit au moment même où elles s'apprêtaient à y entrer à leur tour, avec une formation sans précédent, dans la foulée des générations antérieures. Pour elles, les revendications reliées au travail restent lettre morte, tant l'avenir paraît sombre de ce côté. Instruites, tôt initiées au marxisme et habituées à analyser la société en termes de rapports d'exploitation, elles ont tendance à appliquer aux rapports hommes-femmes des schémas d'analyse et des stratégies qui conviendraient mieux à la lutte révolutionnaire classique qu'à ce domaine mouvant qu'elles connaissent d'autant plus mal qu'elles sont exclues des milieux du travail.

Il faut s'inscrire dans un milieu de travail ou, du moins, dans un lieu où hommes et femmes se côtoient journellement pour pouvoir évaluer, au-delà de la théorie, la façon (souvent fort subtile) dont s'exerce la discrimination contre les femmes, ainsi que la manière (tout aussi subtile) dont les femmes elles-mêmes participent au système de discrimination, et, aussi, pour pouvoir apprécier cette autre dimension de la réalité qu'est la complexité de l'univers masculin. Une femme exclue du milieu du travail évolue à l'intérieur d'un réseau plus restreint, limité à la famille et aux amis personnels, et il lui est plus facile d'adhérer à des stéréotypes. La même règle vaut pour les hommes. Un homme qui n'aurait connu que sa mère, sa femme et sa fille ne serait guère conscient de l'hétérogénéité de l'univers féminin. C'est le même processus qui s'exerce lorsqu'un touriste pressé se permet de porter un jugement sur un pays : à partir d'expériences limitées, il appose l'étiquette la plus commode. Les Italiens sont superficiels, les Français ronchonneurs, les Américains matérialistes, les Brésiliens aiment la danse. Si, par contre, il s'attarde dans ces pays, il en percevra la diversité, la complexité, et verra que la réalité ne correspond pas aux images. Un seul adjectif ne suffira plus pour qualifier ces pays qu'il aura appris à mieux connaître.

Il en va de même lorsqu'il s'agit de définir les hommes : on peut le faire à partir d'une pure idéologie — un adjectif suffit alors, c'est l'homme-oppresseur... — ou s'appuyer sur la réalité. La réalité est toujours plus compliquée : il est vrai que certains hommes sont incapables d'entrer en relation avec une femme autrement qu'à l'intérieur d'un rapport de domination. Mais ce n'est pas le cas de tous. Ce qui cependant affecte tous les hommes, c'est ce système fondé sur la division des rôles dont eux aussi sont les victimes, quoique à un degré moindre que les femmes qui sont les premières à en souffrir, ne serait-ce que sous l'angle de la pauvreté économique.

Je me demande si cette insistance que mettent plusieurs féministes à axer l'essentiel de leur discours et de leur action sur des thèmes reliés à la violence et à la porno n'est pas déjà en train d'éloigner du féminisme nombre de femmes qui ne retrouvent pas dans ces images la plupart des hommes qu'elles connaissent et encore moins ceux avec lesquels elles vivent. Je me demande si cette orientation, minoritaire mais très visible du mouvement féministe, ne risque pas de le marginaliser et d'engendrer une réaction de durcissement aveugle chez certains hommes qui, autrement, se seraient contentés de résister passivement à la montée du mouvement féministe, mais qui, provoqués de front, réagiront non pas par l'apathie mais par la contre-attaque..., ce qui risque de susciter encore plus de violence à l'endroit des femmes. Or, cette violence-là, ce ne sont pas les intellectuelles ni les « définisseuses de situation » qui en seront les premières victimes, mais les femmes dans les usines ou dans le fin fond des chambres à coucher et des cuisines, dans ces lieux clos d'où même les voisins ne peuvent les entendre.

Je me demande enfin si cette tendance privilégiant la lutte contre la violence au détriment des autres champs d'action n'aurait pas pour effet de susciter chez les petites filles et les adolescentes une peur démesurée des hommes en général et d'en faire, au lieu des femmes audacieuses, dynamiques et généreuses dont nous avions rêvé, de petits êtres affolés par la nuit, oscillant entre le désir de s'enfermer chez soi et celui d'acquérir, pour se défendre, une formation paramilitaire. Car enfin, si, comme le veut une thèse répandue, le violeur est un homme « normal », ordinaire, si tout homme est un violeur en puissance, dont les pulsions peuvent être plus ou moins développées mais restent toujours latentes, alors c'est tout l'univers masculin et tous les hommes sans exception qui sont potentiellement dangereux !

Je ne pense pas non plus qu'il soit bon que les petits garçons soient soumis à l'influence d'une idéologie qui leur dit qu'ils sont tous, potentiellement, des batteurs de femmes et des violeurs. Il vaut mieux leur apprendre le respect des femmes et les aider à développer leurs aptitudes à la tendresse que de leur infliger ces nouveaux stéréotypes. Un adolescent est d'ailleurs incapable de distinguer ce qui, chez lui, pourrait relever de pulsions misogynes ou de l'agressivité normale que chacun éprouve à cet âge.

Sans doute est-il vrai que, comme le disent les criminologues, les violeurs n'ont pas de caractéristiques spécifiques, que la plupart sont des pères de famille apparemment bien insérés dans la société et qui ne souffrent pas de troubles psychiatriques susceptibles de leur faire perdre totalement contact avec la réalité, mais il s'agit là d'une définition purement légaliste et éminemment restrictive de la « normalité ». Il m'apparaît évident que les violeurs sont des déséquilibrés et qu'ils n'ont ni plus ni moins en commun avec l'ensemble des hommes que les autres catégories de criminels. Dit-on que tous les hommes sont des voleurs de banque en puissance parce qu'il y en a plusieurs qui ont volé des banques ?

Sans doute aussi, parce que toute réalité est complexe et que tous les hommes ont été soumis aux mêmes archétypes, bien des hommes, qui jamais ne violeraient une femme, ont-ils eu des fantasmes de viol. Et les femmes ? Les femmes aussi ont leurs fantasmes. Tous les humains ont des fantasmes et aussi, la nuit, des rêves inavouables ; pourtant la plupart ne passent pas à l'acte. Ne pas faire de distinction entre le fantasme et la réalité, entre la pensée et l'acte, c'est retomber dans le simplisme pernicieux de la vieille morale qui disait que l'on peut aussi « pécher en esprit » et que celui qui convoite en pensée la femme de son voisin a déjà commis l'adultère.

J'ai côtoyé assez d'hommes, dans ma vie, pour ne pas souscrire à la théorie du violeur ordinaire. Pour voir en tout homme un risque d'agression, il faut vivre dans l'idéologie davantage que dans la réalité. Ou alors, il faut s'être convaincue que la violence réside à l'état latent dans l'hétérosexualité, que l'hétérosexualité en elle-même est porteuse de violence dans la mesure où les rapports entre hommes et femmes seraient toujours fondés, quelle que soit la façon dont ils s'exercent, sur un rapport de domination à sens unique.

Les partisans de cette thèse concéderont que cela pourrait changer, mais une fois le sexisme éliminé de la société. Ce Grand Soir étant encore loin, nous serions en période pré-révolutionnaire pour au moins deux ou trois générations et devrions en attendant souscrire à cette définition de l'hétérosexualité. Évidemment, reconnaissent les partisans de cette thèse, les femmes qui sont incapables d'éprouver de l'attirance physique pour d'autres femmes, c'est-à-dire la majorité d'entre elles, continueront à faire l'amour avec les hommes mais au prix de déchirements intérieurs et de contradictions idéologiques qui ne seront jamais résolues. Dans cette optique, enfin, l'hétérosexualité est vue comme un conditionnement davantage que comme une disposition naturelle, et perçue comme un obstacle à une pratique féministe vraiment cohérente. La sexualité, dorénavant dissociée de tout le domaine de la tendresse et des émotions, dissociée en somme de l'amour, se trouve réduite ainsi au rapport génital, la femme étant invitée à combler ses besoins affectifs dans la sororité, en attendant qu'elle ait assez cheminé sur la voie de la conscience féministe pour pouvoir surmonter les conditionnements qui l'attachent encore à l'oppresseur, l'homme étant vu comme participant individuellement au système d'asservissement dont les femmes seraient les uniques victimes, et cette participation prenant, dans ses manifestations les plus extrêmes, la forme du viol ou du crime sexuel, aboutissement ultime mais logique du rapport hétérosexuel... !

Ce discours stupéfiant est presque devenu banal tant il a imprégné d'articles, d'analyses, d'attitudes mentales et de recherches théoriques !

C'est en l'analysant, ce discours, qu'on comprend pourquoi le courant le plus radical du mouvement féministe a tant insisté sur les thèmes reliés à la violence, la porno et l'agression, au point que ces thèmes ont souvent « volé la vedette » aux autres luttes féministes qui sont pourtant, en réalité, bien plus diversifiées. C'est que ces thèmes, justement, sont ceux qui se prêtent le mieux à une remise en question de l'hétérosexualité.

Le discours radical est utile même si l'on n'y souscrit pas, parce qu'à plusieurs égards il fait avancer la recherche et stimule la réflexion et qu'il empêche les femmes de retomber ou de se complaire dans leurs vieilles sécurités, mais il ne peut tenir lieu de discours commun à l'ensemble des féministes, pour la simple et fondamentale raison que la majorité d'entre elles sont des femmes qui aiment les hommes et veulent vivre avec eux. Les hommes peuvent adhérer à bien des thèmes féministes dans la mesure où ils ont le sentiment d'y gagner quelque chose en échange de la perte de leurs anciens privilèges ; il en est ainsi de la redécouverte de la paternité, source de bonheur dont les a privés le monopole de la femme sur le foyer. Mais à moins d'avoir une capacité d'abstraction extraordinaire, un homme ne pourra adhérer à un discours féministe axé sur l'image de l'homme-oppresseur et de l'agresseur potentiel. En présence d'un discours qui les nie en tant qu'individus, jusque dans leur propre sexualité, et qui dévalorise le rapport amoureux homme-femme, les hommes n'auront aucun intérêt à transformer leurs attitudes et seront plutôt portés à se raidir et à se fermer complètement à l'ensemble du discours féministe. Est-ce cela qu'on veut ? Pas moi. Les changements, je veux les voir de mon vivant.

Le harcèlement sexuel

Le harcèlement sexuel est un autre de ces thèmes susceptibles d'engendrer beaucoup de confusion et de décourager des hommes qui essaient honnêtement de transformer leurs rapports avec les femmes.

Au sens strict, le harcèlement sexuel est la sollicitation systématique qu'exerce le patron — ou toute autre personne en situation d'autorité ou de leadership — sur son employée. C'est une forme d'abus de pouvoir. La femme ne peut refuser ces avances sans encourir le risque d'être pénalisée, de se voir refuser telle promotion ou pire, d'être congédiée. Il y a des recours, devant la Commission des droits de la personne notamment, mais ces procédures sont longues et déchirantes pour la victime.

Il peut aussi se produire des cas de persécution caractérisée, même en dehors du rapport patron-employé. Ainsi une cause portée en 1981 devant la Commission des droits de la personne — laquelle d'ailleurs a donné raison à la plaignante — faisait état d'une forme indirecte de harcèlement, qui s'était prolongé durant une très longue période dans un service de la fonction publique à Québec, à l'endroit d'une femme qui avait eu le malheur de remplacer un homme à un poste donné. Un petit groupe de collègues masculins affichait systématiquement des images plus ou moins pornographiques dans l'intention manifeste de provoquer le départ de l'« intruse ». D'autres cas — très fréquents mais dont on ne pourra jamais évaluer précisément le nombre — se produisent dans divers milieux de travail : la sollicitation sexuelle peut y être d'une brutalité considérable et analogue à la démarche du violeur, c'est-à-dire mue par un pur sentiment d'agressivité et par des pulsions violentes et haineuses à l'égard des femmes en général plutôt que par un désir sexuel irrépressible à l'endroit de la femme visée. Si ce harcèlement est le fait d'un camarade, la femme peut théoriquement avoir l'appui de ses supérieurs ou des leaders syndicaux... Je dis théoriquement, car il arrive souvent que ces derniers prennent plutôt le parti de l'agresseur et se disent, reprenant le préjugé classique à l'endroit de la femme violée, qu'elle « a bien dû l'aguicher » d'une façon ou d'une autre.

Peut-être parce que j'ai travaillé dans un milieu relativement privilégié, j'ai rarement été, quant à moi, le témoin d'entreprises de harcèlement sexuel. J'en ai eu une vague idée lors d'un incident qui m'a suffisamment humiliée pour que j'en conserve toujours le souvenir. Lorsque j'étais collégienne, je travaillais comme vendeuse durant l'été et les week-ends dans un grand magasin de la rue Sainte-Catherine. Un samedi, je fus préposée à l'entrepôt du rayon de la vaisselle. Il fallait déballer les verres qui arrivaient dans des boîtes de carton. Je me trouvais seule dans cet entrepôt avec un homme qui me laissait ramasser les boîtes, de telle sorte que j'étais toujours penchée ou accroupie. Lui-même restait debout, adossé au mur, les yeux fixés sur ma jupe qui, à chaque mouvement, se retroussait. Je me souviens de ma colère, une colère rentrée, mêlée d'un fort sentiment d'humiliation et d'impuissance.

Cela dit, il me semble que le thème du harcèlement sexuel a pris une dimension, une ampleur, qui n'a plus rien à voir avec l'abus de pouvoir d'un homme en situation d'autorité, qu'il soit l'employeur, le professeur, le fonctionnaire responsable d'un dossier personnel ou, dans les pires des cas, le père. Toute sollicitation, toute avance, même plutôt gentille, tout geste un peu galant, risque sous l'effet d'une inflation verbale continue, de se voir qualifié de « harcèlement sexuel ». J'ai entendu, dans plusieurs milieux, les remarques les plus aberrantes.

Je me trouve, un jour, dans un congrès d'universitaires. Un homme avec qui je cause pendant que nous nous dirigeons d'une salle à une autre ouvre une porte et me fait passer avant lui.

Geste machinal, que je ne remarque même pas, mais qui lui fait dire : « Ah, enfin une femme qui ne proteste pas si on lui tient la porte ! » Je me suis dit à ce moment qu'il était vraiment ridicule qu'un geste poli et galant, venant au surplus d'un homme dans la quarantaine qui avait été élevé de cette façon, puisse être interprété comme une marque de sexisme. J'aurais pu évidemment pousser moi-même cette porte, mais quel besoin avais-je de le prouver ? Pourquoi faudrait-il que les rapports humains soient soumis à des règles aussi rigides que les anciens codes du passé ?

Un jour, l'un de mes confrères me dit spontanément : « Tu as une jolie robe aujourd'hui », ou quelque chose du genre. Il s'interrompt aussitôt, la main sur la bouche : « C'est sexiste, ce que je dis là... » J'ai vu la même chose se répéter bien des fois autour de moi, quand tout à coup un homme évolué se met à craindre que ce qui aurait été considéré il y a cinq ans comme une remarque gentille soit aujourd'hui interprété comme une forme de harcèlement.

La première fois que j'ai été témoin d'une réaction semblable, je me suis dit que c'était une réaction infantile, venant d'un homme un peu « mêlé » que le féminisme intimidait tellement qu'il en avait perdu le sens des nuances. Ensuite, j'ai commencé à me demander s'il n'y avait pas en réalité quelque chose dans le discours féministe qui poussait les hommes à une culpabilisation sans commune mesure avec la réalité, au point de ne plus savoir vraiment quel comportement adopter.

Bien sûr, la plupart des hommes adultes, ceux justement qui sont capables de faire la distinction entre le harcèlement sexuel et le sexisme d'une part, et la gentillesse et le flirt d'autre part — car le flirt n'est pas, que je sache, à bannir et ne l'a jamais été dans la mesure où il repose sur le respect mutuel —, ne seront pas facilement confondus et sauront d'instinct comment se comporter ; cette maturité-là, toutefois, on ne peut l'exiger de tout le monde, le fait étant, hélas, que la plupart des gens n'ont pas tellement le sens des nuances et qu'ils voient les choses « en gros ».

Intermède

(Petit traité à l'usage des hommes que le discours féministe a déstabilisés.)

Il y a harcèlement sexuel lorsqu'il y a violence ou mépris. La galanterie, la gentillesse, le flirt à condition qu'il soit doux et gentil, tout cela c'est permis !

Est sexiste une forme d'avance sexuelle grossière, une remarque ou un geste explicite qui donnent à la femme l'impression qu'elle n'est qu'une marchandise que quiconque peut jauger, tâter, manipuler et laisser tomber après usage. Un objet, quoi.

N'est pas sexiste une remarque flatteuse, un geste tendre et esquissé. Dire à la dame convoitée qu'elle est bien habillée, qu'elle a de beaux yeux, qu'elle est jolie, ou alors lui prendre délicatement le bras si vous marchez à ses côtés, ce n'est pas du harcèlement sexuel. Ouvrir une porte, lui offrir un café, l'envelopper de temps à autre du regard ou du sourire, suggérer un repas ou un verre en tête-à-tête, ça aussi c'est permis à condition que vous n'insistiez pas outre mesure si elle dit non.

Vous êtes sexiste si en retour vous ne supportez pas que la dame vous dise que vous avez une belle chemise, que votre cravate va bien à votre teint ou qu'elle aime bien votre nouvelle coupe de cheveux.

Vous êtes sexiste si — disons que vous travaillez dans un bureau — vous lui dites : « Donne, je vais finir tes calculs, avec moi ça ira plus vite, les femmes sont tellement cruches en mathématiques. » Mais pas sexiste et même parfaitement adorable si vous lui dites : « Laisse, je vais finir tes calculs, comme ça tu pourras rentrer chez toi plus tôt. » (Sous-entendu : ça me fait plaisir de te rendre service.)

Si la dame en retour vous dit un jour : « J'ai l'impression que tu t'es trompé dans tes calculs », il ne faut pas vous énerver, cela ne veut pas dire qu'elle ne vous aime pas ni qu'elle vous méprise. Pourquoi faudrait-il que vous soyez infaillible ? Peut-être vous êtes-vous tout simplement trompé. Peut-être aussi cherche-t-elle un prétexte pour s'attarder à vos côtés, auquel cas vous pourriez dire, en humant son doux parfum : « Demain je ferai plus d'erreurs encore, si ça me donne une autre occasion de sentir ton parfum... », ou quelque chose du genre. (Les variantes sur ce thème sont infinies.) Et puis si, finalement, la dame accepte d'aller un soir, après le travail, prendre un verre avec vous, vous pourrez, oui, lui ouvrir la porte du restaurant. C'est permis !

Autre problème, beaucoup plus compliqué celui-là. Vous êtes le patron, elle est votre subordonnée. Hé bien dans ce cas, il faut être capable de s'analyser soi-même. Si tout ce que vous cherchez, c'est une aventure passagère, allez voir ailleurs, tout cela ne « vaut pas le trouble ». Un bon gestionnaire n'a pas d'aventure avec ses employées ; vous risquez en outre d'empoisonner vos relations professionnelles avec cette femme et peut-être de lui faire très mal. Si toutefois vous êtes en amour, si depuis quelque temps vous ne vivez que pour elle, comment le lui faire comprendre sans risquer par ailleurs de la harceler sexuellement ? Il faudra alors être non pas subtil mais franc et direct, car les enjeux, pour elle autant que pour vous, pour elle surtout puisqu'elle dépend de vous, sont beaucoup trop importants. Déclarez-vous avec simplicité, humblement, sans exercer de pression, et en précisant bien que cela n'a rien à voir avec le travail. Si vous voyez qu'elle n'est pas sur la même longueur d'ondes, si elle a l'air embarrassée et réticente, laissez tomber. Primo : vous vous en relèverez. Un adulte sensé n'aime pas indéfiniment qui ne l'aime pas. Secundo : ne lui en veuillez pas, l'amour est la chose entre toutes qui ne se commande pas. Si cette dame était digne de votre amour, elle est digne de la fonction que vous lui aviez confiée. Si enfin vous ne pouvez supporter de la côtoyer tous les jours, prenez des vacances, demandez un congé sabbatique, arrangez-vous pour tomber en amour avec quelqu'un d'autre en dehors du bureau, ou alors, si rien de cela ne marche, changez d'emploi. Après tout, la pauvre, elle n'avait rien fait, c'est vous qui avez tout commencé, tant pis pour vous !

Briser les barrières

Il y a l'amour mais aussi l'amitié, la camaraderie. Le système qui maintient la division des rôles a pour effet de séparer les hommes des femmes et de rendre l'amitié entre eux difficile. Au Québec, la première génération pour qui l'amitié entre hommes et femmes a été possible est celle qui a inauguré les campus mixtes des polyvalentes et des cégeps. Pour les générations précédentes, l'autre sexe restait inconnu sinon à travers l'image du père, du frère ou du cousin, images déformantes parce que trop liées à la réalité familiale. Le fait que l'homme et la femme aient reçu des éducations distinctes les empêchait ensuite d'avoir des intérêts communs. Et sans intérêts communs, comment peut-il y avoir amitié ?

Le sexisme en milieu de travail vient largement du fait que les hommes connaissent fort peu les femmes. Bien sûr, ils les désirent, les épousent, leur font des enfants, mais on peut vivre avec une femme toute une vie sans la connaître ; l'inverse aussi est vrai, mais à cette différence près que les femmes sont mieux entraînées que les hommes à déceler, chez les autres, les sentiments cachés. En outre, à cause justement de cette image unique de la femme enfermée dans un rôle sexuel et maternel, les hommes ont souvent du mal à voir les femmes comme de simples camarades de travail.

Ces dernières, au contraire, ont été habituées dès l'enfance à des images d'hommes-au-travail, inscrits dans diverses fonctions sociales n'ayant rien à voir avec une activité sexuée. Un homme peut être comptable, médecin, chauffeur de taxi, et n'être que cela aux yeux d'une femme. Mais aux yeux d'un homme, il y a d'abord un être sexué — désirable ou non désirable — derrière la femme-comptable, la femme-médecin ou celle qui est au volant d'un taxi. Elle sera classée dès la première rencontre selon qu'elle est ou non « baisable » (comme « ils » disent).

Les femmes aussi remarquent les hommes et peuvent être sensibles à leur charme ou bien les trouver laids. Mais chez elles, cette réaction est plus occasionnelle et plus subtile, et ne vient pas systématiquement obscurcir le jugement qu'elles portent sur les hommes avec qui elles ont une relation strictement professionnelle.

C'est encore l'une des raisons pour lesquelles l'entrée des femmes dans l'univers du travail et l'abolition des ghettos d'emplois est si importante : c'est en travaillant côte à côte avec des femmes que les hommes peuvent le mieux surmonter leurs préjugés envers elles, apprendre à les connaître et à les respecter.

Cela ne peut se faire du jour au lendemain, c'est évident. Encore faut-il que les femmes soient de plus en plus nombreuses dans chaque milieu de travail — et, de même, que les hommes entrent eux aussi en grand nombre dans les ghettos d'emplois féminins —, pour que cette rencontre mène à des changements d'attitude et de comportement. La notion de nombre est capitale. C'est parce qu'elles y sont si peu nombreuses, et donc très isolées et très visibles, que les femmes sont en butte à de la discrimination dans les secteurs d'emplois à prédominance masculine. Si elles étaient plus nombreuses, leur présence deviendrait « banalisée » ; on verrait mieux que les femmes sont toutes différentes en tant qu'individus et qu'il n'y a pas de stéréotype féminin. Mille et une transformations s'inscriraient alors dans le système : évaluation des candidats, plans de carrière, organisation du travail en rapport avec les responsabilités familiales, etc. De la même façon, l'entrée des hommes dans les ghettos féminins brise les stéréotypes.

On peut, on doit, accélérer les changements : l'action positive est une façon de le faire.

Qu'est-ce que l'action positive ? C'est un ensemble de mesures incitatives qui tentent de compenser le fait que les femmes n'ont pas des chances égales d'embauche et de promotion dans le système actuel, comme on l'a vu au chapitre six. L'action positive consiste à prendre tous les moyens requis pour solliciter des candidatures féminines dans le cas de postes à combler. On continue évidemment d'embaucher sur la base de la compétence et des qualifications, mais les femmes bénéficient cette fois d'un préjugé favorable, contrairement à ce qui se pratique dans un système où s'exerce le libre jeu de la tradition et de la compétition.

Une modalité plus radicale de l'action positive consiste à établir des contingentements et à réserver, indépendamment du facteur compétence, un nombre « x » de postes ou de sièges aux femmes (ou, pour des raisons analogues, à d'autres minorités). Telle est par exemple la politique adoptée au dernier congrès du Nouveau Parti démocratique : les délégués devront dorénavant élire au moins 10 femmes sur les 20 membres du conseil fédéral du parti. En l'occurrence, cela n'est guère lourd de conséquences, car le leadership au sein du NPD s'exerce aussi à d'autres niveaux ; il reste toutefois que ce système a quelque chose d'embarrassant, de paternaliste, les candidates féminines se

244

voyant élues presque automatiquement sans égard à leurs qualifications. Leur crédibilité risque d'être moins forte que jamais dans un organisme où on les a fait entrer par « charité » et où les hommes, eux, peuvent dire qu'ils ont été choisis en fonction de leurs qualifications.

Aux États-Unis, le système des contingentements — les « quotas » — est assez répandu et appliqué tant au bénéfice des minorités ethniques qu'à celui des femmes ; plusieurs estiment cependant que cette « discrimination à rebours » risque à la longue de desservir la cause des minorités qu'on veut aider. Je serais portée à penser la même chose. Le système des contingentements n'est-il pas l'institutionnalisation du *tokenism*, du concept de la femme-alibi qu'on nomme à tel poste simplement parce que c'est une femme ? Je ne voudrais pas, quant à moi, d'une pareille nomination.

L'action positive n'a pas ces effets négatifs quand la formule est souple et tient compte du facteur compétence. D'abord on essaie d'intéresser le plus grand nombre possible de candidates compétentes à tel ou tel poste. Ensuite leurs dossiers sont évalués avec un soin particulier, en tenant compte des facteurs qui pourraient les pénaliser injustement et de tout ce qui, dans leurs propres potentialités, pourrait ne pas entrer dans le cadre des normes masculines traditionnelles, mais pourtant répondre aux exigences de la fonction. L'action positive, qui demande une réévaluation complète des attitudes des employeurs — et aussi des employées — est également fort répandue aux États-Unis, davantage que la formule des contingentements, parce qu'elle n'a pas de contenu discriminatoire et respecte les standards professionnels. On pourrait arguer qu'il y entre un élément de discrimination dans la mesure où entre deux candidats d'égale valeur on choisira la femme. Mais cette discrimination n'a rien à voir avec celle, autrement importante, qui s'est toujours et partout exercée contre les femmes et qui faisait qu'entre deux candidats d'égale valeur (pis encore : entre un candidat médiocre et une candidate de valeur), c'est toujours l'homme qu'on choisissait.

Les périodes de chômage élevé ne sont pas les plus propices à l'implantation de programmes d'action positive, mais il faut espérer que les gouvernements s'y engageront quand même.

Leur rôle est de mettre sur pied des programmes de ce type à l'intérieur de la fonction publique et des organismes para-publics et d'inciter, par divers moyens, les entreprises privées à faire de même. Le gouvernement peut se servir pour ce faire de son pouvoir d'achat ou réserver aux entreprises « réformées » ses subventions ou certains avantages fiscaux. C'est ce qui s'est fait aux États-Unis et il ne s'y est pas produit, à ce qu'on sache, d'exode de sièges sociaux !

Bref, l'entrée des femmes dans tous les secteurs du travail et l'éclatement des ghettos d'emplois, accélérés par l'implantation de programmes d'action positive, de formation et de recyclage, me paraissent être la voie la plus sûre et la plus réaliste vers la transformation des rapports sociaux et humains. Ainsi, évi-demment, que l'éducation des futures générations en dehors des stéréotypes ancestraux.

Le système scolaire reste en effet à la base de tout. On sait à quel point le nôtre répond mal aux besoins des femmes du second âge qui veulent retourner sur le marché du travail ; on n'ignore pas non plus qu'au Québec les filles sont encore plus mal formées que les garçons pour affronter les changements technologiques qui affectent pourtant particulièrement les emplois féminins. Les deux tiers des femmes travaillent en effet dans le secteur des services où, prévoit-on, la bureautique et la micro-informatique feront disparaître près de la moitié des emplois d'ici quelques années. (Le Conseil des sciences du Canada prévoit qu'en 1990, un million de Canadiennes seront affectées par le chômage technologique.)

Par ailleurs, alors que l'ensemble des élèves québécois risquent, dans un système scolaire qui ne s'est pas recyclé assez vite, d'être les laissés-pour-compte de cette révolution, les filles, elles, pourraient se trouver dans une situation encore plus désastreuse. On prévoit qu'à partir de 1985 il y aura quatre emplois pour chaque diplômé en informatique... mais les filles, qui déjà traditionnellement tirent de l'arrière dans les sciences et les mathématiques, véhiculent à l'endroit des nouvelles tech-niques tous les vieux préjugés de leur sexe. Elles sont toujours partout moins nombreuses que les garçons à s'inscrire aux cours d'informatique et dans chaque maison où il y a un ordinateur, c'est en général bien plus souvent le petit garçon que la petite fille qui l'utilise.

D'où la nécessité de prévoir dans les écoles des mécanismes d'incitation spécialement destinés aux filles et d'initier et les parents et les enseignants à cette dimension classique du comportement féminin traditionnel, soit la peur des maths et de la technique. Cette peur peut être surmontée avec l'aide des éducateurs, car elle est d'origine psychologique et n'a surtout rien à voir avec une inaptitude qui serait congénitale.

Évidemment, l'objectif de la pénétration du marché du travail par les femmes passe par la revendication d'une politique de plein emploi. Il serait irréaliste de croire qu'un gouvernement puisse faire sa priorité de l'accès des femmes au travail à une époque où le chômage a dépassé 10 pour cent et frappe de plein fouet toute une génération de jeunes. La crise économique des dernières années a eu pour la promotion des femmes l'effet d'un pur désastre : c'est précisément à l'époque où les jeunes femmes se préparaient à envahir le marché du travail avec des qualifications sans précédent, et allaient pouvoir en plus bénéficier des retombées positives de l'idéologie féministe qui commençait à imprégner les mentalités, que le marché des emplois s'est soudainement refermé.

Je l'ai vu dans mon propre milieu de travail : au moment où il semblait que les employeurs avaient vaincu d'anciennes réticences et se préparaient à accepter des candidatures féminines — qui d'ailleurs abondaient, puisque les jeunes femmes étaient en majorité dans les facultés et départements reliés à la pratique journalistique —, la crise a frappé et on a cessé d'embaucher, tant et si bien que dans des salles de rédaction qui se trouvaient, dans les années 60, remplies de jeunes dans la vingtaine, les benjamins ont aujourd'hui 32, 33 ans ! Dans l'enseignement le même scénario se répéta : les jeunes femmes y arrivaient, mieux préparées que jamais, souvent capables d'envisager une carrière continue grâce à des maris et des compagnons plus ouverts et plus tolérants. Aujourd'hui, ce qu'on leur offre, ce sont des postes de chargées de cours, des emplois à temps partiel... Et pour finir le plat en beauté, les mêmes gouvernements qui disaient s'intéresser à la condition féminine ont décidé que le « droit à son emploi » (une fois qu'on l'a) était un droit sacré et que personne ne devait être forcé de prendre sa retraite. Cela aggrave encore la situation... non seulement les femmes sont-elles exclues du marché du travail, mais ceux qui y détiennent les emplois — notamment dans les activités intellectuelles qui ne requièrent pas de « force physique » particulière — vont pouvoir tranquillement continuer à s'y accrocher jusqu'à l'article de la mort. Je crois avoir été la seule personne, parmi les commentateurs de la presse nationale, à avoir protesté contre l'abolition de la retraite obligatoire à 65 ans et je crois que le fait d'être une femme a compté pour beaucoup dans ma réaction : les hommes ont toujours tendance en effet à voir la retraite comme une mise à mort et la retraite obligatoire comme un abus de pouvoir. La retraite, pour beaucoup d'entre eux, c'est l'univers de la maison où ils tournent en rond comme des âmes en peine... comme des femmes, privés de statut social. Cette condition ne paraît pas humiliante à une femme, même à celles qui n'auraient pas voulu y passer toute leur vie ; par ailleurs, la retraite n'a de valeur que si l'on en accorde à la vie privée, au domaine émotionnel et aux activités gratuites. Quand ma consœur Claire Dutrisac, qui avait fait sa marque dans les affaires sociales et la santé, a pris une semi-retraite, ce fut pour elle un beau jour. Elle allait enfin pouvoir, disait-elle, voyager à son goût, écouter de la musique, voir ses amis, lire tout ce qu'elle n'avait pas eu le temps de lire... Elle a pris une retraite prématurée, plusieurs années avant l'âge requis par l'ancienne loi. Cela aussi me paraît être, dans l'état actuel des mentalités, une réaction plus féminine que masculine. Les femmes en effet valorisent le travail — qui est la source principale de leur indépendance —, mais ne lui accordent pas une valeur démesurée par rapport aux autres activités humaines. C'est une petite chose que les hommes, un jour, apprendront... puisque le féminisme n'est pas seulement un mouvement de contestation et de revendication, mais aussi un nouvel humanisme porteur d'une culture nouvelle, fondé sur le respect des individus plutôt que sur la préservation de la cellule familiale placée sous l'autorité patriarcale.

C'est dorénavant l'individu qui est au centre de tout : ainsi est-ce à chacun, femme et homme, indépendamment des liens qu'ils contractent entre eux, à s'assurer des moyens de gagner sa vie, de la même façon que c'est à chaque individu ayant procréé, au père comme à la mère, à voir au bien-être de l'enfant.

Ainsi quitte-t-on, avec le féminisme, l'univers confortable de la norme unique pour entrer dans celui, infiniment diversifié, de l'individu et des minorités. C'est d'ailleurs dans la foulée du mouvement des femmes que l'on a commencé à s'intéresser aux autres minorités — enfants, *gais*, handicapés, autochtones, immigrés, troisième âge, etc. — à tous les groupes en somme qui, sans nécessairement avoir beaucoup en commun, partagent cependant la caractéristique de ne pas appartenir à la catégorie dominante du mâle-producteur-pourvoyeur.

L'avenir

Faut-il s'attendre à un ressac anti-féministe? Sans doute, si l'on en juge par l'expérience américaine que le Québec a toujours suivie à quelques années de distance. Aux États-Unis, le mouvement féministe a eu — a encore — une profonde influence sur toute la société mais la réaction a été d'une égale ampleur, d'autant plus qu'elle se nourrit souvent des mouvements d'extrême-droite à teneur religieuse, la *Moral Majority*, les Fondamentalistes, etc.

La droite a réussi à empêcher l'adoption de l'*Equal Rights Amendment*, qui aurait inscrit dans la constitution américaine le principe de l'égalité entre les hommes et les femmes, en utilisant des arguments aussi farfelus que le spectre de toilettes communes ou l'envoi de contingents entiers de jeunes filles dans d'autres Vietnam.

Le Québec en a eu un avant-goût avec la spectaculaire levée de boucliers contre *Les Fées ont soif*, au premier rang desquels se trouvaient des gens de la vieille droite traditionnelle et, plus dangereux encore, des jeunes de la nouvelle droite fascisante. Ce n'est pas seulement pour des raisons religieuses, à cause de son supposé contenu blasphématoire, que « Les Fées » a été la cible de ces attaques. Ses détracteurs en avaient aussi — et peut-être surtout — contre le fait qu'une femme revendique avec passion la pleine maîtrise de sa sexualité et de sa vie.

Le discours féministe, même le plus modéré, suscite à droite de farouches résistances, car, c'est un fait, il menace l'ordre établi. Il menace la famille patriarcale traditionnelle. Il menace l'organisation du travail en y introduisant de nouvelles valeurs et du sang neuf. Il menace tout un édifice social et économique qui repose sur la division des rôles, même si, dans les faits, et la famille et l'univers du travail ont déjà commencé à se transformer considérablement. (Mais c'est le propre de la droite que d'être toujours en arrière des événements.)

Il se pourrait cependant qu'au Québec le ressac — qui se manifeste ici et là sans être encore organisé — soit moins violent, moins vicieux, que celui que connaissent les féministes américaines. Ceci est dû d'une part à ce que la droite semble moins forte au Québec qu'ailleurs en Amérique et, d'autre part, à ce que la plupart des féministes québécoises ont été, me semble-t-il, plus subtiles que leurs sœurs d'outre frontière. (C'est la technique de l'aspirine écrasée dans le sirop d'érable qu'on avale sans s'en apercevoir !)

D'ailleurs ce ressac ne se fait pas sentir partout, loin de là. Parallèlement à la réaction anti-féministe, il se produit de grandes percées qui feront époque.

L'une des dernières est la victoire remportée aux États-Unis par Christine Craft, cette *anchorwoman* à qui un jury vient de donner raison contre la station de télévision qui lui avait dit qu'elle était — à 38 ans ! « trop vieille, pas assez jolie ni assez déférente envers les hommes » pour continuer dans ses fonctions.

C'est en étudiant des cas de ce genre qu'on peut le mieux comprendre la dynamique du changement et des réformes. Sociologiquement, on peut dire que le fruit était mûr, parce que les speakerines embauchées aux États-Unis dans la foulée du mouvement féministe, quand elles étaient dans la fraîcheur de la vingtaine, sont maintenant à l'aube de la quarantaine et qu'elles se révoltent contre le double standard selon lequel on les juge déjà trop âgées pour paraître à l'écran alors qu'on trouve normal que 16 pour cent des présentateurs masculins aient plus de 50 ans. Idéologiquement, cette cause peut avoir un effet considérable sur les mentalités. La première victoire avait été l'entrée de femmes sur un pied d'égalité avec les hommes dans les émissions d'information. Mais ces femmes restent encore très minoritaires (20 pour cent environ), elles sont toujours plus jeunes que leurs collègues masculins et jusqu'à maintenant elles ne pouvaient

250

pas, comme Walter Cronkite, vieillir à l'écran. Un homme aux tempes grises, ça fait sérieux, mais une femme du même âge...

Le cas Craft ébranle l'un des préjugés sexistes les plus solidement enracinés, et comme il s'agit de la télévision, cette boîte à images qui forge les mentalités et les attitudes, son influence, quant à la désexisation de l'image des femmes, sera considérable.

Dans son dernier livre, *The Second Stage*[1], Betty Friedan rapporte aussi d'intéressantes percées du mouvement féministe jusque dans les milieux les plus conservateurs. Même dans l'armée, les stéréotypes commencent à s'atténuer. Les officiers ont des femmes au travail, les jeunes soldats remettent en question le mythe du Héros américain, les filles, d'abord rejetées, se font peu à peu accepter. Ailleurs, des Républicains acceptent de participer à la revendication de garderies et souscrivent à de nouvelles définitions de la famille. On sait en outre que c'est le vote féminin qui est en train de sceller le sort de Reagan, dans la mesure où de plus en plus de femmes se détournent de son régime; cela est une autre de ces victoires diffuses et englobantes du mouvement féministe.

Ici même, d'autres percées sont à prévoir. Ainsi, *La Vie en Rose*[2] rapporte qu'Action Travail des femmes a inscrit devant le Tribunal canadien des droits de la personne une cause qui, en cas de victoire, pourrait ouvrir aux femmes l'un des ghettos d'emplois les plus fermés, celui des postes de cols bleus — bien rémunérés — au Canadien National. Un programme très rigoureux d'action positive pourrait alors être mis en place, ainsi qu'un programme visant à contrer le harcèlement sexuel qui, dans ce milieu de travail, risque d'être particulièrement pernicieux. (Car ce n'est pas parce qu'on en exagère parfois la portée que le harcèlement sexuel n'existe pas. Là où il existe, il faut le combattre et prévoir des mécanismes pour en protéger les femmes, par exemple, la présence d'une personne, dans la compagnie, chargée de recevoir les plaintes et de recommander des sanctions au besoin.)

---

1. *Op. cit.*
2. Septembre-octobre 1983.

Le feu n'est pas éteint. Raison de plus pour ne pas y jeter inutilement de l'huile, à propos de points secondaires ou contingents.

Dans son livre, Friedan fait un lien entre la radicalisation du discours féministe et la force du ressac anti-féministe : « Les militantes des années 60, issues du mouvement étudiant et de la contre-culture, ont fait une sérieuse erreur en appliquant à leur situation par rapport aux hommes la même rhétorique qu'elles avaient utilisée contre le racisme ou le capitalisme... Ces analogies trop littérales, empruntées à la lutte des classes et adaptées au modèle des révolutions masculines, ne convenaient pas à l'analyse des expériences vécues par les femmes au sein de leurs familles, avec les enfants et les hommes... C'est de l'expérience concrète des femmes que le mouvement féministe avait d'abord tiré sa force. Mais l'intrusion de cette rhétorique empruntée nous a souvent par la suite caché la réalité complexe et changeante de nos propres expériences. »

Il est bien vrai qu'on ne peut appliquer à l'action féministe le schéma révolutionnaire classique, ni les règles de la lutte des classes ou des peuples dominés. Ces schémas appellent des stratégies violentes qui n'ont rien à voir avec la réalité des hommes et des femmes et qui, de toute façon, seraient vite marginalisées et impitoyablement réprimées. La politique du pire est toujours la pire des politiques et il ne sert à rien de provoquer des réactions contre lesquelles on n'aura pas les moyens de se défendre. Même dans l'action politique traditionnelle, d'ailleurs, le fameux cycle action-réaction-violence-répression-libération est loin de se réaliser dans tous les cas. Que dire alors de la « guerre des sexes » ?! Toute stratégie qui oppose l'engagement féministe et l'engagement amoureux ou familial est piégée au départ. On sait fort bien ce que toute femme choisirait, acculée au pied du mur. Les féministes radicales s'illusionnent quand elles s'imaginent qu'il est possible de soulever contre l'homme, non pas une révolte ponctuelle entre deux cafés un soir de confidences, mais une révolte soutenue et continue, susceptible d'alimenter une action de type révolutionnaire. Car cet « homme-oppresseur » n'est pas le patron anonyme d'une multinationale, il prend le visage du mari, de l'amant, du fils, du père ou du frère, celle aussi du compagnon de travail de tous les jours, du camarade, de l'ami. L'homme est présent dans la vie quotidienne de toutes les femmes et toute démarche visant à changer l'ordre établi ne peut se faire qu'en douceur et graduellement, par la persuasion et l'éducation davantage que par l'affrontement. Ce sont là des stratégies que nous dicte la plus ancienne sagesse féminine et c'est également ce que nous disent nos instincts.

C'est pourquoi les revendications portant sur le travail et l'éclatement de la division traditionnelle des rôles, qui redonnent à l'homme ses droits paternels et l'accès à ses propres émotions tout en assurant la dignité et l'autonomie de la femme, m'apparaissent-elles la voie la plus réaliste et la plus sûre vers la transformation des rapports sociaux. Un discours féministe axé sur la polarisation et qui tend, ne serait-ce qu'à court terme, davantage à séparer qu'à unir, irait en pratique à l'encontre de ses propres objectifs, parce qu'il heurte les intérêts et la sensibilité d'une majorité de femmes et est inutilement provocateur. Quelles transformations pourraient donc se produire au sein de la famille et dans le monde du travail si les hommes n'étaient pas de la partie ?

9

LE MARIAGE
Ou une institution
en évolution

Signe des temps : pendant des années et sans que personne n'y trouve à redire, les Québécois ont vécu sous le règne de deux premiers ministres divorcés, dont l'un s'est remarié et l'autre a la garde de ses enfants. Il y a quinze ans seulement, il aurait été impensable qu'un divorcé, ou quelqu'un dont le mariage était objet de scandale, s'engage en politique.

Nelson Rockefeller, aux États-Unis, fut un des premiers divorcés à se lancer en politique et encore fut-il à l'époque abondamment critiqué. Encore aujourd'hui, il subsiste des cas d'hommes politiques qui sont, de fait, séparés, mais qui n'ont pas osé se rendre jusqu'au divorce par peur des répercussions politiques et qui demandent à leur femme de les accompagner dans les cérémonies officielles en échange de discrets émoluments.

Les années 60 ont marqué la fin de l'époque millénaire où un adulte normal était marié à moins d'être entré en religion ou d'avoir dû se résigner, par suite d'une quelconque malchance, au célibat.

L'homme et la femme, unis devant un ministre du culte et devant l'autorité civile, « devant Dieu et devant les hommes », se mariaient pour enfanter et pour former « la cellule de base de la société » ; leur union était indissoluble. Même dans les sociétés qui ne reposaient pas sur le dogme catholique, le divorce a généralement été mal vu, parce qu'il menaçait l'ordre social. Les premiers socialistes, par exemple, prônaient l'union libre mais sitôt au pouvoir en Russie, ils allaient rétablir l'institution du mariage.

Au Québec, le mariage a été l'un des domaines où l'Église et l'État ont été le plus intimement liés ; jusqu'à ce qu'on mette en place des mécanismes d'ordre civil, le mariage était célébré par un ministre du culte (prêtre, pasteur, rabbin, etc.) qui jouait en même temps le rôle d'officier de l'État. Avant les réformes de la fin des années 60, les couples qui voulaient se marier sans cérémonie religieuse devaient se présenter devant un ministre protestant. La cérémonie était laïque, mais valide uniquement parce qu'elle était présidée par un pasteur.

En Inde, on a sacralisé le mariage bien davantage : le mari mort, la veuve devait le suivre dans l'au-delà et se jeter sur le bûcher où se consumaient ses cendres... poussée au besoin par la famille du défunt... ; si elle criait, c'était bien sûr par désespoir d'avoir perdu son cher époux et surtout pas parce qu'elle avait encore envie de vivre !

Que recouvrait cette aspiration sociale à la stabilité qui a poussé les socialistes à rétablir le mariage, les hindouistes à sacrifier les veuves, les catholiques à interdire le divorce, les musulmans à ne l'accepter que lorsqu'il était le fait de l'homme ?

Le mariage, sous les formes diverses qu'il a prises à travers les siècles, reposait sur une division étanche des rôles entre l'homme et la femme. Pour cette dernière, toute l'existence, depuis la puberté, allait être axée sur la reproduction de l'espèce et l'entretien du foyer, tandis que l'homme, unique pourvoyeur, allait hériter de la responsabilité de nourrir et de protéger sa famille et d'en diriger les destinées. Ce modèle, calqué sur le règne animal, se justifiait par la force musculaire de l'homme et par la nécessité impérieuse, pour l'espèce, de se reproduire. Dans ces siècles de pénurie en effet, seuls les êtres dotés d'une exceptionnelle santé survivaient ; les hommes frêles, aujourd'hui nombreux, mouraient à la naissance ou en bas âge ; l'homme adulte, nécessairement fort et musclé, chassait et pêchait, faisait la guerre pour protéger les siens. Une loi obscure de la nature exigeait que les naissances soient nombreuses pour compenser le taux de mortalité si terriblement élevé chez les nouveau-nés et les petits enfants. La maternité était évidemment une occupation à plein temps, susceptible d'occuper une vie entière, d'autant plus que les gens mouraient beaucoup plus jeunes qu'aujourd'hui.

La femme devait donc se marier le plus tôt possible, faire le plus d'enfants possible et tenir maison. L'homme, par contre, pouvait avoir plus d'une femme, puisque cela augmentait le nombre des naissances : la femme met neuf mois à procréer, mais l'homme, après quelques minutes, a fini son travail et peut tout de suite ou presque (ça dépend !) aller faire un autre bébé.

Dans les sociétés chrétiennes, où la polygamie était interdite, l'autorité religieuse encourageait vivement le veuf à se remarier : son sperme pouvait encore servir. La femme, elle, n'était poussée au remariage que si elle pouvait encore enfanter. Ainsi, en Nouvelle-France, on louangeait le veuf qui, sitôt sa première femme enterrée, se remariait avec sa belle-sœur ou sa cousine : c'était « pour le bien de la race ».

On notera l'absence de la notion d'amour, au sens où on l'entend aujourd'hui, dans ce modèle traditionnel. En fait, l'histoire des siècles passés montre que l'amour entre homme et femme et l'amour entre parents et enfants est une notion qui s'est développée avec le temps et les acquis de la civilisation ; cette notion était d'ailleurs l'apanage des couches privilégiées et elle n'avait en général pas grand-chose à voir avec le mariage. L'amour galant ou romantique se vivait en dehors du mariage, lequel restait axé sur la reproduction, la société européenne admettant qu'un homme ait des maîtresses à condition que cela ne menace pas le foyer où se perpétuait la lignée. (Et encore aujourd'hui, bien des conservateurs préfèrent fermer les yeux sur les petites frasques d'Untel ou d'Untel, à condition que leurs mariages durent... C'est ainsi que, selon eux, se préserve l'ordre social.)

Vue à vol d'oiseau, l'histoire humaine ne fait que commencer à faire place à l'amour. Ce qui a longtemps prédominé dans presque toutes les sociétés, c'est l'instinct sexuel et la nécessité, dans un contexte où tous vivaient sous la menace constante des famines, des épidémies et des guerres.

Le christianisme, comme d'autres religions, a tenté, mais très imparfaitement, d'introduire les notions d'entraide et de tendresse au sein des couples ; tout cela devait toutefois rester subordonné à l'ordre social et l'on excluait qu'une femme, même battue, quitte son mari. « Pour le meilleur et pour le pire... » Le

258

pire pouvait être innommable, mais il fallait l'endurer puisque tel était non seulement l'ordre divin mais aussi la loi de la nature, aux époques de pénurie. (Même ici, il a fallu attendre 1954 pour qu'une femme obtienne le droit de demander la séparation de corps pour cause d'adultère ; jusque-là, comme on l'a vu, l'époux ne pouvait être poursuivi que s'il amenait sa concubine sous le toit conjugal !)

Il entrait si peu d'amour, dans les mariages, qu'en général c'étaient les deux familles des jeunes conjoints qui les décidaient et les concluaient. (C'est encore le cas en Inde par exemple, ou dans les sociétés musulmanes). Le mariage était non seulement une garantie de stabilité sociale, mais aussi une affaire entre deux familles, un contrat scellé par la dot que la fiancée apportait à celui qui dorénavant allait la faire vivre. Pour la femme, qui passait tel un objet des mains de son père à celles de son époux, le mariage n'était jamais un choix. Dans les pires des cas, c'était l'asservissement et dans les meilleurs, ce qui pouvait la sauver de la misère. Le collectif Clio [1] rapporte qu'ici même, au siècle dernier, les salaires des ouvrières étaient si bas que le seul moyen d'échapper à la pauvreté était de se marier.

Les choses ont changé, tout au moins dans les sociétés occidentales et privilégiées, où l'abondance des biens (car malgré le chômage et l'inflation, nos conditions de vie n'ont rien à voir avec la misère des siècles précédents), l'industrialisation, l'urbanisation et l'instruction généralisée ont rendu beaucoup moins impérieuse l'obligation d'avoir beaucoup d'enfants, en même temps que se répandait dans toutes les couches sociales la notion de la personne humaine, considérée comme un individu jouissant de certains droits, dont celui de vivre en santé et de s'épanouir. Peu à peu, la manière d'envisager le mariage allait se transformer : au lieu de cette cellule indissoluble, fermée sur elle-même sous l'unique direction de son chef, il allait devenir l'union de deux personnes liées, si possible, par l'amour. Les progrès de la médecine et la contraception allaient aussi, bien sûr, avoir une influence phénoménale. Dorénavant, la femme allait pouvoir espacer ou éviter les grossesses et le taux de mortalité des nouveau-nés et des enfants allait diminuer considérablement.

1. *L'Histoire des femmes au Québec*, Éd. Quinze, Montréal, 1982.

L'âge du mariage s'élevait, l'espérance de vie aussi, le nombre d'enfants diminuait, la maternité n'était plus l'occupation d'une vie entière, le travail se raffinait, la machine remplaçait l'homme qui travaillait de plus en plus avec sa tête et ses mains et de moins en moins avec ses muscles. Peu à peu, la femme allait pénétrer le marché du travail, la division des rôles commençant à se faire moins étanche. Enfin, les mouvements féministes allaient bouleverser, par vagues successives, la moitié de la planète.

Ces transformations s'effectuent à des niveaux si profonds — plus profonds en vérité que tout autre changement, car on touche ici à la sexualité et à l'affectivité — qu'elles ne peuvent se produire que très lentement. Elles se font imperceptiblement, s'étalant sur deux ou trois générations, par petits mouvements à peine saisissables sur le coup.

Les jeunes couples d'aujourd'hui ont encore beaucoup en commun avec leurs propres parents et, en même temps, ils annoncent des changements qui seront sûrement plus marqués, plus visibles, chez leurs propres enfants. En ce sens, toutes les générations sont des générations charnières, comme on dit, encore que les changements se sont peut-être accélérés depuis que les grandes techniques de communication de masse ont provoqué une circulation de plus en plus rapide des modes et des idées.

Ainsi, vers 1960, des idées vieilles et neuves se mélangeaient dans la tête des filles de ma génération. La plupart estimaient encore que la vocation authentique d'une femme, c'était de se marier, par amour et si possible pour la vie. J'ai même connu des jeunes filles qui perpétuaient la tradition de la « dot » et avaient amassé tout un trousseau (peignoirs, serviettes, linge de maison, etc.) avant même d'avoir rencontré l'homme de leur vie !

Mais un peu partout, on commençait à se dire qu'en cas de réelle mésentente un mariage pouvait et devait se défaire. La plupart des filles, en se mariant, avaient déjà planifié le moment de la première grossesse, se donnant en général deux ans de « vie de couple » avant d'aborder la maternité. L'acceptation progressive du divorce, l'introduction de méthodes contraceptives efficaces, l'accès à l'instruction et au marché du travail..., autant de facteurs qui allaient influencer la façon d'envisager le mariage. Les filles passaient encore, par le mariage, de l'autorité du père à celle du mari — il n'était pas rare d'ailleurs que le contrat de mariage soit négocié entre le père et le futur mari —, mais cette autorité, encore consacrée dans les textes juridiques, se faisait de moins en moins sentir dans la vie de tous les jours.

Dans bien des milieux, on ne se mariait plus en communauté de biens, et tout père digne de ce nom prenait soin de voir à ce que sa fille soit protégée juridiquement si jamais son mari sombrait dans les dettes ou l'abandonnait ; comme il n'était plus exclu qu'une femme mariée puisse exercer une profession, il fallait aussi préserver ses propres gains de même que son héritage éventuel. D'où la popularité grandissante, surtout dans les familles où l'on avait un peu d'argent, du régime de la séparation de biens.

Comme d'habitude, la loi était en retard par rapport à la réalité. Au Québec, la loi portait encore le nom d'un monsieur qui, comme l'a dit un jour devant moi une dame de l'AFEAS qui a son franc-parler, « aimait bien les femmes... mais dans son lit ! », ce bon Napoléon Bonaparte.

Lois ancestrales codifiées sous son règne, lois héritées du régime français et amendées de temps à autre par les législateurs canadiens, ce Code civil établissait comme règle générale le mariage en communauté de biens. C'était la forme juridique la plus parfaite et la plus symbolique du mariage traditionnel : les époux, ne faisant qu'un, fondus l'un dans l'autre sous l'autorité du mari, mettaient leurs possessions en commun et diverses dispositions avaient pour effet de protéger la femme et les enfants contre un mauvais mari. À l'époque où la femme n'avait rien en propre, sauf la dot que lui consentait son père en échange du fait que le mari allait dorénavant se charger de l'entretenir, la communauté de biens était avantageuse. La femme se trouvait traitée par la loi comme une mineure mais au moins elle ne risquait pas de mourir de faim.

Mineure, et comment !... Le mari était seul administrateur des biens de la communauté. Théoriquement, le dernier chenapan venu pouvait se retrouver seul gestionnaire d'une immense fortune si jamais il épousait une héritière. Cette dernière, une fois mariée, perdait tous ses droits. Jusqu'en 1964, la femme devait avoir l'autorisation de son mari pour administrer ses propres biens. Même en 1975, une vieille disposition oubliée traînait encore dans le Code civil : Une femme mariée ne pouvait adhérer à un syndicat sans l'autorisation de son mari !

Un nouveau régime

Aujourd'hui, rares sont les personnes qui se marient sous le régime de la communauté de biens. C'est un nouveau régime, la société d'acquêts, qui constitue, depuis 1970, le régime commun ; la majorité des femmes mariées se sont toutefois engagées sous le régime de la séparation des biens... et ce fut là une source importante d'injustices. En règle générale, le contrat, conclu devant notaire, prévoyait qu'en cas de séparation la femme garderait les meubles et recevrait une donation consentie par le mari, donation qui avait pour but de compenser les avantages matériels qu'elle perdait en renonçant au régime de la communauté de biens... et dont le montant était fixé en fonction du cours de la monnaie à l'époque du mariage. Ainsi, nombre de femmes séparées se sont retrouvées avec les meubles dépréciés et 2 000 $; c'était beaucoup d'argent en 1940... mais aujourd'hui ? !

Si la femme n'a pas eu de revenu propre, le produit de son travail à la maison, qui a pourtant permis au mari de s'enrichir et d'acquérir des biens, n'est pas reconnu. Si elle a gagné de l'argent, elle l'aura en général investi dans des biens périssables... Elle a payé l'épicerie et les vêtements des enfants pendant 20 ans, mais c'est le mari qui garde la maison, l'auto et le chalet !

Le nouveau régime de la société d'acquêts est bien plus avantageux : il offre à la fois les avantages de la séparation de biens, en assurant l'indépendance des conjoints durant le mariage, et ceux de la communauté de biens en garantissant le partage des acquêts (ou les biens acquis durant le mariage) en cas de divorce. Par un contrat, la femme (ou le mari) peut préserver certains biens, mais ce régime reconnaît l'apport non rémunéré de l'épouse à l'économie domestique[2].

2. Voir *Mieux vivre à deux*, brochure publiée par le Conseil du statut de la femme, Québec.

La réforme du Code civil, au chapitre du droit de la famille, a englobé bien d'autres choses. Suivant avec quelques années de retard l'évolution des mentalités, la réforme a mis fin à l'asservissement juridique de la femme, qui jusque-là devait obéissance à son époux, et établi le principe de l'égalité juridique des époux.

Auparavant, qui prenait mari prenait pays... Théoriquement, si monsieur décidait sur un coup de tête d'aller fonder une ferme au Groënland, sa femme devait le suivre! Désormais, les deux époux assurent conjointement la direction de la famille, la résidence familiale est choisie en commun et la mère peut donner son nom à l'enfant; celui-ci peut aussi, selon le choix des parents, porter le nom du père ou encore les deux noms. Auparavant, l'autorité de la mère sur les enfants n'était que supplétive. Quand un hôpital requérait l'autorisation parentale avant qu'un enfant ne subisse une intervention chirurgicale, la mère ne pouvait signer que si le mari était absent et seulement en cas d'urgence!

C'est l'ensemble de l'institution familiale que la réforme a démocratisé, en reconnaissant aussi des droits spécifiques aux enfants. Ainsi, ces derniers peuvent être entendus ou représentés devant le tribunal dans les causes où leur intérêt est en jeu. Les enfants qu'on disait auparavant « naturels » (sic) ou « illégitimes » (resic) ne sont plus victimes d'aucune discrimination[3].

Le divorce

C'était en 1965. Jeanne M. et Louis B. jouaient tranquillement au *scrabble* dans leur salon. Ils vivaient ensemble depuis quatre ans et formaient déjà presque un vieux couple. Vers dix heures du soir, la cloche sonne, deux détectives en civil s'identifient: « Vous habitez ici ensemble? Vous partagez la même chambre? »

Malgré l'aspect humiliant de l'interrogatoire, c'est de bonne humeur que les deux coupables, pris en flagrant délit... d'adultère, passent aux aveux. Enfin, après de longs mois d'attente, les

---

3. Voir *Maman, papa et la loi*, brochure publiée par le Conseil du statut de la femme, et *Nouveau Droit de la famille*, brochure publiée par le ministère de la Justice, Québec.

procédures de divorce de Louis vont pouvoir commencer. « Il y a longtemps qu'on vous attendait », disent-ils aux agents, qui rient à leur tour, complices... et conscients eux aussi du ridicule de l'affaire.

C'était l'époque hypocrite où le nombre des divorces commençait d'augmenter à un rythme vertigineux, mais où la société se voilait encore la face. L'adultère était pratiquement le seul motif reconnu et il s'est même produit des cas où deux conjoints souhaitant divorcer par consentement mutuel ont dû forger une preuve d'adultère pour satisfaire à la loi. D'autres couples, à la fois pour se conformer aux normes sociales et pour ménager leur conscience, n'hésitaient pas à s'engager dans les procédures extrêmement longues, coûteuses et aléatoires de l'annulation par Rome.

Ce n'est pas la libéralisation des lois qui a provoqué l'augmentation des divorces. Le mouvement était déjà si bien amorcé qu'il y a une dizaine d'années déjà on entendait souvent des gens mariés s'exclamer qu'ils se sentaient de plus en plus minoritaires et presque anormaux, parmi tous leurs amis divorcés ou en instance de divorce !

Aujourd'hui, un mariage sur trois se termine par un divorce. Selon le démographe Laurent Roy [4], il y avait presque cinq fois plus de divorces en 1975 qu'en 1969 et l'augmentation annuelle, de 1972 à 1975, a été de 39,8 pour cent. Pour 100 mariages il y avait huit divorces en 1969, mais il y en avait 36 en 1975.

Le divorce est un phénomène qui laisse bien des gens âgés sceptiques. Monsieur et Madame Langlois, par exemple, qui coulent dans la maison où ils ont élevé leurs cinq enfants une retraite tranquille.

Ils se connaissent si bien tous les deux, et depuis si longtemps, qu'ils n'ont pas besoin de se parler beaucoup. « D'ailleurs, dit-elle, on s'est dit tout ce qu'on avait à se dire... et mon Jean-Paul, je le connais comme si je l'avais tricoté. » Quand elle lui prépare son thé, elle y met une cuillerée et demie — exactement — de miel. Lui-même a oublié la proportion. Si sa femme disparaissait

---

4. *Les divorces et les séparations au Québec*, ministère des Affaires sociales, 1980.

avant lui, son thé ne goûterait plus jamais pareil. Quand ils jouent aux cartes avec leurs amis, il la taquine : « Tu triches encore ! T'as toujours triché ! » Elle se rappelle encore le jour, il y a 45 ans, où il a complimenté une voisine sur sa tarte à la citrouille, quand il n'a jamais voulu manger la sienne, à elle, sa femme ! Quand elle en parle, un éclair de tendre jalousie passe dans ses yeux. Lui, il sait depuis toujours qu'elle prend facilement froid aux pieds. Il a du temps libre depuis qu'il est retraité. Il vient d'installer dans la voiture un petit appareil de chauffage qui peut fonctionner la nuit. « Comme ça, elle sera au chaud si elle prend l'auto le matin. »

Quand il répète pour la « nième fois » l'histoire de la première conférence qu'il a donnée au Kiwanis, elle réprime un petit soupir. Elle connaît le refrain par cœur et sait en plus qu'il l'enjolive : « Il a toujours été un peu menteur », dit-elle quand l'impatience prend le dessus. Mais c'est dit avec le sourire.

Parfois je me dis que cette retraite à deux, cette intimité quotidienne depuis tant d'années, cette infinie tolérance envers l'autre, c'est cela le bonheur. Parfois je me demande ce que recouvre cette apparente sérénité : combien de drames étouffés, de reproches, de regrets et de frustrations ? Elle en parle à mots couverts : « On a eu notre part de chicanes, comme tout le monde. Le problème, avec les jeunes d'aujourd'hui, c'est qu'à la première difficulté ils renoncent. Nous autres on n'avait pas le choix alors on « endurait ».

Elle dit cela avec le sourire mais j'ai entendu les mêmes arguments tenus sur le ton de l'amertume par d'autres femmes dont la vieillesse, au terme de longues années de mariage, était loin d'être aussi heureuse. « Dans le temps, dit une autre femme de la même génération, le divorce c'était une chose impensable, ça ne nous venait même pas à l'esprit... Si ç'avait été possible, je ne sais pas ce qui serait arrivé. Je l'aurais peut-être laissé là. » Une pause, une brève réflexion, et puis, la moue amère : « Mais avec un autre je suppose que ç'aurait été pareil. Un homme ne vaut pas mieux qu'un autre. » Le mariage indissoluble mène à tout : dans certains cas, à la tendresse d'une vieillesse partagée, et dans d'autres, à un cynisme effrayant.

Car si certains courants féministes radicaux rejettent l'homme, l'idéologie traditionnelle, elle, le méprisait. L'homme était cet être pas trop subtil dont on avait besoin pour payer les comptes, mais qu'on pouvait manipuler en rusant et en finassant, qu'on pouvait « enrouler autour de son petit doigt ».

La femme, exclue de la sphère politique et entièrement dépendante de son mari pour sa sécurité financière, trouvait sa revanche dans le pouvoir sans partage qu'elle exerçait sur le foyer, sur les enfants et sur son propre mari. Exclue des sphères politique et socio-économique, elle s'était repliée sur l'unique lieu où elle pouvait exercer un pouvoir.

L'homme, déclaré inapte aux travaux domestiques et à l'éducation de ses propres enfants, incapable de « se faire cuire un œuf », incapable même de trouver tout seul ses chaussettes ou de faire lui-même sa valise s'il partait en voyage, était à jamais infantilisé. Il pouvait bien, au travail ou en politique, au golf ou à la taverne, faire le matamore et fanfaronner, mais sitôt franchi le seuil de la maison, il tombait sous la dépendance absolue de sa femme... Tant et si bien que dès après la naissance du premier enfant, il commençait à son tour à l'appeler maman. Il était en quelque sorte devenu le plus vieux des enfants de la famille. Elle, elle l'appelait « papa » : c'était bien dans l'esprit du Code Napoléon, puisqu'elle était, juridiquement, mineure. Mais qu'advient-il du couple quand le rapport mari-femme se transforme en rapport père-fille et mère-fils ?

Tout être humain, homme ou femme, aspire à une part de pouvoir. C'est normal. Si on empêche quelqu'un d'accéder au pouvoir ici, il tentera d'y parvenir ailleurs, car le pouvoir apporte une forme de maîtrise sur la réalité, sur l'environnement. Ainsi, un petit garçon frêle aura tendance, pour compenser sa faiblesse physique, à développer un esprit caustique : c'est par le langage qu'il se défendra et s'affirmera. C'est par un mécanisme de compensation du même ordre que les aveugles développent leurs qualités auditives. Dans le système de la division rigide des rôles, la femme allait occuper au maximum le peu d'espace que lui octroyait la société. Mais ce pouvoir, exercé sur la famille et le mari, était un pouvoir fragile, parce qu'il suffisait d'un divorce ou d'un abandon pour qu'il s'envole en fumée, et un pouvoir éphémère aussi parce que les enfants grandissent et s'en vont. (D'où la dépression qui s'installe souvent chez les femmes dont les enfants ont quitté le foyer).

Mais il y a davantage : tout être frustré par rapport à ses aspirations et maintenu dans un état de dépendance va presque inévitablement éprouver, consciemment ou non, de l'agressivité. Agressivité qui peut, selon les cas, se retourner contre le sujet lui-même et s'exprimer sous la forme de malaises divers, ou bien se diriger contre l'autre, sous la forme classique de la manipulation, de la récrimination systématique, etc., autant de comportements qui sont souvent des armes de faibles et de dominés.

Il est difficile d'imaginer, pour des gens de ma génération, ce que pouvait être le mariage traditionnel : deux jeunes gens se connaissant à peine, s'étant à peine touchés et n'ayant à peu près aucun intérêt commun, se retrouvant tout à coup, du jour au lendemain, ensemble jour et nuit, et pour la vie entière.

En un sens, et même en admettant que l'amour puisse subsister entre deux conjoints qui n'ont en commun que l'intérêt qu'ils portent à leurs enfants, le mariage traditionnel était davantage fondé sur un échange de services que sur la communication. L'homme gagnait de l'argent pour faire vivre la famille et la femme élevait les enfants, entretenait la maison et débarrassait le pourvoyeur des soucis domestiques.

Dans ce système, la communication n'est pas si nécessaire. D'ailleurs, ce modèle est loin d'être disparu. On voit souvent, dans les restaurants, des couples de tous âges qui mangent en tête-à-tête sans s'adresser la parole. Ils n'ont apparemment rien à se dire. Cela ne veut pas dire qu'ils ne s'aiment pas, ni qu'ils n'éprouvent pas l'un pour l'autre, l'habitude aidant, beaucoup de tendresse et d'attachement. Mais cela signifie certainement qu'ils n'ont pas beaucoup d'intérêts en commun.

Même au début de la Révolution tranquille, alors que les « fréquentations » avaient pris une tournure bien plus ouverte, que la plupart des « fiancés » étaient aussi amants et que le caractère indissoluble du mariage commençait à être sérieusement remis en question, il subsistait encore, entre les garçons et les filles, élevés séparément dans leurs écoles-ghettos, un terrible fossé.

Je me souviens de l'appréhension que j'éprouvais, adolescente, avant une « sortie » avec un garçon : de quoi allions-nous bien pouvoir parler ? À l'exception des études, et à condition que le garçon ait quelque intérêt pour les matières littéraires, nous n'avions pratiquement rien en commun. J'avais passé mon enfance dans un univers parfaitement féminin à lire la *Comtesse de Ségur*, les romans de la *Bibliothèque de Suzette* et les *Veillées des Chaumières* ; ce n'est qu'à 12 ans, chez mes cousins, que j'avais découvert *Tintin* et *Spirou*, des bandes dessinées que, dans mon milieu, on n'achetait qu'aux garçons. Pendant ce temps, ces derniers n'avaient vécu que de récits d'aventure et de sport. Avec eux, on ne pouvait pas, comme avec les autres filles, parler de ce qui vous passait par la tête, de romans, d'histoires d'amour, de la musique qu'on aimait... Même s'ils avaient du goût pour les arts, ils étaient trop gênés pour en parler.

La politique était un sujet d'intérêt masculin. Je me souviens de cette soirée à la Butte à Mathieu de Val-David, peu après la mort de Paul Sauvé. Nous étions un groupe de garçons et de filles ; au cours de la soirée, tous les garçons s'étaient mis à discuter de la succession de Sauvé et à évaluer les divers candidats. Pas une fille ne disait un mot. L'avenir de l'Union nationale, ses chances de perdre ou de gagner ne nous intéressaient aucunement ; nous attendions que Claude Gauthier commence à chanter et que les gars changent de sujet de conversation.

Faute d'intérêts communs, on pouvait toujours les interroger sur leurs histoires personnelles, ce qui d'ailleurs était encore la meilleure façon pour une fille de se rendre intéressante. Une fille qui savait bien écouter avait tellement plus de charme que celle qui avait des opinions trop arrêtées !

Parfois quand même c'était un peu décevant. Je me souviens d'une soirée au chic « Panorama » de l'hôtel Reine-Élisabeth où un garçon, un bel étudiant en droit aux cheveux bouclés, m'avait invitée pour mes 18 ans. Je sirotais mon John Collins (ou était-ce un punch au rhum avec un ananas avec un petit parasol de papier piqué dans le fruit ?) en espérant que la soirée prendrait un tour un peu romantique. Les lumières étaient tamisées, l'orchestre jouait quelque chose comme *Love Me Tender* d'Elvis ou *My Prayer* des Platters...

Le Prince Charmant se penche vers moi : « Que penses-tu de la Guerre des Boers ?

— La guerre des quoi ? »

... Et alors, il a entrepris de me raconter la guerre des Boers. C'était une guerre excessivement longue et deux heures plus tard le récit n'était pas fini. Je jouais avec la paille dans mon verre vide. Pour me venger intérieurement, je n'écoutais pas un mot de ce qu'il disait, je faisais juste semblant, hochant la tête de temps à autre.

Pour cette génération, qui n'avait pas grandi dans des écoles mixtes, c'est l'univers du travail qui allait constituer le principal lieu de rencontre entre hommes et femmes ; en travaillant côte à côte, ceux-ci allaient pour la première fois développer des intérêts communs en dehors du rapport amoureux ou familial.

À cette époque, comme aujourd'hui d'ailleurs, on se mariait souvent pour les mauvaises raisons.

Marie, Louise et Lorraine, aujourd'hui à l'approche de la quarantaine et séparées, se sont toutes mariées plus ou moins pour la même raison : pour quitter leurs parents sans vraiment les quitter.

« Si j'avais eu le courage d'affronter mes parents, dit Marie, je me serais loué un appartement et j'aurais mené ma vie librement. Quand Guy, un gentil garçon qui me plaisait beaucoup, m'a demandée en mariage, j'ai sauté sur l'occasion, en me persuadant que c'était ça, le grand amour... Ainsi, je pouvais échapper à l'autorité de mon père et aux reproches de ma mère qui trouvait toujours à redire sur ma conduite. Mais en me mariant, je restais en bons termes avec eux, je me trouvais en somme réhabilitée à leurs yeux, engagée dans le sillon de la respectabilité adulte. »

Lorraine : « Avec Gilles, on faisait l'amour en cachette. Je me suis trouvée enceinte... »

Louise : « Maurice finissait ses études en droit, mes parents passaient leur temps à me répéter que c'était un bon parti. Et moi, à 19 ans, qu'est-ce que j'en savais ? Il était doux, prévenant, intelligent... Ma mère répétait que l'amour vient à la longue, que c'est une chose qu'on construit soi-même. Je me suis mariée sans grand enthousiasme, mais j'étais très fière de pouvoir me faire appeler "madame". Je ne me trouvais pas jolie, j'avais une peur bleue de rester vieille fille. »

Pour Martine et Paul, âgés de 35 ans et remariés chacun de son côté, la question ne s'était même pas posé. Ils « sortaient ensemble » depuis l'adolescence. Leur mariage était écrit dans le ciel.

Paul était étudiant en lettres. Martine avait laissé ses études à 17 ans pour prendre un emploi de vendeuse, histoire d'amasser un petit pécule pour permettre au couple de partir en ménage. « Chaque fois que je touchais ma paye, c'était comme si le jour de mon mariage se rapprochait... »

Dix ans plus tard, Paul confiait à ses amis que sa femme avait « cessé d'évoluer » dès sa première maternité. « On n'a plus rien à se dire, on n'a plus les mêmes intérêts... Je m'occupe de politique, je fais des recherches en sémiologie et elle me parle du lave-vaisselle qu'il faut remplacer, de la diarrhée du petit et du dernier télé-roman. » Paul est aujourd'hui marié avec une collègue qui est sur la même longueur d'ondes que lui et Martine a épousé un homme qui répond bien mieux à ce qu'elle attendait d'un mari : il est généreux, il s'occupe d'elle et des enfants, il aime le sport et la télé et « lui au moins il ne part pas dans des théories fumeuses ».

Mais pour un cas comme celui de Martine, à qui le divorce a permis de rencontrer un homme qui lui convenait mieux, il y a cent cas de femmes de sa génération, voire plus âgées, qui se retrouvent seules, sans métier ni relations sociales, à un moment où il est plus difficile de refaire sa vie. En général, elles ont été abandonnées au profit d'une autre, souvent d'ailleurs d'une femme plus jeune, après qu'elles eurent gaspillé leur jeunesse à effectuer à la maison les tâches qui ont permis au mari de s'affirmer professionnellement... Comble de l'ironie, c'est souvent pour trouver une compagne autonome, susceptible de partager les mêmes intérêts que lui, que le mari laissera l'épouse qu'il avait probablement lui-même incitée à se consacrer entièrement au foyer. Cet épouvantable gâchis n'a qu'une utilité, celle de servir d'enseignement aux plus jeunes femmes qui ne devraient jamais perdre de vue la possibilité qu'elles aient un jour l'impérieuse obligation de subvenir seules à leurs besoins.

L'irruption à la périphérie du couple d'une troisième personne, amant ou maîtresse, peut bouleverser un mariage qu'on croyait stable et sans histoire. Mais dans la plupart des cas, cet événement ne constitue qu'un catalyseur qui accélère les choses et hâte le recours au divorce. La mésentente était déjà là, que le couple s'en soit rendu compte ou non.

« C'est en constatant combien je pouvais facilement me confier, me livrer à Jean-Claude, comment nous pouvions tous deux parler des heures et des heures que j'ai compris à quel point mon mariage n'était plus qu'une coquille vide, qu'un tissu d'habitudes. Une longue solitude à deux », raconte Louise qui est convaincue que c'est « le second mariage » qui a des chances de durer, parce que le choix se fait au moment où l'on a acquis une certaine maturité.

Pour plusieurs, prendre un amant ou une maîtresse constitue une façon plus ou moins inconsciente de sortir d'une relation maritale devenue insupportable. C'est d'ailleurs l'un des pièges qui guettent ceux qui songent à divorcer que de s'imaginer, à tort, amoureux d'une autre personne. On songe à quitter son conjoint, mais on craint la solitude et ce changement de vie si radical... de là à « tomber en amour » avec le premier venu, il n'y a qu'un pas. Cela peut toutefois mener à une seconde déception et accroître encore davantage le sentiment de culpabilité qu'on éprouve nécessairement au moment de rompre un mariage. C'est pourquoi la plupart des psychologues estiment que la meilleure façon de se remettre d'un divorce consiste à prendre le temps de se retrouver soi-même et d'éprouver sa propre résistance à la solitude.

On a d'autant plus de chances de divorcer qu'on s'est marié jeune. Entre 18 et 30 ans, on change tellement en effet qu'on se demande comment une union peut survivre à toutes ces étapes tout en subissant l'usure de la vie quotidienne, qui risque toujours de miner l'amour le plus ardent. Réponse des couples sages : on change ensemble, en s'adaptant et en se réajustant l'un à l'autre au fur et à mesure... La chose est possible — encore qu'il faille pour cela que les deux conjoints aient d'heureuses dispositions d'esprit —, car, après tout, les mêmes statistiques qui font état d'une augmentation des divorces montrent aussi que deux couples sur trois ne divorcent pas !

Il reste que les mariages précoces sont, de l'avis de presque tout le monde, à décourager. On constate d'ailleurs que les adolescents qui jouissent, au sein de leur famille, d'une marge acceptable de liberté ainsi que d'un climat d'entente et de tolérance ne sont pas portés à se marier trop jeunes. Ils se satisfont, par exemple, de passer de longs week-ends avec leur petit(e) ami(e); à 16 ou 18 ans, ils pourraient d'ailleurs difficilement affronter les petites misères de la vie quotidienne et ils ont encore besoin de la sécurité du foyer parental. Moitié enfants, moitié adultes, ils peuvent ainsi vivre la fin de leur adolescence dans des conditions bien plus humaines et bien plus favorables à leur développement que celles qui furent imposées à tant de générations antérieures. Il n'y a pas très longtemps, en effet, on était, à 17 ans, trop jeune pour passer la nuit dehors, mais à 18 ans, en un seul jour, l'univers basculait; la fille, devenue madame, devait assumer tout à coup les responsabilités de l'âge adulte : la coexistence ininterrompue avec un être qu'elle connaissait à peine, la maternité, les soucis matériels, etc.

La recrudescence du chômage chez les jeunes a toutefois eu dans bien des familles des effets imprévus : sans argent ni perspective d'emploi, les jeunes restent maintenant de plus en plus longtemps chez leurs parents... d'autant plus que, généralement, ils y jouissent d'une marge suffisante de liberté pour ne pas avoir de raison de s'en aller. « Les enfants ne partent plus ! » disent de plus en plus de parents qui aimeraient reprendre une vie de couple pendant qu'ils sont encore jeunes, mais qui doivent cohabiter avec leurs grands enfants dans la vingtaine... et avec les amis de leurs enfants ! (Mais l'amour maternel ou paternel étant ce qu'il est, cette complainte n'est qu'à moitié sincère : je connais une femme qui disait espérer le jour où ses enfants se loueraient leurs propres appartements, mais qui avait le cœur bien gros quand son aîné est parti pour un voyage d'un mois en Europe !)

Il n'est pas rare que le divorce coïncide avec le moment où la femme a décidé de prendre sa propre vie en main. Francine, aujourd'hui âgée de 44 ans, a vécu à cet égard une expérience analogue à celle de beaucoup de femmes : « Lors de nos premières sorties, nous allions au cinéma. Nous n'avions pas les mêmes goûts, il n'aimait que les films d'action, mais ça ne faisait rien ; à l'époque, nous étions heureux juste d'avoir l'occasion de nous tenir la main dans le noir. C'était moi qui cédais, j'allais voir des westerns qui m'ennuyaient, mais quand on est en amour, ce sont des détails qui ne comptent pas.

« À notre mariage, même la réception était symbolique : je causais dans un coin avec mes amies, on parlait d'amour, de fiançailles, de robes, de cuisine et de bébés, tandis que Marc, lui, prenait un coup avec ses amis ; ils parlaient des éliminatoires de la coupe Stanley, de leurs jobs, de leurs autos...

« Ensuite, peu à peu le fossé s'est agrandi. Ce qu'il faisait dans son bureau d'ingénieurs, ça ne m'intéressait pas. Non seulement le génie comme tel, mais les relations qui se créent entre collègues, sa façon de travailler, ses principaux problèmes, autant de choses auxquelles j'aurais sans doute été sensible si j'avais eu moi-même un emploi, mais qui ne me disaient rien, car mon univers à moi, c'était la maison... Marc, lui, n'avait rien à faire là-dedans et ça ne l'intéressait pas non plus. »

D'ailleurs, Marc revenait du bureau de plus en plus tard. Entre eux les contacts s'espaçaient au point qu'il ne leur restait plus que les dimanches — mais en famille, sans tête-à-tête — et même le goût de se retrouver les avait quittés. Ce n'est que des années plus tard, une fois ses enfants rendus au secondaire et alors que la solitude lui pesait de plus en plus, que Francine allait se ressaisir et trouver par une chance exceptionnelle un emploi convenable qui en plus l'amusait.

Marc fut d'abord stupéfait. Il s'était habitué à cette petite vie : une femme tranquille à la maison, un foyer bien tenu... il profitait au maximum de sa liberté tout en conservant son confort affectif. La première fois qu'il se trouva seul un soir à la maison — sa femme assistait à un congrès — il fit une colère terrible et bouda pendant trois jours. Ce fut le début de la fin. Excédée, plus sûre d'elle-même qu'auparavant, gagnant enfin de l'argent et s'étant fait de nouveaux amis en dehors du cercle étroit de leurs relations de couple, elle pouvait enfin laisser monter la révolte réprimée durant toutes ces années ; c'est elle, à la surprise de leurs amis qui avaient toujours vanté sa docilité et sa patience infinie, qui allait prendre l'initiative du divorce.

Marie C., professeur de cégep, a vécu une expérience assez semblable : « Parfois, je téléphonais à mon mari pour lui dire que je rentrerais vers huit heures seulement parce qu'une réunion se prolongeait. Il faisait mine d'accepter. J'arrivais à la maison comme prévu, à huit heures, mais lui n'était pas là ; il déteste rentrer dans une maison vide. Il arrivait dans la nuit, plus ou moins éméché, comme s'il voulait se venger... Au fond, même s'il se disait en principe d'accord avec le travail féminin, il n'acceptait pas vraiment que je sois engagée dans une activité qui me passionnait et m'accaparait. Durant les premières années, je déployais des prodiges de finesse et de tendresse pour le rassurer, je m'effaçais pour le laisser parler, je m'efforçais de solliciter son avis, j'allais même jusqu'à retourner à la maison tous les midis pour faire le repas et manger avec lui... et puis, peu à peu, j'en ai eu assez. Aujourd'hui, je vis seule et lui s'est remarié avec une femme plus jeune, plus docile, qui travaille à mi-temps dans l'artisanat. »

Car souvent le mariage repose sur un rapport complexe fait d'insécurité et de dépendance mutuelle, le mari réclamant l'attention sans partage de sa femme et ayant besoin de la dominer pour se sentir confirmé dans sa propre virilité.

Thérèse V., une traductrice de 33 ans, était retournée sur le marché du travail en s'assurant que sa famille n'en subisse pas le moindre inconvénient : les repas étaient prêts à la même heure et aussi bons, la maison aussi bien tenue, elle-même s'arrangeait pour être aussi disponible qu'auparavant... Son mari, cadre supérieur dans une grande entreprise, avait des horaires de travail chargés et n'arrivait jamais à la maison avant huit heures. Elle était là quand il rentrait, ils passaient leurs week-ends et leurs vacances ensemble. « Pourtant, dit-elle, il devenait de plus en plus maussade. Il mettait le moindre pépin sur le compte de mon travail et il essayait constamment de me rembarrer, de m'humilier même devant nos amis. Il me coupait la parole, se moquait de mes "prétentions" intellectuelles. Il avait toujours été plutôt dominateur et arrogant mais là, ça dépassait les bornes. Ce que je ne comprenais pas, c'était ce besoin qu'il avait de me rabaisser pour se valoriser. J'avais un emploi assez modeste et pas tellement prestigieux, mais lui avait un très gros job. Pourquoi mon retour au travail l'avait-il tant traumatisé? Rien n'était changé pour lui à la maison, il restait encore la vedette du couple, parce que, au point de vue du travail, c'est lui qui avait la meilleure position, il n'avait aucun motif rationnel de tant m'en vouloir...»

Thérèse n'a pas encore trouvé la réponse mais ne la cherche plus, parce qu'elle est maintenant séparée. Lui s'est remarié avec une femme qui se laisse plus facilement dominer. Des histoires comme celles-là, il en existe en grand nombre : elles montrent que bien des hommes sont incapables de vivre avec une femme relativement autonome. C'est encore plus frappant dans les milieux bourgeois, là où les hommes ont des carrières prestigieuses : contrairement aux prolétaires qui se sentent diminués aussi bien au travail que socialement, ceux-ci n'ont pas de raisons objectives de vouloir se revaloriser aux yeux de leur femme. Dans leur cas, ce comportement s'inscrit très clairement et, pourrait-on dire, sans circonstances atténuantes, dans le cadre d'un rapport de pouvoir et de domination. Quelle en est la source ? Dans une dépendance par rapport à la mère ? Dans une insécurité profonde, enfouie et cachée, qu'aucune gratification sociale ne peut combler ?

Chose certaine en tout cas, le grand problème de bien des femmes, c'est de trouver un homme capable d'aimer une personne autonome. Murielle, une speakerine de 36 ans, en a rencontré un : « C'est à peine croyable, je ne pensais pas qu'un homme comme ça pouvait exister, après tous les types à problèmes que j'avais rencontrés et qui étaient tous plus ou moins jaloux de mon travail, de mes amis, qui se sentaient exclus, abandonnés ou négligés dès que je m'intéressais à quelque chose dont ils ne faisaient pas partie. Cet homme-là, figure-toi que non seulement il ne me nuit pas mais il m'aide ! Il est content que j'aime mon travail, il m'encourage à continuer, à aller plus loin... Si je suis en retard ou que j'ai un rendez-vous avec des collègues ou des amis, il me dit : "Ça va, je vais en profiter pour voir Untel" ou alors il me dit en riant : "Ne m'oublie pas, chou, mais amuse-toi bien ! "... C'est la première fois que je me sens libre sans me sentir coupable, sans avoir l'impression que ça va déclencher un drame à un moment donné. Incroyable mais vrai ! »

Mauvaise nouvelle pour les hommes qui ne veulent ou ne peuvent pas changer leurs attitudes : il n'y a pas une femme qui, ayant fait l'expérience de l'autonomie, peut revenir en arrière. Il arrive parfois que, sous le coup d'un nouvel amour, une femme ait l'impression qu'elle pourrait, s'il le lui demandait, tout sacrifier à celui qui est devenu le centre de sa vie. Mais c'est une impression qui ne résiste pas au temps, comme le démontre, par exemple, l'expérience de Denise qui a laissé un emploi d'avocate dans la fonction publique pour suivre l'homme de sa vie dans une opération commerciale qu'il voulait monter avec elle : « Au début j'étais au comble du bonheur, on ne se quittait même pas durant la journée, puisqu'on travaillait ensemble. Et puis l'affaire a mal tourné. J'y ai perdu goût. Je ne disais rien mais, dans mon for intérieur, je lui en voulais terriblement de m'avoir poussée à laisser mon emploi. Je m'en voulais à moi aussi de m'être si facilement laissé convaincre. On a beau faire, il vient un jour où la rancune remonte à la surface. »

Il y a 20 ans, le schéma classique du divorce était celui de l'épouse « abandonnée » par un mari adultère. Aujourd'hui, beaucoup de femmes « sortent » du mariage comme on sort de prison ou comme on rompt un contrat qui ne profite qu'à l'autre. C'est, dans bien des cas, l'accès au travail rémunéré et à de nouveaux réseaux sociaux qui permet à la femme de mettre un terme à un mariage malheureux. Ces dernières années, c'est la femme qui a pris, dans trois cas sur quatre, l'initiative du divorce.

Il en va de même pour le mariage, auquel de plus en plus de jeunes femmes opposent une résistance. Il y a 20 ans, rares étaient les filles qui ne voulaient pas se marier dès lors qu'elles rencontraient quelqu'un qui leur convenait suffisamment. Aujourd'hui, l'union libre, de préférence au mariage, est plus souvent le choix de la femme que celui de l'homme. Il y a également un nombre surprenant de jeunes femmes qui refusent non seulement le mariage, mais aussi la cohabitation avec un homme ; souvent, elles décideront même d'avoir un enfant et elles l'élèveront seules ou avec des ami(e)s.

10

LE COUPLE
Ou la vie à deux

Elle a 34 ans, il a le même âge, à quelques mois près. Tous deux sont journalistes, compétents, super-actifs. Ils vivent ensemble depuis trois ans et demi et viennent d'ajouter à leurs occupations déjà nombreuses celle, importante, envahissante et gratifiante, d'élever un petit enfant. À l'accouchement, il était là, aussi présent qu'un père peut l'être. Depuis, ils ont mis au point un véritable système de partage des tâches ; les jours suivant l'accouchement, c'était lui qui s'occupait entièrement du bébé, elle réservant ses forces pour l'allaitement. Ensuite, une fois trouvée la perle rare — une bonne gardienne — tous les deux ont vite recommencé à travailler à un rythme plus normal.

Quand c'est elle qui doit s'absenter durant quelques jours pour des reportages, il prend charge de tout, de la maison et du bébé, travaillant au ralenti. La semaine suivante, ou le mois suivant, il peut à son tour prendre la relève et se consacrer entièrement à son travail.

À son contact, elle a pris de l'assurance : « C'est si rare, dit-elle, un homme qui s'attend à ce qu'on travaille, à ce qu'on donne sa pleine mesure, non seulement qui s'y attend mais qui y tient et qui vous encourage... » Lui, il a appris avec elle ce qu'on n'enseigne pas, hélas, aux garçons, soit la tendresse. Il a changé. Le jeune reporter fringant, nerveux, est devenu un homme plus mûr, attentif, délicat, dont les intérêts se sont multipliés et élargis. Il a, pour illustrer leur façon de vivre, une sympathique explication : « L'an dernier, j'ai beaucoup travaillé, ç'a été mon année. Pour ma femme, c'était l'année du bébé, la grossesse, l'accouchement. Cette année qui commence, c'est son année à elle. »

Ma femme, dit-il. La langue française a donné aux hommes la chance de pouvoir désigner la personne avec laquelle ils vivent à l'aide d'un terme qui peut aussi bien s'appliquer à l'épouse qu'à la concubine... pour prendre un terme juridique bien déplaisant. Les femmes ne peuvent user d'aucun équivalent : lorsqu'elles parlent à un tiers de l'homme qui partage leur vie, elles doivent recourir à un mot moins précis : « mon ami » ou « mon compagnon », le mot « mari » ayant une connotation juridique et le mot « amant », comme celui de « maîtresse » d'ailleurs, évoquant non pas la vie commune mais l'aventure, l'adultère, l'idylle romanesque.

Or, dans le cas de notre couple de journalistes, comme dans celui de bien d'autres couples non mariés, c'est de vie commune qu'il s'agit. De vie quotidienne, au jour le jour, avec sa part de routine, d'habitudes, de complicités affectueuses et de chicanes. Quelle différence y a-t-il entre un couple comme celui-là et un couple marié ? En surface et même dans la vie courante, il n'y en a pas. Seul peut-être le facteur soupçonne-t-il quelque chose en voyant que le courrier de la jeune femme ne lui est jamais adressé autrement que sous un nom distinct. Quant aux voisins, qu'est-ce qui pourrait bien leur faire croire que ce jeune ménage, qui se promène en poussant un carrosse, qui fait ses courses comme tout le monde, qui passe tous ses week-ends à la maison tranquillement assis sur la galerie en train de lire ou de causer sans passion, que ce jeune ménage, donc, n'est pas marié ?...

S'ils partagent les tâches, ils partagent aussi l'argent, la chose se trouvant facilitée par le fait qu'ils ont des revenus à peu près équivalents. Pour l'instant, ils sont locataires. L'auto est à lui mais la plupart des meubles appartenaient déjà à sa femme « du temps que j'étais fille », dit-elle en riant. Si jamais leur union se rompait, « chacun prend ses affaires et puis bonjour », affirmaient-ils l'an dernier avec le sourire désinvolte de ceux qui se disent que pareil événement ne surviendra jamais. Cette année, toutefois, le ton changerait sans doute s'ils avaient à évoquer cette éventualité. Car, cette fois, il y a le bébé et les deux s'en arracheraient probablement la garde. Sur ce plan, ils se retrouveraient exactement dans la même situation que des parents mariés qui divorcent. La petite Catherine, que son père a reconnue à sa naissance, portera un double nom. Mais si jamais ses parents devaient se séparer alors qu'elle est encore trop jeune pour faire état de ses propres préférences, avec lequel des deux vivrait-elle ?

Le partage des tâches, qui amène les pères à s'occuper de leur petit enfant, a considérablement bouleversé tout le domaine de la garde des enfants en cas de séparation. Auparavant, à moins que la mère ne soit dangereusement irresponsable, on tenait pour évident que la garde de l'enfant devait lui revenir, puisque c'était elle qui lui avait prodigué les soins quotidiens. On croyait aussi que l'amour maternel n'avait pas d'équivalent chez les hommes et enfin, parce qu'en général la mère ne travaillait pas, on pensait qu'elle serait plus disponible pour voir au bébé. Toutes ces conditions ont changé et, aujourd'hui, les cours de justice voient défiler de plus en plus de pères qui revendiquent la garde de leur enfant. C'est aux deux parents, maintenant, à faire preuve de maturité et à voir quel arrangement serait le plus profitable à l'enfant.

Que le couple soit marié ou non, le problème demeure et il n'aura jamais de solution simple.

Quant au reste, les choses s'aplanissent. Il y a quelques années, la première grossesse constituait, pour un couple non marié, le signal qui les ramenait sur la voie de l'église ou du palais de justice. Un bébé s'annonçait, on n'avait plus le choix. Pour le petit, qui autrement aurait des ennuis à l'école, pour les parents des deux côtés qui, à la veille d'être grands-parents, désiraient que tout se passe dans la légalité, pour l'amour de tous et de chacun, l'homme et la femme baissaient pavillon : « Se marier, après tout pourquoi pas, on se connaît suffisamment tous les deux, et puis, vraiment, quelle différence... ». Juridiquement, financièrement, affectivement, c'était plus simple.

L'évolution de la société et du droit permet maintenant aux couples qui ne veulent pas se marier de bénéficier d'une protection financière adéquate — par contrat ou par testament — et d'éviter à leurs enfants quelque vexation que ce soit. Le mariage a été laïcisé, la naissance aussi et les parents ne sont plus obligés de faire baptiser leur enfant pour lui donner une existence juridique. Le statut discriminatoire d'« enfant naturel » a été aboli. Le couple peut donner à son enfant un double nom ou celui de l'un des deux parents[1].

En 1974, plus de 12 pour cent des couples québécois âgés de 18 à 34 ans vivaient en situation d'« union de fait ». On peut estimer sans l'ombre d'un doute que cette proportion a considérablement augmenté depuis.

Dans les milieux les moins conformistes, c'est même une chose dont on ne discute plus, qui va plus ou moins sans dire, au point que des couples qui décident de se marier se croient obligés de fournir une explication et qu'on ne sait plus très bien, parmi tous ces couples qu'on connaît, lesquels sont mariés « légalement » et lesquels ne le sont pas.

Le seul et unique signe extérieur du mariage — l'usage « commun » du nom de l'homme — disparaît graduellement, à mesure que les femmes gardent leur propre nom.

Bien des femmes mariées, surtout parmi les moins de 35 ans, jugent inutile et encombrante la solution de compromis imaginée par leurs aînées, celle du double nom, celui de leur mari s'ajoutant au leur. Celles qui eurent la mauvaise idée de laisser tomber leur nom pour adopter celui de leur mari durent parfois, des années plus tard, une fois divorcées, s'en mordre les pouces : leur nom était fait, comme on dit... mais sous celui d'un mari dont elles se trouvaient séparées ! Quelques-unes ont progressivement modifié leur signature, passant du nom du mari au double nom pour pouvoir enfin utiliser à nouveau leur nom de naissance ; d'autres ont carrément repris leur propre nom, mais certaines — Lise Payette par exemple, dont le nom de naissance est Ouimet — étaient trop connues pour pouvoir reprendre leur nom de jeune fille. Tout cela ne prouve qu'une chose : il vaut toujours mieux garder son nom de naissance, ne serait-ce que pour s'éviter l'ennui d'avoir à faire changer tous ses papiers (assurance sociale, assurance-maladie, permis de conduire, cartes de crédit, etc.). C'est une simple question de bon sens, d'ailleurs reconnue par la loi, puisque aujourd'hui le nom de naissance est le seul nom légal.

---

1. Voir les brochures explicatives publiées par le Conseil du statut de la femme.

Dans la même logique, un autre signe du mariage disparaît lui aussi graduellement : la tradition qui réservait l'appellation « madame » aux seules femmes mariées. Quelques esprits farfelus ont suggéré qu'on appelle toutes les femmes « mad », une imitation maladroite du « *ms* » américain. La solution est d'autant plus ridicule qu'en anglais le mot signifie « fou » et que la langue française en contient une toute trouvée : il s'agirait, selon les vieilles règles de la politesse, d'appeler toutes les femmes « madame » quand elles ont l'âge d'être mariées.

Le mariage en somme ne garde que deux caractéristiques bien distinctes : la première relève de la conscience de chacun, elle est d'ordre religieux. Même si la pratique religieuse a phénoménalement baissé dans les années 60, bien des couples estiment que la seule forme de vie commune compatible avec leur foi passe par le mariage. Il va de soi que le mariage, pour un croyant, constitue un geste d'importance capitale qui va bien au-delà d'un contrat. La laïcisation du mariage a d'ailleurs, en ce sens, rendu service à l'Église : il y a bien des chances que ceux qui recourent à la cérémonie religieuse le fassent dorénavant par conviction plutôt que par simple convenance sociale.

L'autre caractéristique propre au mariage est d'ordre juridique : c'est un contrat passé devant la société, dont les modalités sont régies par le Code civil.

L'union libre

En un sens, c'est peut-être dans cet acte public, social, conclu au vu et au su de tous, que réside la caractéristique qui différencie le mariage de l'union libre... celle-ci étant au contraire une façon de protéger son intimité, dans une société de plus en plus bureaucratisée, et de vivre sa vie privée à l'écart de l'appareil judiciaire.

Commentant la difficulté, pour les conjoints vivant en union libre, de se « nommer » mutuellement et de trouver des termes adéquats pour qualifier leurs « beaux-parents », Sabine Chalvon-Demersay écrit : « De plus en plus détaché des pressions extérieures, le couple est devenu une affaire privée ; tellement privée qu'on la prive de nom. Car donner un nom serait déjà conférer un statut à une situation qui cherche à se dérober aux règles sociales, jusque dans sa désignation. En utilisant des formules très vagues, on échappe à la reconnaissance. La montée de l'intimité passe par l'immersion dans des expressions très générales. On vit ensemble. Et voilà tout [2]. »

Après avoir interviewé nombre de couples français vivant en union libre, le même auteur affirme que « les femmes jeunes sont souvent plus hostiles au mariage et au couple que les hommes. Ce sont elles qui formulent les accusations les plus virulentes contre l'engagement définitif. En effet, le statut juridique et social du concubinage garantit à la femme une plus grande liberté que le statut d'épouse qui reste marqué par des siècles de domination masculine. En revendiquant la précarité, elles augmentent leur capacité de marchandage. Le rapport à l'institution n'est pas le même : les hommes ont tout à gagner, les femmes ont tout à perdre. Sensibilisées aux courants féministes, elles font du concubinage un des instruments d'une entreprise de libération. »

Parce qu'elle n'a pas été conclue devant la société, une union libre est plus facile à défaire qu'un mariage... mais la séparation est, dans la même mesure, moins radicale et moins définitive. Mme Chalvon-Demersay note que « s'il y a beaucoup de vraies ruptures, il y a aussi de fausses sorties. Rien n'est jamais acquis, et la séparation elle-même peut être remise en question... Ces retours sont plus fréquents en cas de concubinage qu'en cas de mariage. Selon qu'elle est ou non sanctionnée légalement, la séparation n'a pas la même portée. »

Il y a toujours eu, dans tous les siècles, des couples qui « s'accotaient » : mais ce n'était pas par libre choix. C'était soit parce qu'ils vivaient dans un extrême dénuement, à l'écart de toutes les structures sociales, soit parce que l'un des deux était encore marié. L'union libre contemporaine est un phénomène d'un autre ordre, qui procède d'un libre choix : elle est le fait de couples qu'aucune considération objective n'empêcherait de se marier en bonne et due forme et qui ne le font pas. Pourquoi ?

Première catégorie : les traumatisés, ceux qui ne veulent pas courir le risque d'un second ou d'un troisième échec.

---

2. *Concubin, concubine*, Éd. du Seuil, Paris, 1983.

« La rupture de mon mariage a été pénible au-delà de tout, dit Jean-Louis, je n'ai pas envie que l'histoire se répète. J'ai 39 ans et je vis avec Marguerite depuis déjà deux ans, ça va bien, chacun de nous se garde un minimum de liberté, d'air et d'espace pour respirer... pourquoi changer cela ? »

La rupture d'un mariage serait-elle plus pénible que celle d'une union libre ? Quand il s'agit d'une union qui a duré un certain nombre d'années et qui, comme un mariage, lie deux familles, la séparation amène les mêmes chagrins, les mêmes regrets, les mêmes déchirements. « Mais au moins, ajoute Marguerite qui est elle aussi divorcée, on n'est pas obligé de passer par toute une procédure juridique. La rupture est moins spectaculaire, c'est une affaire intime, comme la décision de vivre ensemble. »

Pour bien des divorcés, le mariage est vu comme un piège, comme un geste susceptible d'attirer le mauvais sort. Il y a même des histoires qui courent à ce sujet : « Je connais un couple, ils vivaient ensemble sans problème depuis six ans, un jour ils se marient et puis trois mois après, bang, c'est le divorce ! » (En réalité, peut-être s'étaient-ils mariés comme d'autres font un enfant, dans l'espoir illusoire de sauver une union qui marchait mal ?)

Deuxième catégorie : des jeunes qui en sont à leur première expérience. Liane et Marco, qui ont tous deux 19 ans, viennent de s'installer dans leur premier appartement. Les deux sont étudiants et ont des emplois à temps partiel. Les parents sont d'accord avec leur choix de vie. En fait, ils préfèrent cela. « Ils sont si jeunes encore, dit la mère de Liane, et la vie commune, c'est si exigeant..., tant mieux s'ils ont l'occasion de se connaître avant de s'engager plus avant. On verra bien combien de temps ça durera. »

Troisième catégorie, de plus en plus nombreuse : ceux qui ne voient pas la nécessité de se marier ou qui ont envers le mariage de fortes réticences idéologiques ou personnelles. Cette attitude est souvent le fait des femmes et cela n'est pas surprenant. Dans l'histoire humaine, le mariage a été infiniment plus profitable aux hommes qu'aux femmes. Dans le mariage traditionnel, la femme devenait la « propriété » de son mari qui en échange lui fournissait le gîte et le couvert. À partir du moment où la femme a un emploi, un revenu propre, quel avantage matériel pourrait-elle retirer du mariage ? Même actuellement le mariage reste une association où le mari a plus d'importance et bien des femmes auraient en se mariant l'impression de sacrifier une part de leur liberté si chèrement, si difficilement acquise. Parallèlement à ces réticences qui sont souvent instinctives, on trouve des refus clairement motivés par l'idéologie chez ceux qui estiment que le mariage est la base première d'une société qui repose sur des rapports de pouvoir et d'exploitation.

Pour Pierre et Martine, l'union de fait repose sur la liberté de chacun, sur la liberté de deux individus, tandis que le mariage fusionne les deux individus en une nouvelle entité, le couple légal.

Elle est archiviste, lui est enseignant. « Personne, disent-ils, ne peut dire que nous sommes monsieur-et-madame-un-tel, nous gardons chacun notre nom, chacun nos avoirs, chacun nos amis même si nous en avons plusieurs en commun, nous sortons de temps à autre chacun de notre côté et personne ne s'en étonne. Pour les dépenses de la maison, nous mettons chacun 80 $ par semaine dans un "pot" et c'est avec ça que nous payons l'épicerie, le nettoyeur, etc. Le restaurant, le cinéma, le loyer, on paie tout moitié-moitié. »

Autre aspect qui leur plaît : « C'est peut-être une illusion, mais on aime se dire qu'on choisit chaque jour de rester ensemble. Rien ni personne, même pas un bout de papier, ne nous y oblige. »

De fait, les conservateurs s'illusionnent grandement quand ils prétendent vouloir « préserver la famille » contre ce qui la menacerait, comme si la notion de la « famille » correspondait encore à la réalité de la majorité.

Betty Friedan révèle que, selon les statistiques du gouvernement républicain, « il y a moins de 7 pour cent des Américains qui vivent actuellement dans ce type de famille tant loué par les politiciens et le clergé : la famille composée d'un père-seul-pourvoyeur, d'une mère-au-foyer et de deux enfants... Dans 21 pour cent des foyers, les deux parents sont sur le marché du travail ; 30 pour cent des ménages sont formés de deux conjoints sans enfants ou dont les enfants ont quitté la maison ; 6,7 pour cent sont dirigés par des femmes seules (et moins de 1 pour cent par des hommes seuls) ; 3,1 pour cent sont constitués de gens qui cohabitent sans lien de parenté ; 5,3 pour cent comprennent d'autres parents que les conjoints et les enfants et, enfin, 22 pour cent des foyers sont constitués de personnes seules, dont le tiers sont des femmes de plus de 65 ans [3]. ». *Mutatis mutandis*, le même éventail se retrouve ici.

La solitude

Bien des enquêtes montrent que les divorcés ont tendance à se remarier dans les quatre ou cinq années qui suivent la séparation. C'est surtout le fait des hommes, qui sont moins préparés à affronter la solitude, ne serait-ce que parce que beaucoup n'ont pas appris à se tirer seuls d'affaire dans une maison. Ils disposent en outre d'un plus large choix de « conquêtes ». Pour bon nombre de femmes par contre — et surtout pour celles qui n'ont jamais vécu seules avant leur mariage — la solitude est une expérience plus complexe, à la fois plus éprouvante et plus enrichissante. Elles n'ont pas, quoi qu'on dise, la même liberté de mouvements que l'homme : au restaurant, une femme seule n'est jamais très bien traitée ; dans un bar, elle passe pour une fille facile ; en voyage, elle est toujours plus vulnérable. En général, une femme qui a quelque expérience de la vie n'a pas envie de s'attacher à quelqu'un qui a moins de maturité qu'elle ou avec qui elle communique mal, ce qui limite considérablement ses possibilités de choix.

Sa vie affective risque en somme d'être plus difficile que celle d'un homme du même âge. La solitude, par contre, lui permet de s'affirmer davantage, de prendre mieux conscience de ses possibilités.

Ainsi Janine L., abandonnée assez abruptement à 34 ans par le mari qu'elle croyait aimer à jamais. Quatre ans plus tard, elle est, de l'avis de tous ceux qui la connaissent, plus séduisante qu'auparavant : « Mon ex-mari me dominait tellement, raconte-t-elle, que j'avais l'impression, où que je me trouve, d'être

---

. *The Second Stage*, Summit Books, New York, 1981.

toujours la moins jolie, la moins intelligente, la moins drôle... ».
Une fois libérée, même contre son gré, de cette présence qui
l'écrasait, qui lui masquait le monde et la dévalorisait à ses
propres yeux, Janine allait apprendre peu à peu à nouer de
nouvelles amitiés. Aujourd'hui, elle fréquente un homme qui
l'aime et qui respecte ses goûts et son jugement. Elle songe à
refaire sa vie... mais au fait, quelle drôle d'expression que celle-
là ! C'est au contraire grâce à la solitude qu'elle a « refait sa vie »,
en se rendant compte que sa valeur ne dépendait pas absolument
du regard d'autrui.

Mais il reste que la solitude, même lorsqu'elle est féconde, est
lourde à porter. À certains moments surtout : « Quand je rentre
chez moi le soir après un dîner au restaurant, raconte Jean F.,
avocat dans la trentaine, et que je vois les lumières éteintes, la
vaisselle du déjeuner dans l'évier, un seul couvert comme
d'habitude... J'essaie de ne pas trop penser. Je prends un
journal, un livre, n'importe quoi, histoire de m'occuper l'esprit.
J'espère toujours que le livre me tombera des mains et que je
m'endormirai avant d'avoir pu évoquer le vide, le vide total de
ma vie. »

Catherine, 27 ans, célibataire, qui émerge d'une longue
liaison clandestine avec un homme marié : « Le week-end surtout.
L'envie de me jeter la tête contre les murs. Le samedi dans la
journée, au moins il y a les courses, le ménage. Mais le samedi
soir, le dimanche... la plupart de mes amis sont mariés et
occupés. Quand ils m'invitent, je suis la fille en trop, la
cinquième roue de la charrette. J'ai toujours hâte au lundi, au
moins au bureau il y a les camarades. Jusque-là je me traîne, je
vais au cinéma, j'essaie d'écrire mais le cœur n'y est pas. Avant
au moins il y avait les visites de Benoît... les soirs de semaine
évidemment, et encore pour quelques heures seulement : jamais
une nuit complète... Notre histoire a duré cinq ans, et je ne sais
pas ce que c'est que dormir à ses côtés !... Mais le pire, ah, le pire,
c'est Noël, le Jour de l'An. Je voudrais rayer ces jours-là du
calendrier ou alors m'endormir du 24 décembre au 2 janvier. »

Pour ceux qui sont seuls, la vie à deux évoque des images
bien précises, de tendresse, d'entente tacite, d'intimité.

Marianne V., secrétaire de direction dans la trentaine, divorcée depuis dix ans : « Un rêve idiot, comme un vieux souvenir ou une aspiration lancinante : pouvoir rentrer chez moi après ma journée de travail, m'écraser dans un fauteuil, ôter mes souliers, raconter à mon vieux toutes les petites mésaventures qui me sont arrivées, sans fard, sans me sentir obligée de faire du charme ni de penser à l'image que je projette. Et il comprendrait, me tiendrait la main pendant qu'on regarderait ensemble le téléjournal en mâchouillant des bouts de céleri. À lui je pourrais dire : "Pas de sauce ni de dessert ce soir, je me mets au régime, je ne rentre plus dans mon pantalon". »

Marianne est sociable et on l'invite souvent. « Le plus dur, reprend-elle, c'est d'avoir toujours à faire bonne figure. Au restaurant, avec cet ami qui m'invite à dîner, je dois dire et faire ce qui convient, me pomponner, être agréable, drôle, intéressante. Dans les parties ou même dans les soirées entre amis intimes, je reste toujours un peu sur le qui-vive, comme s'il me fallait toujours conquérir l'amour des autres, le conserver, m'en montrer digne... Et tu sais pourquoi ? C'est parce que je sais que je ne suis pour quiconque, sauf pour ma mère mais ça ne suffit pas, la personne qui compte le plus au monde. J'ai beaucoup d'amis et mes amis m'aiment bien, mais il n'y en a pas un pour qui je sois l'être le plus important, l'être qui passe en premier... »

Plus grand encore est le désarroi de Betty, une femme brillante, belle, connue, qui mène une carrière éclatante : « Il y a des fois où j'envie la madame de banlieue, qui passe la tondeuse en shorts avant d'aller chercher les enfants à l'école, des fois où j'envie toutes les vies plates, sans événement et sans passion, de ceux qui ont au moins quelqu'un à aimer. »

Un médecin dans la quarantaine, bel homme, intelligent, estimé : « Je n'ai jamais été capable de vivre avec une femme. Dès que j'ai achevé une conquête et que la femme commence à s'attacher à moi, je perds immédiatement tout intérêt. J'ai essayé pourtant. Avec Lucie, j'ai vraiment cru que ça marcherait. Mais au bout de deux mois de cohabitation, n'importe quel prétexte m'était bon pour ne pas rentrer, je ne la désirais même plus ! Mes amis m'envient, "sacré chanceux, disent-ils, encore une belle femme à ajouter à ta collection... !" Mais je sais, moi, ce dont je souffre, c'est du donjuanisme et c'est une maladie. Quand je pense à l'avenir qui m'attend, celui d'un vieux coureur, un vieux beau bedonnant à moitié chauve, obligé de déployer des trésors de ruse et de charme pour être encore capable de séduire... »

Pour qu'un couple soit viable, il faut d'abord et avant tout que les deux partenaires soient capables d'aimer dans la réciprocité et que chacun s'aime assez soi-même pour aimer quelqu'un d'autre. À partir de là, tout est possible.

Le couple est ce qui protège l'être humain contre la solitude et l'absurdité, en même temps que la meilleure manière, pour deux personnes, de se connaître et de s'aimer. De jour en jour, l'amour s'amplifie et s'approfondit, devient comme une maison ou comme un nid où l'on se meut de plus en plus librement, de plus en plus à son aise, de plus en plus naturellement. Sur l'amour, tout a été écrit, mais l'humanité ne fait que commencer à apprendre qu'il a des chances de durer seulement lorsqu'il s'appuie sur la dignité et la liberté de chacun des deux partenaires.

Il y a aujourd'hui autant de couples qu'à l'époque du mariage indissoluble, mais les couples sont plus diversifiés.

Ainsi, on voit augmenter le nombre des couples où la femme est plus âgée, voire plus instruite. Michel, par exemple, un étudiant de 22 ans qui fait pour vivre toutes sortes de travaux manuels, vit avec Annie, un professeur de littérature de 41 ans.

Comment une femme mûre peut-elle partager sa vie avec un garçon d'une autre génération avec lequel elle a si peu en commun ? Chaque amour a une part de mystère que le jugement d'autrui ne pourra jamais percer. Une chose est certaine en tout cas, c'est que le couple Annie-Michel n'est ni plus ni moins anormal que le cas inverse qu'on ne remarque plus tant la chose est courante et correspond aux préjugés les mieux ancrés : que peuvent bien avoir en commun, en effet, un homme de 41 ans et une jeune fille de 22 ans ?

Intermède : l'âge de l'amour ou le retour de Monsieur Duhamel

J'aime beaucoup les textes de M. Roger Duhamel, ancien journaliste et ancien diplomate dont les journaux continuent de publier la prose, parce qu'ils illustrent toujours à merveille ce qu'est le sexisme primaire. Ainsi, dans l'article suivant, M. Duhamel rêve tout haut aux voluptueuses amours d'octogénaires et de nymphettes dans la fleur de l'âge, excluant évidemment la possibilité que les nymphettes n'en tirent pas le plus grand bonheur.

Notez surtout l'allusion délirante à Victor Hugo, ainsi que le dernier paragraphe. Remarquez aussi que M. Duhamel confond puissance sexuelle et capacité reproductrice. (La puissance sexuelle de l'homme est à son apogée autour de 20 ans, celle de la femme au contraire s'accroît avec l'âge. M. Duhamel semble croire que c'est le contraire.) Place donc, encore une fois, à une citation de M. Duhamel.

« ... Les exemples foisonnent de ces unions où les pâquerettes d'avril font bon ménage avec les roses de septembre. Le faune Picasso a 87 ans quand il épouse Jacqueline, de 44 ans sa cadette, et Chaplin dépasse la cinquantaine quand il se marie à Oona O'Neil, une adolescente de 18 ans. À 92 ans, Pablo Casals s'enchantait de la présence de sa femme Maria, qui comptait un demi-siècle de moins que lui.

Pendant longtemps, la bonne société française favorisait les unions d'un quadragénaire bien installé dans sa carrière et d'un tendron fraîchement sorti de son couvent et remisant à regret ses poupées au grenier. L'homme avait eu tout loisir de jeter sa gourme, il était devenu enfin sérieux et désireux de prolonger sa lignée. Il était tacitement convenu qu'il romprait toute liaison antérieure. Il se choisissait une femme comme il faut, ajournant la fréquentation des femmes comme il en faut. Quittant son livre d'heures et sa fleur d'oranger, la jeune épousée était censée bénéficier de la riche expérience de son conjoint qui l'initiait aux voluptés désormais permises par la vertu du goupillon.

Existe-t-il un âge idéal pour l'abandon du célibat ? Une ancienne tradition chinoise recommandait que le mari ait le double de l'âge de sa femme, plus une année. À la veille de la dernière guerre, un recensement effectué en Inde révélait le chiffre effarant de 400 000 veuves de moins de quinze ans. Voilà qui eût comblé d'aise Léon Blum qui soutenait, dans son livre bien oublié sur le mariage, que c'est précisément à cet âge que la femme est la plus apte à tirer le plus grand bénéfice du troc de sa virginité.

Pour Aristote, le mariage par excellence réunit un homme de 37 ans et une femme de 18 : c'est qu'ils atteindraient en même temps leur crépuscule sexuel, lui à 70 ans et elle à 50 ans... La nature se moque souvent des rigueurs mathématiques et commet des injustices. L'Anglais Thomas Parr subissait à 100 ans un procès en adultère ; la légende veut qu'il se soit remarié à 120 ans. Devenu octogénaire, Victor Hugo employait devant ses collègues du Sénat une comparaison qui en dit long sur sa vigueur : "Il est difficile pour un homme de mon âge de prendre la parole devant une aussi auguste assemblée. C'est presque aussi difficile pour un homme de mon âge que de faire l'amour trois fois — pardon, quatre fois — au cours d'une après-midi." Il est des chênes qu'on abat difficilement...

Des cas existent, moins nombreux, où la femme est l'aînée du couple. À 17 ans, Henri II remplace son père François 1er dans le lit de Diane de Poitiers, une veuve de 36 ans. L'une des premières maîtresses de Balzac, Mme de Berny, a tout juste le double d'âge de son amant de 22 ans. Certaines femmes mûrissantes goûtent une joie délicieuse à jouer le rôle d'initiatrice ; un complexe maternel légèrement dévoyé... Il est rare que ces liaisons aboutissent à la cérémonie nuptiale. Pour de plus amples renseignements, relire le *Chéri* de Colette.

Dans une lettre à un jeune ami, Benjamin Franklin lui conseille de rechercher l'affection des femmes d'un certain âge, en invoquant un argument cynique : "Elles sont tellement reconnaissantes !"... »[4]

Les nouveaux couples

Autre nouveauté, si l'on peut dire (car ce n'est pas la pratique qui est neuve, mais qu'on le fasse au grand jour) : les couples homophiles, hommes et femmes revendiquant le droit de vivre en couples. Il y a des ménages de lesbiennes qui sont plus stables que bien des mariages. (Apparemment, les couples de femmes seraient plus stables que leurs pendants masculins.) Il faut voir comme un signe de santé sociale le fait que la vie de couple, avec ce qu'elle apporte de tendresse et de sécurité affective, devienne, grâce à l'évolution des mœurs, de plus en plus accessible aux *gais*, qui peuvent ainsi échapper à l'ostracisme déprimant qui a longtemps été leur lot et qui les forçait à limiter le champ de leur vie affective à de brèves rencontres purement sexuelles, dans l'univers clos des bars spécialisés.

---

4. *La Presse*, 1983.

La vie commune a toujours un effet d'usure et plusieurs couples, pour durer, inventent de nouvelles formules.

Depuis quelque temps, Martine et Robert sentaient des tiraillements dans leur ménage. « L'appartement est trop petit, soutenait-elle, on se marche sur les pieds. » Robert, de son côté, avait l'impression d'étouffer. Il se sentait gêné de voir ceux de ses amis qui ne plaisaient pas à sa femme. Ils n'avaient pas d'enfant et n'en voulaient pas et ils avaient tous deux un revenu adéquat. Pour eux, la solution s'est soudainement imposée : à deux rues de chez eux, un deux-pièces sympathique se libérait, Robert y a emménagé. Depuis six mois que dure leur nouvel « arrangement », ils paraissent plus détendus, plus amoureux aussi. Ils se voient trois, quatre fois par semaine et passent en général leurs week-ends ensemble, en profitant pour recevoir leurs amis communs. « On respire mieux », dit Martine. « On se désire davantage, ajoute-t-il, quand on se revoit c'est toujours une petite fête. »

D'autres, forcés par les circonstances plus que par choix, poussent plus loin ce mode de vie, habitant des villes différentes et se trouvant de ce fait séparés pendant une partie de l'année. Ainsi Mark et Marion, comme beaucoup de jeunes Nord-Américains séparés par leurs études ou leurs professions, vivent aux prises avec le problème de la distance. Mark enseigne les mathématiques dans un petit village de la Nouvelle-Écosse où il pratique aussi la pêche, sport qu'il adore tout autant que la nouvelle vie qu'il s'est faite là-bas, après s'être dégoûté de la ville. Marion, qu'il a rencontrée alors qu'elle passait ses vacances dans le même village, est ballerine. Elle vit avec lui quelques mois par année, donnant des cours de danse à l'école secondaire de la ville voisine, mais cela ne peut lui suffire. Elle doit poursuivre ses cours et sa pratique à New York, capitale de la danse.

« Je ne pourrais jamais passer toute l'année là-bas. Pas question par ailleurs que Mark s'installe à New York, il déteste la ville et n'y trouverait pas d'emploi de toute façon. Alors, je me partage... Difficile mais ça se fait. » Ils s'écrivent, se téléphonent aux heures où les tarifs sont réduits, se séparent dans les larmes et se retrouvent dans l'émoi avec mille choses neuves à se raconter, interminablement. Ils n'excluent pas la possibilité d'avoir un enfant : « Du moment qu'il y a un foyer, que l'un des deux reste au même endroit... » C'est le cas de Mark, qui ne verrait aucun problème à s'occuper seul d'un enfant lorsque sa femme serait à New York ; par contre, Marion hésite : avec en plus un enfant, pourrait-elle supporter ces longues semaines de séparation ?

Auparavant, certaines choses allaient de soi : une femme, par exemple, devait suivre son mari si le travail de ce dernier l'appelait ailleurs. (Qui prend mari prend pays.)

Mais il se produit de plus en plus souvent un renversement des attitudes traditionnelles. Ainsi, je connais plusieurs journalistes qui ont refusé un poste qui les intéressait grandement, parce que leurs femmes ne voulaient pas quitter la ville où elles avaient un emploi.

D'autres couples acceptent pour la même raison de se séparer temporairement, une partie de la semaine par exemple, et l'un des deux fait la navette entre deux villes. (C'est évidemment une formule compliquée qui implique des coûts de transport et la location d'un second appartement, mais c'est ainsi que vivent, par exemple, bon nombre de députés et de fonctionnaires qui travaillent à Québec ou à Ottawa et vivent à Montréal.) Dans d'autres cas, beaucoup plus rares, le mari accepte de changer d'emploi pour permettre à sa femme de poursuivre sa carrière dans une autre ville..., mais il faut alors que le mari soit professionnellement très mobile et qu'il ait une maturité exceptionnelle.

D'une part, les femmes ont davantage accès qu'auparavant à des carrières intéressantes qu'elles tiennent à garder même si leur mari doit aller travailler ailleurs ; d'autre part, le resserrement du marché du travail réduit les possibilités de choix : cette double conjoncture a pour effet de séparer bien des couples durant des périodes plus ou moins longues. Cette situation est plus courante aux États-Unis et au Canada anglais qu'ici, mais déjà ses effets se font sentir en milieu francophone. Notons, toutefois, que les couples qui vivent ainsi n'ont généralement pas d'enfant ou que leurs enfants sont déjà grands.

Deux adultes peuvent, à la rigueur, s'accommoder de périodes d'absence et de séparations temporaires, mais ils trouveront la situation plus difficile s'ils ont de jeunes enfants, la famille se transformant alors rapidement en cellule mono-parentale.

C'est ainsi, bien sûr, qu'ont toujours vécu les familles dont les conjoints étaient séparés par la vie parlementaire par exemple, ou par la nécessité de trouver du travail dans les chantiers, les exploitations pétrolières, etc. Toutefois, ce mode de vie s'inscrivait dans le schéma classique : c'était toujours l'homme qui partait et la femme restait au foyer.

Aujourd'hui ce mode de vie touche d'autres couches sociales et aussi bien les femmes que les hommes ; c'est le cas, par exemple, des enseignants, qui pourront de moins en moins se trouver du travail dans la même ville, à plus forte raison s'ils œuvrent au niveau universitaire, des cadres dans les entreprises ou la fonction publique, des gens du secteur des communications, des artistes, etc.

On peut donc vivre ensemble sans toujours vivre ensemble... Condition que bien des gens supporteraient mal cependant, puisqu'elle exige des deux conjoints beaucoup d'autonomie personnelle et qu'elle présente des désavantages certains : « Depuis que ma femme a accepté ce travail dans la fonction publique qui l'amène à Québec une partie de la semaine, dit Luc, un cadre de 47 ans, toute la vie quotidienne s'est trouvée chambardée. Il n'y a pas de problème affectif, sinon le désagrément de se séparer une fois par semaine, mais il y a mille et un problèmes matériels. Toute l'organisation domestique est plus compliquée, plus coûteuse aussi. Il n'était pas question qu'on déménage : nous préférons tous deux vivre à Montréal et je n'aurais jamais d'emploi équivalent à Québec. Quand c'est possible, je vais la retrouver à Québec un jour ou deux durant la semaine. Autrement, on se parle tous les jours au téléphone. On passe tous les week-ends ensemble, on profite peut-être mieux de la présence de l'autre que si elle nous était donnée chaque jour. Il y a peut-être moins de routine. On se redécouvre plus souvent. Le vendredi soir c'est toujours la fête. Par contre, il y a la fatigue, l'usure que produisent toutes ces petites séparations, ces va-et-vient constants, l'absence de l'autre à tel moment précis où l'on en aurait besoin, et puis l'autoroute 20, qui nous paraît toujours si longue... »

295

296

Non seulement faut-il, pour que ce régime soit supportable, que les deux conjoints soient capables d'affronter des périodes de solitude, mais il leur faut aussi s'aimer très profondément, assez pour se faire mutuellement confiance et pour pouvoir maintenir au-delà de la distance une bonne communication émotionnelle. Autrement ils risquent de s'éloigner peu à peu l'un de l'autre.

Quel que soit le modèle de l'union, tous les couples aspirent à une forme quelconque de stabilité, de garantie de durabilité. La forme la plus élevée, la plus intense, de cette aspiration s'incarne dans l'enfant. Le couple alors se transforme et devient foyer, famille, projet à long terme.

À défaut d'un enfant, le désir de posséder quelque chose en commun reste vivace chez bien des couples et même chez ceux qui ne veulent pas se marier. Ainsi, nombreux sont les conjoints non mariés qui décident d'acheter une maison ensemble. En un sens, la copropriété est plus risquée qu'un mariage sous le régime de la société d'acquêts ou de la séparation de biens ! Car un tel mariage peut toujours se dissoudre sans trop de problèmes, mais comment diviser une maison unifamiliale en cas de séparation, lorsque les deux y tiennent également et y ont un droit égal ? Les contrats de copropriété contiennent une clause permettant à l'un des deux partenaires de racheter en priorité la part de l'autre, mais cette clause reste lettre morte si l'on n'a pas les moyens financiers de s'en prévaloir ou si la maison est lourdement hypothéquée.

Ce besoin de sécurité affective, d'autres l'expriment en se mariant. C'est un lien de plus qu'on contracte simplement, sans y voir, dans bien des cas, de nécessité morale ou religieuse. Certains institutionnalisent leur union après quelques années de vie commune, quand ils sont « sûrs de leur affaire ». Pourquoi ? Toutes sortes de raisons sont avancées, y compris le désir d'empêcher que des biens acquis en commun passent aux héritiers légaux ; cet argument me semble toutefois fallacieux, car ces choses-là peuvent se régler par contrat ou par testament. Au fond, la vraie raison est toujours d'ordre affectif : désir de sécurité, de permanence, de possession, désir de sceller par un geste officiel une entente heureuse, désir de passer vraiment, aux yeux de tous, pour un couple, ou tout simplement, désir de rentrer dans le rang, de faire plaisir à celui des deux conjoints qui est le plus possessif en lui donnant une autre « preuve » d'amour... ou même, dans les cas où les parents n'acceptent pas l'union libre, désir de réconciliation familiale.

Mais ces mariages se vivent souvent sur le modèle de l'union de fait : séparation des tâches et des revenus, relation d'égalité entre conjoints, respect d'une bonne marge de liberté pour chacun d'eux...

Il y a des choses qui ne changent pas toutefois : les libertés que chacun s'octroie ne sont jamais totales ; la jalousie (si l'on se sent menacé) continue de faire partie de la vie de couple et, en fait, je n'ai jamais connu de couple où chacun des conjoints s'accommodait avec un égal bonheur d'un degré égal de liberté sexuelle.

À bien des signes, on voit que, parallèlement à l'évolution des mœurs, se produit dans toutes les sociétés une remontée du sentiment religieux et du conservatisme social. Cela a indirectement pour effet de rendre au mariage traditionnel ses lettres de noblesse dans certains milieux. Chez les très jeunes gens, on trouve parfois des modèles de mariage qui sont encore plus conservateurs, encore moins égalitaires, que chez nos parents et nos grands-parents.

Les jeunes

Il est encore trop tôt pour savoir comment les jeunes verront le mariage ou la vie de couple, une fois qu'ils y seront engagés. Pour l'instant, toutes les enquêtes montrent que leur vision est souvent non seulement conservatrice, mais réactionnaire, dans la mesure où il s'agit non pas de conserver l'ordre établi mais de retourner à un ordre plus ancien. Cela serait peut-être une réaction contre la génération de leurs parents, une réaction contre le divorce, l'instabilité, le chômage ou le peu de perspectives d'avenir qu'ils entrevoient.

En l'absence de sécurité affective et financière, il est tentant de rêver à un foyer le plus stable possible. Ainsi, les jeunes aspirent-ils souvent à des modèles traditionnels : les garçons préfèrent que leur future femme reste au foyer et se disent prêts non pas à partager les tâches mais à « aider ». Les filles sont toutefois plus nombreuses qu'auparavant à affirmer qu'elles voudraient continuer à travailler une fois mariées. Lors d'un sondage où on leur demandait quelle activité leur apporterait le plus de satisfaction dans la vie, près de la moitié des jeunes (44 pour cent) répondaient : la vie de famille ; la carrière et les amis venaient loin derrière avec respectivement 26 pour cent et 15 pour cent des premiers choix. Pour la très grande majorité (69 pour cent), il était « très important » d'avoir des enfants et pour 23 pour cent, « plutôt important ». (Les trois quarts des jeunes répondants, par ailleurs, souhaitaient avoir deux ou trois enfants.) Une autre enquête réalisée en 1980 par Sorecom montrait la popularité du modèle traditionnel : chez les adolescents le rêve, c'était une petite maison de banlieue avec la femme à la maison et deux ou trois enfants.

Le partage des tâches au foyer

En 1981, un sondage Gallup réalisé dans tout le Canada montrait que les hommes étaient de plus en plus nombreux à penser qu'ils devaient partager avec les femmes les tâches ménagères. En cinq ans, leur pourcentage était passé de 62 pour cent à 72 pour cent. Mais quant à leur participation réelle à ces tâches, les différences entre les répondants étaient significatives : les hommes étaient nombreux (47 pour cent) à dire qu'ils participaient « régulièrement » aux tâches domestiques... Mais, interrogées sur le degré de participation réel de leur mari, seulement 37 pour cent des femmes disaient que celui-ci « participait régulièrement » aux tâches ménagères. Onze pour cent des hommes avouaient qu'ils n'y participaient jamais, mais plus de femmes (19 pour cent) portaient le même jugement ! Cela laisse croire que les hommes pensaient travailler plus qu'ils ne le faisaient en réalité et ne se rendaient pas compte de l'étendue réelle du travail domestique : aider de temps à autre à la vaisselle, c'était pour eux une participation « régulière ».

Un autre résultat du même sondage prêtait à réflexion : les femmes n'étaient pas plus nombreuses que les hommes à dire que ceux-ci devaient contribuer aux tâches ménagères et à certaines questions leurs réponses étaient encore plus conservatrices. Autrement dit, relativement nombreuses étaient les femmes qui voulaient garder le monopole des tâches ménagères et cela même lorsqu'elles avaient un emploi à l'extérieur.

Cette réaction s'explique facilement chez les femmes qui, n'ayant jamais effectué d'autre travail que le travail ménager, refusent de laisser leur mari y participer, parce qu'elles s'en trouveraient dévalorisées. Ce serait admettre que ce travail n'est pas si difficile, qu'il n'exige pas de compétence particulière et qu'elles ne sont pas indispensables à la bonne marche du foyer. La même réaction s'explique cependant beaucoup moins chez les femmes qui sont sur le marché du travail et pour qui les tâches domestiques représentent un deuxième fardeau. Cette réaction pourtant existe à des degrés variables chez toutes les femmes, y compris chez celles qui considèrent que les tâches ménagères doivent être partagées... mais dont les actes contredisent la pensée !

Écoutons Lucienne, 40 ans, femme d'affaires et féministe, qui vit avec un homme évolué, qui est en plus un excellent cuisinier : « Disons que mon travail s'est terminé plus tard que le sien. Michel aura, c'est parfaitement logique, commencé à préparer le dîner. D'un côté, ça me plaît puisque je suis fatiguée, mais de l'autre, ça m'agace parce qu'il me semble que la cuisine, c'est à moi. Je tourne autour, je cherche à savoir ce qu'il a fait, et comment, et pourquoi. "Pourquoi tu prends cette casserole-là pour les épinards ? Elle ne sera pas assez grande. Est-ce que tu as pensé à mettre de l'ail dans le gigot ? On devrait plutôt finir les restes d'hier, ça va se gâter, etc." Il est pourtant bon cuisinier, il y a même des plats qu'il réussit bien mieux que moi. Mais il ne fait pas les choses comme moi. Évidemment, à me voir ainsi tenter de superviser tout ce qu'il fait, il s'irrite... »

Mais Michel n'est pas le seul dans ce cas et bien des cas sont pires !

Martin, un enseignant de 48 ans, s'est remarié il y a dix ans avec une femme qui n'avait jamais fait cuire un œuf de sa vie. Lui, par contre, avait vécu seul assez longtemps après son divorce, et faisait fort convenablement la cuisine. « Du jour où je me suis remarié, dit-il, je me suis trouvé exclu de la cuisine.

C'était "son" domaine, "son" territoire exclusif. J'ai désappris à faire à manger, même si c'était moi qui le lui avais montré ! »

Dans d'autres cas, la lutte de pouvoir (car c'en est une) se déroule encore plus sourdement. « Je n'arrive jamais à savoir où est quoi, dit un fonctionnaire de 35 ans, parce que ma femme passe son temps à réorganiser les armoires et les tiroirs. J'ai l'impression qu'elle fait ça exprès, pour brouiller les pistes, pour que je ne m'y retrouve pas, pour que je ne risque pas de lui faire compétition dans l'organisation de la maisonnée. »

Très souvent la femme acceptera d'être « aidée » par son mari, mais à condition qu'il travaille sous ses ordres ; il ne s'agit plus d'un partage mais d'une délégation de pouvoir.

Ronald, un historien de 40 ans, en a beaucoup à reprocher aux femmes à ce sujet : « Même les femmes les plus évoluées tiennent à garder le contrôle sur le foyer. En se mariant, un homme doit renoncer à ses propres goûts en matière de cuisine, de décoration, et même pour ses propres vêtements... Il y a des fois où je me demande si c'est vrai que les femmes veulent qu'on change. Vous passez votre temps à nous dire d'être doux, sensibles, de laisser remonter nos émotions à la surface et quand on le fait, vous nous reprochez de ne pas prendre nos responsabilités, d'avoir l'échine molle, de ne pas vous protéger suffisamment... De n'être pas assez virils, quoi ! »

Betty Friedan rapporte des propos semblables, venant cette fois d'un professeur de psychologie : « Les femmes veulent encore que vous soyez plus grand, plus expérimenté, supérieur à elles... Ce qui est de moins en moins facile dans la mesure où elles s'affirment bien davantage. Et elles veulent aussi que nous manifestions nos sentiments. Mais quand je suis dans le rôle du professeur de psychologie avec mon veston, ma cravate, mon doctorat, n'importe quelle femme va sortir avec moi. Quand je vais dans un bar, par contre, la chemise déboutonnée, sans statut social visible, les femmes ne me regardent même pas. C'est très déshumanisant, ça, que d'être toujours perçu en fonction de son statut social et de son revenu, comme un objet économique. C'est aussi sexiste que d'évaluer une femme en fonction de son tour de poitrine [5]. »

---

5. *Op. cit.*

Dans un livre[6] fort éclairant sur cet aspect de la condition féminine, Colette Dowling raconte à partir de sa propre expérience comment il est facile de retomber dans les comportements stéréotypés.

Dès l'instant où, en se remariant, elle recommença à vivre avec un homme, Colette Dowling, qui avait pourtant fait vivre ses trois enfants pendant plusieurs années, allait perdre toute ambition professionnelle et retourner au rôle traditionnel de la parfaite maîtresse de maison, jusqu'à ce que son mari lui fasse comprendre que le fait d'être devenu l'unique pourvoyeur constituait un fardeau de plus en plus lourd et qu'elle prenne conscience qu'elle était en train de développer les comportements classiques de la « femme enfermée » (autodépréciation, récrimination, manipulation, insécurité par rapport au monde extérieur, etc.).

En y réfléchissant et en interviewant d'autres femmes sur le marché du travail, elle a découvert une profonde insécurité, derrière l'hyper-activité de toutes ces *Super Women* qui tiennent à rester, malgré leurs responsabilités professionnelles accaparantes, des cuisinières hors-pair et de parfaites ménagères. Les conditionnements ont été si profonds qu'une femme n'aura pas l'impression qu'elle s'est réalisée en tant que telle si elle concède une trop grande partie de son pouvoir sur le foyer.

Or, s'il est si difficile de se défaire des conditionnements dans le simple domaine des tâches ménagères, qu'en sera-t-il du pouvoir sur les enfants ?

Il se pourrait toutefois que cette résistance des femmes au partage du pouvoir au foyer, qui correspond à la résistance des hommes au partage du pouvoir dans le monde du travail, ne tienne pas uniquement aux conditionnements. Il y entre peut-être un obscur pressentiment : et si la femme abandonnait ce pouvoir millénaire qui la valorise et lui procure un puissant outil de négociation face à l'homme, en échange de gains sur le marché du travail qui risquent de lui être retirés sitôt octroyés ? Car les victoires des femmes dans les sphères socio-économiques sont somme toute loin d'être achevées et encore très précaires. D'où, peut-être, ce besoin de s'accrocher à toutes les autres

6. *The Cinderella Complex*, Pocket Books, New York, 1981.

formes de sécurité, et surtout à ce qui, à travers les siècles, a constitué pour les femmes le seul lieu de pouvoir véritable.

Le bonheur d'un mariage, cela va sans dire, ne tient pas au modèle dans lequel il s'inscrit. Il y a des mariages très traditionnels dans lesquels et la femme et l'homme sont heureux et comblés, parce que cet arrangement correspond à leurs besoins affectifs respectifs. Et il y a, de la même façon, des unions apparemment « ouvertes » et « évoluées » qui sont des unions malheureuses.

Personne ne peut savoir, encore moins juger, ce qui se passe au sein d'un couple, la preuve en étant que certaines séparations, certains divorces, prennent tout le monde par surprise, y compris les plus proches amis du couple. Il n'est pas question donc de juger de l'équilibre ou du bonheur d'un couple à partir de schémas idéologiques et d'un modèle d'union idéale. Ce qu'il faut, c'est justement renoncer à imposer à tous les individus, qui sont, comme on le sait, si différents les uns des autres, un modèle unique auquel ils devraient se conformer.

Le partage du monde

Dans un beau texte intitulé « Manifeste pour les femmes »[7], Gisèle Tremblay écrit : « Depuis toujours, hommes et femmes, nous vivons à demi dans notre moitié du monde... Nous revendiquons, pour les femmes, le pouvoir. Ni tout le pouvoir pour elles seules, ni tout le pouvoir sur les autres car ce serait l'oppression et pour l'avoir subie nous la récusons. Mais tout le pouvoir qui de droit leur revient, le partage égal du pouvoir, la coresponsabilité du monde. »

La coresponsabilité du monde, cela veut dire, pour la femme, partager avec l'homme la responsabilité de pourvoir aux besoins matériels de la famille, l'homme lui ouvrant en retour le monde du travail, de l'action, du pouvoir extérieur au foyer. Cela veut dire, pour l'homme, partager avec la femme les tâches les plus humbles et les plus nécessaires de la vie quotidienne, la femme lui ouvrant en retour le monde des enfants, des émotions, de la maison.

7. Revue *Possibles*, vol. 5, nᵒˢ 3-4, Montréal, 1981.

Pour l'instant, tant les hommes que les femmes ne disposent encore que d'un demi-pouvoir sur le monde, ou alors du pouvoir sur une moitié du monde, l'un régnant sur l'univers intérieur, l'autre sur l'univers extérieur. Demi-pouvoir, demi-vie, demi-être.

Il ne s'agit pas, ni pour l'homme, ni pour la femme, d'échanger un demi-pouvoir contre l'autre demi-pouvoir. La femme n'a aucun intérêt à échanger le bonheur lié au travail au foyer et auprès des enfants contre une carrière fructueuse si cela signifie la solitude affective. L'homme n'a aucun intérêt à troquer son statut dans la société contre une carrière au foyer qui l'enfermerait à la maison.

Non pas l'échange, donc, mais le partage... Pour que chacun, homme et femme, puisse jouir des deux sources de joie qui s'offrent à l'être humain : la joie qu'apportent les ressources infinies du monde émotionnel et la répétition amoureuse des gestes qui transforment une maison en foyer et font grandir les enfants, et celle qu'apporte l'affirmation de soi sur le marché du travail et dans l'engagement socio-politique.

Tant l'homme que la femme trouvent leur intérêt dans ce partage. C'est pour l'homme l'unique façon de redécouvrir cette partie cachée de lui-même que constitue le grand réservoir de ses propres émotions et de ses désirs les plus profonds. Et c'est pour la femme l'unique façon d'accéder à la dignité, à l'égalité et à l'autonomie. Ainsi chacun peut-il se libérer d'une partie du fardeau qui l'écrasait, l'homme de la lourde responsabilité de nourrir seul sa famille, et la femme de l'aliénante responsabilité d'élever seule ses enfants et de servir tout le monde en sacrifiant ses propres besoins.

L'amour

Ce partage repose sur l'entraide et la tendresse, il repose sur l'amour. C'est l'amour en effet qui peut le mieux changer les choses. L'amour est ce qui permet à l'homme et à la femme de s'écouter et de se comprendre, et de partager ce qui est parfois lourd à porter. Tant l'homme que la femme ont intérêt à ce que l'autre devienne un être complet, capable de réaliser ses aspirations les plus diverses. L'amour n'existe qu'entre égaux. Autrement c'est un rapport de forces incessant, une lutte de pouvoir sans répit, où chacun s'épuise à négocier, à contourner, à dominer ou à intriguer, à contraindre ou à manipuler.

En ce sens, c'est bel et bien un nouvel humanisme que proposent aux hommes un nombre grandissant de femmes : un nouvel humanisme, et une nouvelle façon d'aimer.

TABLE DES MATIÈRES

308

Pages

COMPOSÉ AUX ATELIERS
GRAPHITI BARBEAU, TREMBLAY INC.
À SAINT-GEORGES-DE-BEAUCE

Achevé d'imprimer
en février mil neuf cent quatre-vingt-quatre
sur les presses de l'Imprimerie Gagné Ltée
Louiseville - Montréal.
Imprimé au Canada